D0419595

Tout savoir sur les *Maladies Sexuellement Transmissibles*

de la syphilis au sida

COLLECTION « LES CHEMINS DE LA MEDECINE »

Déjà parus :
CE QU'ON VOUS CACHE SUR LE CANCER, du Dr Philippe Lagarde
COMMENT VOUS ALIMENTER SAINEMENT SELON LES PRINCIPES D'UN MEDECIN ACUPUNCTEUR, Dr Guido Fisch
APPRENEZ L'ACCOUCHEMENT ACCROUPI, du Dr Moyses Paciornick
LA CHIROPRACTIE, CLEF DE VOTRE SANTE, du Dr Peter Huggler
RELAXATION ET SOPHROLOGIE POUR SE SENTIR BIEN DANS SA PEAU, du D[r] J.-J. Jaton
MAITRISEZ VOTRE SANTE, du D[r] Charles Terreaux
LA DOULEUR EST INUTILE, du D[r] Pierre Soum
LE TEMPS D'AIMER OU POURQUOI 52 % DES HOMMES SONT-ILS EJACULATEURS PRECOCES, du Dr P. Solignac
L'INFLUENCE DES ASTRES SUR VOTRE SANTE, du Dr Michelot
VOS VETEMENTS ET VOTRE SANTE, du Dr G. Schlogel
MON APPROCHE DU CANCER, du Dr S. Neukomm
CHERI... TU RONFLES, du Dr J.-M. Pieyre
TOUT SAVOIR SUR LES MALADIES SEXUELLEMENT TRANSMISSIBLES, du Dr Hubert Saada

Si vous désirez être tenu au courant des publications de l'éditeur de cet ouvrage, il vous suffit de nous envoyer vos nom et adresse.

Siège social :
29, rue de Bourg, CH-1002 Lausanne, Suisse.
Tél. 021/22.17.17 Tél de Paris 19.41.21/22.17.17.

Bureau de Paris : 2, rue de Sabot. F-75 006 Paris. Tél. 548.68.85.
Dépot légal en Suisse en mars 1984

ISBN 2-8289-0136

Dr Hubert Saada

Tout savoir sur les Maladies Sexuellement Transmissibles

de la syphilis au sida

PRÉFACE

Ce livre n'a certainement pas l'ambition de permettre à chacun de faire un diagnostic de maladies sexuellement transmissibles et de se traiter tout seul. D'ailleurs, je n'aborderai pas le traitement de ces maladies, mais je me contenterai pour chacune d'entre elles de dire si il existe ou non un traitement efficace. En effet, le traitement d'une maladie quelle qu'elle soit est une chose trop sérieuse pour pouvoir la mettre entre des mains de profanes et, pour la santé de tous, il vaut beaucoup mieux laisser la prescription des médicaments à la charge des médecins. Il faut toujours avoir présent à l'esprit qu'un médicament, si par certaines de ses actions a un effet hautement bénéfique sur une maladie, peut aussi être responsable d'effets secondaires néfastes. Un médicament doit être prescrit bien sûr en fonction de la maladie que l'on veut traiter, mais aussi en fonction de l'individu à traiter, de son terrain. Et pour une même maladie le médecin pourra être amené à prescrire deux médicaments différents, chez deux individus différents.

Ce livre aura donc pour objectif principal de vous familiariser avec les différentes maladies sexuellement transmissibles, et leurs manifestations cliniques, en espérant que l'apparition chez l'un ou l'une d'entre vous d'un des symptômes que vous aurez l'occasion de lire dans les pages qui suivront, attirera suffisamment votre attention pour vous amener à consulter votre médecin.

Le second objectif de ce livre sera de vous informer des risques de complications encourus, en cas de négligence de votre part, aboutissant à une absence de traitement ou à un traitement incorrectement suivi.

Si je me suis décidé à écrire ce livre sur les maladies sexuellement transmissibles (nous abrégerons en écrivant M.S.T.), c'est parce qu'il y a je pense, une lacune dans ce domaine, en ce qui concerne l'information du public.

Il est vrai que depuis peu, les médias se sont mises à parler de plus en plus de ces maladies : des émissions de télévision ou de radio, où sont invités d'éminents confrères, traitent assez fréquemment de ce sujet, qui a même été abordé lors de certains journaux télévisés ; la presse écrite elle aussi, s'y est mise, avec des articles parus dans des quotidiens et des hebdomadaires.

Cette « pléthore » d'information, jusque-là quasiment absente, est très probablement due au fait que les responsables de la presse écrite et parlée ont senti ce « vide » dans ce domaine, face à ce besoin de savoir du public, sur un sujet qui le touche de très près, puisque l'acte sexuel est, quel que soit le mode de sexualité de chacun, quelle que soit sa façon de penser, un des actes important de la vie.

Malgré l'évolution de la sexualité, les M.S.T. restent encore pour beaucoup un sujet « tabou ». Les patients qui en sont atteints ont encore souvent du mal à en parler librement, bien que le médecin ressente souvent chez eux le besoin de se confier et d'être rassurés ; ceci est vraisemblablement dû au fait qu'elles concernent leur sexualité.

Dans mon expérience personnelle de médecin de laboratoire, il m'est souvent arrivé de ressentir l'angoisse de certains patients devant ces maladies ; combien de femmes surtout, mais aussi d'hommes, sortent de la salle de prélèvement avec les mêmes mots :

— Est-ce grave Docteur, d'après vous ?

Grave en principe n'est pas le terme, puisque la réponse s'adresse à des personnes qui sont prises médicalement « en main », et qui acceptent de se soumettre aux examens de laboratoire prescrits par le médecin.

— Cela aurait pu être grave, réponds-je inlassablement, si devant certains symptômes apparus chez vous ou chez votre partenaire vous n'étiez pas aller consulter votre médecin traitant, votre dermatologue ou votre gynécologue.

En effet dans ce domaine des maladies sexuellement transmissibles, le simple fait de « se prendre en main », de se dire j'ai quelque chose, donc il faut que j'aille consulter un médecin, diminue voire même souvent supprime la gravité de la maladie, pour peu que cette décision soit prise à temps.

Dans la majorité des cas, un examen clinique ou gynécologique minutieux associé à un interrogatoire et suivi par des prélèvements pratiqués en laboratoire permettent de porter un diagnostic et de venir à bout de l'infection, si infection il y a, par un traitement approprié des deux partenaires ou des différents partenaires.

On ne le répétera jamais assez, l'amour se fait à deux ou à plusieurs et il faudra toujours que tous les partenaires soient traités, si on veut se mettre à l'abri de récidives et ne pas entrer dans le cercle vicieux des recontaminations.

Les maladies sexuellement transmissibles comme leur nom l'indique sont des infections qui se transmettent essentiellement par voie sexuelle ; c'est dire qu'un homme ou une femme porteur d'une de ces maladies représente un grand risque de contamination pour son (sa) ou ses partenaires.

Cependant il faut souligner le fait que si ces maladies se transmettent essentiellement lors de rapports sexuels, ce mode de transmission n'est pas exclusif.

Donc un bon principe à respecter : pas de précipitation dans ce domaine !

Une fois achevée la lecture de ces pages, vous saurez en effet que les rapports sexuels ne représentent par le seul mode de contamination des M.S.T. Donc, vous Madame ou vous Monsieur, si un jour vous présentez des symptômes d'une M.S.T., alors que vous n'avez pas eu de rapport en dehors de votre couple, n'incriminez pas systématiquement votre partenaire et ne pensez pas systématiquement avoir été « trompé ».

Même si votre partenaire ne se plaint pas et ne semble présenter aucun des symptômes qui vous préoccupent, il faudra lui parler de vos « petits ennuis », car il (elle) a beaucoup de chances d'avoir été contaminé et d'être ce que l'on appelle en langage médical un « porteur sain de germe ». En tant que tel, il (elle) est susceptible soit de vous recontaminer et vous verrez réapparaître les mêmes symptômes à la fin du traitement que vous aurez suivi, soit de transmettre cette maladie à d'autres partenaires éventuels.

Ne laissez pas traîner ces symptômes en espérant qu'ils disparaîtront d'eux-mêmes et en vous disant qu'il vaut mieux ne pas en parler à votre partenaire, car il (elle) ne vous croira pas, même si vous lui affirmez n'avoir pas eu de rapports sexuels avec quelqu'un d'autre.

Au contraire, allez calmement et sereinement si possible consulter votre médecin ou votre gynécologue. Exposez-lui tout d'abord vos symptômes, puis par la suite vos problèmes d'ordre « conjugal ».

Dans la majorité des cas, vous serez favorablement étonné de la compréhension et de la psychologie dont un médecin pourra être capable. Le plus souvent il prendra le temps de vous écouter, de vous donner des conseils, même quant à la manière d'exposer le problème à votre partenaire.

Bien sûr la compréhension devra être réciproque ; ne vous embourbez pas dans trop de détails qui pourraient ne l'intéresser que très secondairement.

Essayez de lui poser des questions précises qui découlent directement de vos préoccupations de l'instant ; vous vous rendrez compte que, très souvent, il vous aidera de son mieux et que ses réponses à vos questions pourront être d'un grand secours.

Face aux maladies sexuellement transmissibles, il existe plusieurs types de comportement de la part des patients.

Une bonne partie des malades, que nous sommes amenés à voir, ont une attitude que je qualifierais de « normale ». Il s'agit de patients, un peu inquiets de se savoir atteints d'une maladie sexuellement transmissible et des conséquences physiques et « morales » que cette maladie pourra entraîner. En effet, tout ce qui touche aux organes génitaux, qui sont aussi les organes de la reproduction, inquiète, et ce à bon escient, beaucoup de gens. Et il faut savoir que autant les risques de stérilité sont réels, en cas de maladies sexuellement transmissibles négligées et non traitées, autant les risques d'impuissance ou de frigidité sont quasi inexistants. Cependant il faut noter que le fait de vivre dans l'angoisse d'une maladie sexuellement transmissible éventuelle peut être responsable chez certaines personnes, particulièrement fragiles psychiquement, d'une peur devant la sexualité telle qu'elle peut aboutir à ce résultat, à savoir pseudo-impuissance ou pseudo-frigidité.

Donc ces sujets ayant une attitude « normale » sont des personnes qui, bien que un peu inquiètes devant les symptômes qu'elles présentent, sont capables de prendre la décision d'aller consulter leur médecin, se soumettent aux examens de laboratoire ordonnés par le médecin, acceptent de prévenir leurs partenaires et suivent correctement les traitements prescrits.

Malheureusement beaucoup d'autres personnes atteintes de maladies sexuellement transmissibles ont l'attitude négligente des gens qui pensent que « tout n'est rien » et que leur maladie va guérir sans traitement, ou en prenant un ou deux comprimés d'un antibiotique qui selon eux « marche à tous les coups ».

Ces sujets sont les plus dangereux à la fois pour eux, car ils s'exposent à des complications parfois graves, mais aussi et surtout pour les autres, car ils sont suceptibles de contaminer de nombreux partenaires. En effet, il faut savoir qu'une maladie sexuellement transmissible ne guérit pas si elle n'est pas correctement traitée, et même si les symptômes disparaissent en l'absence de traitement, il s'agit en général d'une rémission ou d'une phase latente de la maladie et non d'une guérison ; et pendant cette période le malade reste souvent contagieux.

Par contre il ne faut pas se laisser aller à l'excès inverse, comme ce monsieur qui venait au laboratoire se faire faire des prélèvements « de toutes sortes » parce qu'il avait aperçu inopinément dans la boîte à pharmacie d'une amie de rencontre un flacon d'un antibiotique dont il ne se souvenait même pas le nom.

— Tout de suite, m'a-t-il dit, j'ai pensé qu'elle pouvait avoir une maladie vénérienne.

Il faut savoir qu'un antibiotique est actif en général sur différents germes et non sur un seul. Et un même antibiotique peut être tantôt prescrit pour une infection génitale, tantôt pour une infection dentaire, une angine, etc.

Donc, même si un jour il vous arrivait de trouver dans la boîte à pharmacie de votre partenaire un antibiotique que l'on vous avait prescrit pour une maladie sexuellement transmissible, ne tirez pas de conclusions trop hâtives.

Il y a aussi les personnes hyperémotives et anxieuses qui entrent dans le cabinet de consultation la tête basse, sans prononcer une seule parole ; elles vivent leur maladie sexuellement transmissible avec angoisse.

Il m'est arrivé de voir des jeunes filles, le plus souvent au début de leur période d'activité sexuelle, « traumatisées » par le fait d'avoir déjà contracté à leur âge une maladie vénérienne, traumatisées parfois au point de ne plus vouloir avoir de rapports.

On peut aussi citer les « maniaques des maladies véréniennes » qui se font faire des prélèvements systématiques presque tous les mois, afin de dépister une éventuelle maladie sexuellement transmissible, en raison d'une activité sexuelle qu'ils jugent débordante. Ces gens représentent quand même une infime minorité, et il faut reconnaître que même dans les cas extrêmes de sujets exposés à des risques élevés de maladies vénériennes, de par la multiplicité de leurs rapports et le nombre très important de leurs partenaires, des prélèvements systématiques mensuels sont tout à fait abusifs.

Il y aussi ceux, surtout des hommes, qui, ayant débuté très jeune leur activité sexuelle et ayant des rapports très fréquents avec des partenaires nombreux, pensent être immunisés contre ce type de maladie.

Cela est faux, totalement faux ! Il est vrai qu'il y a des sujets plus prédisposés que d'autres, et que par contre certains sujets résistent mieux à certaines infections, mais il n'y a pas d'immunité spontanée, ni acquise vis-à-vis des maladies sexuellement transmissibles. Comme nous le verrons plus loin, chacun peut être atteint, et une même personne pourra même présenter plusieurs fois la même maladie sexuellement transmissible.

Il faudra avoir présent à l'esprit, tout au long des pages qui suivront, que les M.S.T. représentent un ensemble de maladies pour lesquelles le fait de se soumettre à un traitement devrait être une obligation morale pour tous.

En effet chaque individu a le droit de refuser un traitement lorsque cette décision ne se fait qu'au détriment de sa propre santé, mais nul n'a le droit de mettre en jeu par sa négligence la santé des autres et les M.S.T. représentent un des principaux domaines de la médecine où la décision d'un individu met en jeu la santé d'autrui, de par leur contagiosité et leur mode de transmission. Et en fait, toute l'ambition de ce livre réside dans cet espoir de prise de conscience collective.

Afin de faciliter la lecture des pages qui suivront, j'essaierai au fur et à mesure de « traduire » certains termes médicaux en un langage compréhensible par tous. De toute façon un index des termes médicaux employés sera inséré à la fin de ce livre ; index auquel je vous invite à vous reporter soit avant la lecture des pages qui vont suivre, soit au fur et à mesure de leur lecture.

INTRODUCTION

Le terme de maladie sexuellement transmissible ou M.S.T. a remplacé l'ancien vocable de maladie vénérienne, qui ne recouvrait que 4 maladies, à savoir :

— Syphilis
— Gonoccie
— Chancre mou
— Maladie de Nicolas Favre.

Le champ de ces maladies s'est considérablement étendu puisque à côté des 4 maladies vénériennes classiques, on connaît à présent des maladies infectieuses uro-génitales, non gonocciques, dues à des agents divers, parasitaires, mycosiques, bactériens ou viraux.

Et le terme de M.S.T. est une dénomination beaucoup plus vague et plus vaste permettant d'en étudier beaucoup d'autres.

Bien qu'il existe pour la majorité des M.S.T. un traitement efficace permettant leur guérison, on assiste à une nette recrudescence de ces maladies, et les M.S.T. représentent actuellement les plus fréquentes des maladies transmissibles. Cette incontestable augmentation du nombre des M.S.T. est favorisée par différents facteurs.

Le premier de ces facteurs est la « révolution sexuelle » à laquelle on assiste depuis quelques dizaines d'années.

En effet ce qui a joué le plus grand rôle dans cette recrudescence, ce sont les profondes transformations subies par les attitudes envers la sexualité, au cours des 25 dernières années :

— liberté et tolérance accrues d'une part,
— évolution des mœurs et des pratiques sexuelles d'autre part.

Actuellement les rapports sexuels sont beaucoup plus « faciles » qu'auparavant. On se rencontre et souvent le soir même on a des rapports, sans savoir si l'autre personne présente ou non des symptômes d'une quelconque M.S.T., et souvent on ne se revoit plus le lendemain, et on a des rapports avec une autre personne dans les jours qui suivent.

C'est ce que l'on appelle le « vagabondage sexuel », qui fait que le nombre de rapports avec des personnes différentes augmente, et de par ce fait même, le risque de contracter une M.S.T. s'accroît notablement.

D'autre part les rapports sexuels commencent de plus en plus tôt et souvent les jeunes de 15 ou 16 ans n'ont pratiquement jamais entendu parler des M.S.T.

De plus beaucoup de sociétés sont devenues plus tolérantes en matière de sexualité.

Dans la plupart d'entre elles, le divorce, l'illégitimité des rapports avant et en dehors du mariage, de même que l'homosexualité sont devenus moins déshonorants.

Le second facteur à l'origine de l'accroissement des M.S.T. est représenté par la mobilité des populations.

A côté de l'émigration et l'immigration, touchant surtout des personnes seules plutôt que des familles entières, la plupart des pays subissent une migration contrôlée des communautés rurales et des petites villes vers des villes plus grandes. Là, en raison de l'insuffisance des logements face à cette arrivée massive, la surpopulation, le développement de « taudis » et l'occupation à plusieurs d'une même pièce posent de sérieux problèmes. Beaucoup de ces célibataires « déplacés » et qui se retrouvent hors de l'emprise morale bénéfique que peut exercer la famille vont, se sentant seuls, avoir des rapports sexuels fréquents avec des partenaires de passage, multiples.

L'alcool quant à lui représente le troisième facteur favorisant. En effet la relation alcool-vagabondage sexuel est bien établie. Une grande majorité des rencontres fortuites se produisent à l'intérieur ou à l'extérieur d'un bar, d'une discothèque, d'une boîte de nuit où sont servis des alcools. L'alcool, en supprimant les inhibitions, favorise les contacts, les rencontres et par-là même les rapports sexuels.

La contraception elle aussi joue un rôle important dans cette recrudescence des M.S.T. Des modes de contraception efficaces à près de 100 % des cas, tels que pilule et stérilet, mis au point ces dernières années, ont libéré la femme des risques de grossesses non souhaitées.

Et on a constaté qu'actuellement beaucoup plus qu'auparavant, les femmes ont plus facilement des rapports sexuels avec un partenaire de rencontre.

Ces méthodes contraceptives, si elles ne favorisent pas directement l'installation de M.S.T., vont indirectement en augmenter les risques.

En effet, d'une part elles favorisent la multiplicité des rapports et des partenaires, d'autres part, elles augmentent les risques de M.S.T. en supprimant le préservatif masculin, qui représentait une barrière, non pas certaine, mais néanmoins réelle, contre l'infection.

En effet il ne fait aucun doute que la pilule et les dispositifs intra-utérins (stérilets) n'opposent pas à la propagation de l'infection la barrière mécanique que constituaient certains des moyens anticonceptionnels classiques : préservatif masculin, diaphragme féminin et aussi crèmes spermicides etc.

Les porteurs sains de germe, en augmentation permanente, représentent eux aussi un facteur de risque. Ce sont des personnes qui sont porteurs de germes responsables d'une M.S.T., mais qui ne présentent aucun symptôme. Ces sujets doivent néanmoins être considérés comme malades et être traités, puisqu'ils sont contagieux. Ce sont d'ailleurs les plus « dangereux », puisque n'ayant pas de symptômes ils ne vont pas consulter, ou dans certains cas, refusent de se soumettre à un traitement, et ils continuent de transmettre la maladie.

Il est classique aussi d'avancer des facteurs sociaux et psychologiques à l'origine de cette recrudescence des M.S.T., à savoir l'augmentation et le rajeunissement de la population mondiale, l'urbanisation, la diminution de la crainte devant les M.S.T., l'augmentation des voyages. Et le nombre des personnes dites « à risque » augmente chaque année.

Les enfants nés à l'époque de la grande poussée de natalité des années 40 et du début des années 50 sont parvenus à la phase sexuellement active de leur existence, et l'allongement de la durée de vie, joint à l'abaissement de l'âge de la puberté et des premiers rapports sexuels, a pour effet d'allonger considérablement la période pendant laquelle les M.S.T. peuvent être contractées.

Il faut savoir que certains groupes de sujets sont dits à haut risque, en ce qui concerne les M.S.T. ; ce sont :

— les jeunes
— les étudiants
— les homosexuels
— les prostituées.

Les rapports avec l'ami de passage représentent le principal mode de transmission des M.S.T.

En effet chez l'homme la rencontre fortuite avec une partenaire de passage représente environ 70 % des cas de contamination.

La transmission d'une M.S.T. par l'amie régulière représente environ 25 % des cas de contamination de l'homme.

Les maris sont contaminés par leur femme légitime dans environ 8 % des cas, et par les prostituées dans environ 5 % des cas.

En ce qui concerne les femmes, la contamination par un partenaire de passage représente 40 % des cas de M.S.T.

Dans 40 % des cas la femme est contaminée par l'ami régulier. Pour les femmes mariées, 78 % d'entre elles sont contaminées par leur mari.

Enfin, nous rappellerons que le risque majeur des M.S.T. est représenté d'une part par le risque de voir se développer, en l'absence de traitement efficace des complications, parfois lointaines, graves, voire préoccupantes, d'autre part par les risques de dissémination de ces maladies.

ANATOMIE DE L'APPAREIL GÉNITAL

Pour mieux suivre les pages qui suivront, un bref aperçu sur l'anatomie de l'appareil génital de la femme et de l'homme est indispensable.

En effet les M.S.T., comme leur nom l'indique, atteindront essentiellement mais pas uniquement les organes sexuels, ainsi que les voies urinaires et parfois le rectum et le canal anal.

L'appareil génital de la femme

1) **La vulve :** (voir figure 1 et 3, p. 26 et 27)

La vulve représente l'ensemble des organes génitaux externes de la femme. Elle est occupée à sa partie moyenne par une dépression médiane, appelée vestibule, où s'ouvrent le méat urétral en avant et le vagin sur le reste de son étendue.

L'orifice vaginal, chez la plupart des jeunes filles vierges, est en partie fermé par une membrane appellée hymen, dont la rupture lors de la première pénétration provoque parfois un léger saignement.

Le vestibule est limité de chaque côté par deux larges replis de la peau que sont les grandes lèvres en dehors, les petites lèvres en dedans.

Les grandes lèvres, allongées d'avant en arrière, s'étendent du mont de Vénus en avant, qui est une saillie qui recouvre l'os du pubis, et qui se recouvre de poils à la puberté, à la fourchette en arrière, où elles se rejoignent.

La zone comprise entre la fourchette et l'anus forme le périnée, long d'environ 3 centimètres. Chez l'adulte, la face externe des grandes lèvres est recouverte de poils, alors que leur face interne est lisse.

Les petites lèvres sont situées entre les grandes lèvres. A l'avant elles se réunissent au niveau du clitoris qu'elles entourent, lui formant un capuchon. A l'arrière, elles se terminent de chaque côté de l'orifice vaginal.

Le clitoris, qui chez la femme est l'homologue du pénis chez l'homme, est comme ce dernier un organe érectile et possède un gland très sensible. Il est situé tout à l'avant du vestibule.

Dans la partie postérieure de chaque grande lèvre se trouve une glande, appellée glande de Bartholin, dont l'orifice s'ouvre de part et d'autre de l'entrée du vagin. Ce sont des glandes qui participent à la lubrification de la vulve, lors de l'excitation sexuelle.

Enfin de chaque côté du méat urétral s'ouvrent les canaux des glandes de Skene, qui sont de petites glandes pouvant être atteintes lors d'infections génitales.

2) **Le vagin :** (voir figure 1, 2 et 3, p. 26 et 27)

Le vagin est un conduit qui va du vestibule en bas, au col de l'utérus en haut. Il est situé entre le rectum en arrière, et la vessie, en avant. Il mesure 10 centimètres en moyenne de bas en haut et sa cavité n'est que virtuelle, les parois étant accolées lorsqu'il est vide.

Lors de la pénétration ses parois se séparent pour laisser pénétrer la verge et le vagin peut se distendre tant en hauteur qu'en largeur.

Son extrémité inférieure, fermée chez la jeune fille vierge par l'hymen, s'ouvre à l'arrière du vestibule. Son extrémité supérieure s'insère sur le col de l'utérus faisant communiquer la cavité vaginale avec la cavité utérine.

3) **L'utérus :** (voir figure 2 et 3, p. 27)

L'utérus est l'organe destiné à contenir l'œuf fécondé pendant son évolution et à expulser le fœtus quand il est arrivé à son complet développement.

C'est un organe en forme de poire qui présente une cavité et des parois épaisses et musculaires. Il mesure environ 7 centimètres de longueur et a une épaisseur moyenne de 4 centimètres.

L'utérus est situé entre la vessie en avant et le rectum en arrière, au-dessus du vagin et au-dessous des anses intestinales.

Il est formé de deux parties : le col et le corps.

Le col de l'utérus est grossièrement cylindrique et mesure deux centimètres de long environ. C'est un canal présentant deux orifices, un orifice interne qui s'ouvre dans la cavité de l'utérus et un orifice externe, qui présente deux lèvres, une antérieure et une postérieure, qui s'ouvre dans le vagin et permet ainsi la communication entre la cavité vaginale et la cavité utérine. C'est un canal qui en se dilatant permettra le passage de l'enfant lors de l'accouchement. Vu de face, le col utérin avec ses deux lèvres et son orifice central a l'aspect d'un museau, que l'on appelle museau de Tanche.

Le corps de l'utérus fait suite au col. Il mesure environ 5 centimètres de longueur et repose en général sur la vessie. Il a une paroi musculaire épaisse, lui permettant de se distendre et d'accepter le fœtus jusqu'à son complet développement et une cavité qui communique par le canal du col avec le vagin. C'est le corps utérin qui fournira, lors de l'accouchement, l'énergie musculaire nécessaire à l'expulsion de l'enfant.

4) **Les trompes utérines ou trompes de Fallope :** (voir fig. 2 et 3, p. 27)

Les trompes utérines sont deux conduits qui partent de chaque côté de la partie latérale et supérieure du corps de l'utérus et qui vont jusqu'à l'ovaire. Les trompes mesurent 10 à 12 centimètres de longueur et 3 à 8 millimètres de diamètre.

Les trompes présentent une cavité sur toute leur longueur, et sont en fait un canal qui relie la cavité utérine à l'ovaire.

A leur origine à l'utérus, leur orifice est très étroit, puis le canal s'élargit lorsque l'on se rapproche de l'ovaire. La trompe en effet s'élargit pour former à proximité de l'ovaire une sorte d'ampoule dont l'ouverture est large et se termine par une expansion en forme de cornet, appelé le pavillon de la trompe qui entoure en partie l'ovaire.

Le bord libre du pavillon est irrégulièrement découpé en franges, dont l'une d'entre elles est attachée à l'ovaire. Ces franges permettront de mieux capter l'ovule expulsé par l'ovaire lors de l'ovulation, ovule qui tombera dans la lumière de la trompe où il sera éventuellement fécondé par un spermatozoïde. L'œuf gagnera ensuite la cavité utérine où il se développera.

5) **Les ovaires :** (voir fig. 2 et 3, p. 27)

Ce sont deux organes ovoïdes, grossièrement en forme d'amande, mesurant deux centimètres sur trois centimètres, et représentant chez la femme l'équivalent des testicules de l'homme.

Chacun des deux ovaires est situé à l'extrémité d'une trompe de Fallope, à laquelle il est relié par une des franges du pavillon de la trompe.

Les ovaires fabriquent d'une part les ovules, a raison d'un ovule en général par cycle, d'autre part sécrètent deux hormones, les œstrogènes et la progestérone.

6) **L'urètre et la vessie :**

L'urètre et la vessie ne font pas partie chez la femme de l'appareil génital, mais de l'appareil urinaire.

L'urètre est un canal de 4 centimètres de longueur environ, qui part de la vessie se dirige en bas et en avant pour se terminer au niveau de la vulve par le méat urétral, situé environ à 2,5 centimètres en arrière du clitoris.

A l'urètre sont annexées deux petites glandes, les glandes de Skene, qui s'ouvrent soit dans la vulve, de part et d'autre du méat urétral, soit parfois directement dans l'urètre lui-même. L'urètre est situé en avant du vagin et permet l'élimination de l'urine contenue dans la vessie, sur laquelle repose le corps de l'utérus.

Contrairement à l'homme, chez la femme l'appareil urinaire est tout à fait distinct de l'appareil génital.

La flore normale du vagin et la leucorrhée physiologique

Anatomiquement le vagin est une cavité qui relie une zone stérile, à savoir l'utérus, à la vulve qui est une région riche en germes. En effet les téguments de la vulve sont le support d'une abondante flore microbienne.

En outre les téguments du périnée ont une autre particularité importante, à savoir la proximité de l'anus, avec les nombreux germes d'origine intestinale, dont la survie est favorisée par une humidité relativement importante de cette région.

Chez la femme en période d'activité génitale, c'est-à-dire de la puberté à la ménopause, le vagin est colonisé par un germe, le bacille de Doderleïn, ou lactobacille acidophilus, qui acidifie le vagin et joue un rôle de protection contre les infections, l'acidité vaginale empêchant en principe la croissance d'autres micro-organismes.

La leucorrhée physiologique

Chez la femme la leucorrhée peut être soit physiologique, c'est-à-dire correspondre aux sécrétions normales de la femme en période d'activité génitale, soit pathologique, d'origine infectieuse ou non infectieuse.

Normalement le vagin présente un exsudat blanchâtre, onctueux, formant un enduit protecteur, qui dans les jours précédant les règles peut atteindre un volume suffisant pour donner un écoulement. A l'exsudat vaginal vient s'ajouter la glaire cervicale, claire, filante qui, elle, est particulièrement abondante en milieu de cycle, juste avant l'ovulation.

L'exsudat vaginal normal, blanchâtre, opalescent, semi-fluide, est soumis à des variations individuelles et peut donner une leucorrhée qui est physiologique. Il peut être augmenté par des excitations diverses, physiques ou psychiques. Cette leucorrhée physiologique est en général assez peu abondante, sans odeur et contient le bacille de Doderleïn.

La leucorrhée pathologique quant à elle, peut avoir soit une origine infectieuse, ce sont les leucorrhées dues à des M.S.T., soit une origine hormonale, ce sont les leucorrhées endocriniennes, qui sont dues à un trouble du fonctionnement des ovaires, soit hyperfonctionnement soit hypofonctionnement ovarien.

Donc chez la femme, contrairement à l'homme chez qui tout écoulement urétral est a priori pathologique, une leucorrhée pathologique pourra passer inaperçue du fait de l'existence d'une leucorrhée physiologique.

L'appareil génital de l'homme

A l'inverse de la femme, chez l'homme l'appareil génital et l'appareil urinaire sont étroitement intriqués, l'urètre représentant un canal dans lequel cheminent soit les urines au moment de la miction soit le sperme au moment de l'éjaculation.

Chez l'homme les organes génitaux externes sont constitués par la verge ou pénis, les bourses ou scrotum, les testicules et les épididymes.

1) **Le pénis ou verge :** (voir fig. 4 et 5, p. 28)

La verge constitue l'organe de copulation. A l'état normal, elle est flacide et mesure de 6 à 10 centimètres de longueur. A l'état d'érection, la verge augmente de volume, de longueur et de consistance et atteint 12 à 20 centimètres de longueur.

Ces modifications permettent la copulation et sont dues aux organes érectiles qui forment la verge.

Ces organes érectiles ne sont pas des muscles, mais des sortes d'éponges qui se gorgent de sang sous l'effet de certaines stimulations et qui permettent d'aboutir à l'érection. C'est la pression du sang dans ces corps érectiles qui font la turgescence et la consistance du pénis en érection.

Ces organes érectiles de la verge sont formés de deux corps caverneux et d'un corps spongieux.

Les deux corps caverneux droit et gauche courent tout le long de la face dorsale (supérieure) de la verge, allant des os du pubis au gland.

Au-dessous et entre ces deux corps caverneux, la verge est parcourue par un autre organe érectile, le corps spongieux, qui forme un manchon entourant l'urètre le long de son trajet dans la verge et qui à l'extrémité antérieure de celle-ci s'élargit pour former le gland.

L'ensemble, urètre et corps érectiles, est enveloppé dans un fourreau de peau elle-même très élastique pour s'adapter aux modifications de volume et de taille.

La portion terminale de la verge est renflée et forme le gland. Le sillon qui entoure la couronne du gland est appellé sillon balano-préputial.

Le gland présente à son extrémité l'orifice de l'urètre ou méat urétral et chez les sujets non circoncis il est recouvert d'une enveloppe cutanée mobile, le prépuce. Lorsqu'il existe, le retrait du prépuce vers la racine de la verge découvre le gland qui est ainsi décalotté. Chez certains adultes le bord libre du prépuce est trop étroit et ne permet pas de décalotter, c'est le phimosis, ou bien une fois le gland découvert le prépuce ne peut être replacé sur la couronne du gland, c'est le paraphimosis.

Le prépuce est retenu au niveau du méat urétral par une petite bride de peau appelée le frein.

L'ablation chirurgicale du prépuce se nomme circoncision (du latin : couper autour).

De chaque côté du frein s'ouvrent les glandes de Tyson, glandes sébacées qui lubrifient la peau.

2) **Le scrotum et les testicules :** (voir fig. 6)

Chez l'homme, les glandes sexuelles ou testicules sont situées à l'extérieur de l'organisme.

Les testicules sont en effet contenus dans des sortes de poches cutanées, situées sous la racine de la verge, appellées bourses ou scrotum.

Après la puberté, le peau des bourses se recouvre de poils. La peau du scrotum se plisse et se rétracte au froid, alors qu'au chaud elle est lisse et les bourses pendent au-dessous de la verge, la bourse gauche étant en général plus basse que la droite.

Les testicules sont deux glandes, de forme ovoïde, de 3 à 5 centimètres de long en moyenne, qui fabriquent les spermatozoïdes et qui sécrètent l'hormone mâle ou testostérone.

3) **Les épididymes :** (voir fig. 6)

Sur la face postérieure de chaque testicule est accolé une sorte de canal, l'épididyme, par lequel les spermatozoïdes formés dans les testicules vont sortir pour gagner les canaux déférents.

Chaque épididyme est formé d'une tête renflée, d'un corps très contourné et replié sur lui-même qui va se continuer par le canal déférent.

4) **Les canaux déférents :** (voir fig. 5 et 6)

De chaque côté un canal déférent fait suite à l'épididyme et relie ce dernier à la région prostatique. Les déférents sont deux longs canaux, d'environs 35 centimètres de longueur, qui quittent les bourses remontant vers le bas de l'abdomen pour y pénétrer de chaque côté par un orifice appellé le canal inguinal. Puis à l'intérieur de l'abdomen, chaque canal déférent longe d'avant en arrière les parois latérales de la vessie et se termine par un renflement appellé ampoule du canal déférent ou ampoule déférentielle, qui est le lieu d'accumulation et de stockage des spermatozoïdes.

5) **Les vésicules séminales :** (voir fig. 5 et 6, p. 28 et 29)

A chacune des deux ampoules déférentielles est annexé un petit organe, appellé vésicule séminale, qui prend part à l'élaboration du liquide séminal dans lequel baigneront les spermatozoïdes, et qui représente aussi un réservoir de sperme.

Les vésicules séminales sont des tubes flexueux situés entre la base de la vessie en avant et le rectum en arrière.

De chaque côté, l'union de la portion terminale de l'ampoule déférentielle et de celle de la vésicule séminale constitue le canal éjaculateur. Ces deux canaux éjaculateurs se jettent dans la face postérieure de la portion prostatique de l'urètre, juste au-dessous de la vessie. C'est l'urine qui passera dans l'urètre au moment de la miction, le sperme au moment de l'éjaculation.

6) **La prostate :** (voir fig. 5 et 6, p. 28 et 29)

C'est une glande, ayant la taille et la forme d'une châtaigne, divisée en 3 lobes, accolée juste au-dessous de la vessie, ayant des rapports très étroits avec elle.

La prostate est traversée par les deux canaux éjaculateurs, et par l'urètre dans lequel viennent s'aboucher ceux-là.

La prostate déverse également sa sécrétion par de petits canaux qui s'ouvrent eux aussi dans l'urètre, sécrétion qui entre également dans la constitution du liquide spermatique.

Au moment de l'éjaculation, la prostate se contracte, contribuant à évacuer le sperme. Celui-ci ne pourra aller que vers le méat urétral, un petit sphyncter l'empêchant de remonter vers la vessie.

7) **L'urètre :** (voir fig. 4, 5 et 6, p. 28 et 29)

L'urètre est un conduit qui chemine, entouré d'un manchon formé par le corps spongieux, tout le long de la verge, du méat urétral à la racine du pénis ; cette portion de l'urètre est appelée urètre spongieux ou urètre pénien. Puis l'urètre se coude et remonte vers la prostate (c'est l'urètre membraneux), traverse la prostate (c'est l'urètre prostatique) pour arriver au pôle inférieur de la vessie où il s'abouche.

Comme nous l'avons déjà vu, dans la portion prostatique de

l'urètre s'ouvrent les canaux éjaculateurs et les canaux excréteurs de la prostate. Au niveau de l'urètre membraneux s'ouvrent les canaux des glandes de Cowper, qui sont deux petites glandes de la taille d'un pois, sécrétant un liquide lubrifiant, lors de l'excitation sexuelle.

Enfin dans l'urètre pénien s'ouvrent les canaux de nombreuses petites glandes, sécrétant elles aussi un liquide lubrifiant, les glandes de Littré.

Ainsi le sperme est constitué de spermatozoïdes fabriqués dans les testicules, en suspension dans un liquide, le liquide spermatique, élaboré par les vésicules séminales et la prostate, liquide qui assure la nutrition et la survie des spermatozoïdes.

D'autre part comme l'on peut s'en rendre compte, à partir de la prostate, les voies génitales et urinaires sont confondues chez l'homme ; c'est l'urètre qui assure le passage de l'urine et du sperme.

Le canal anal et le rectum

(voir fig. 3 et 6, p. 27 et 29)

Ils ne font pas partie de l'appareil génital de l'homme ou de la femme mais ils peuvent être atteints lors de certaines M.S.T.

Le canal anal part de son orifice externe ou anus, qui a la même position chez la femme et chez l'homme, il se dirige en haut et en avant sur un trajet de 2 ou 3 centimètres, puis il s'élargit et se prolonge par le rectum ou ampoule rectale qui représente la partie terminale de l'intestin.

Chez l'homme le rectum est situé juste en arrière de la vessie et de la prostate sous-jacente, et le toucher rectal, effectué par le médecin, permet de sentir et de toucher la prostate à travers la paroi du rectum.

Chez la femme le canal anal et le rectum sont séparés de la vessie par le vagin et l'utérus.

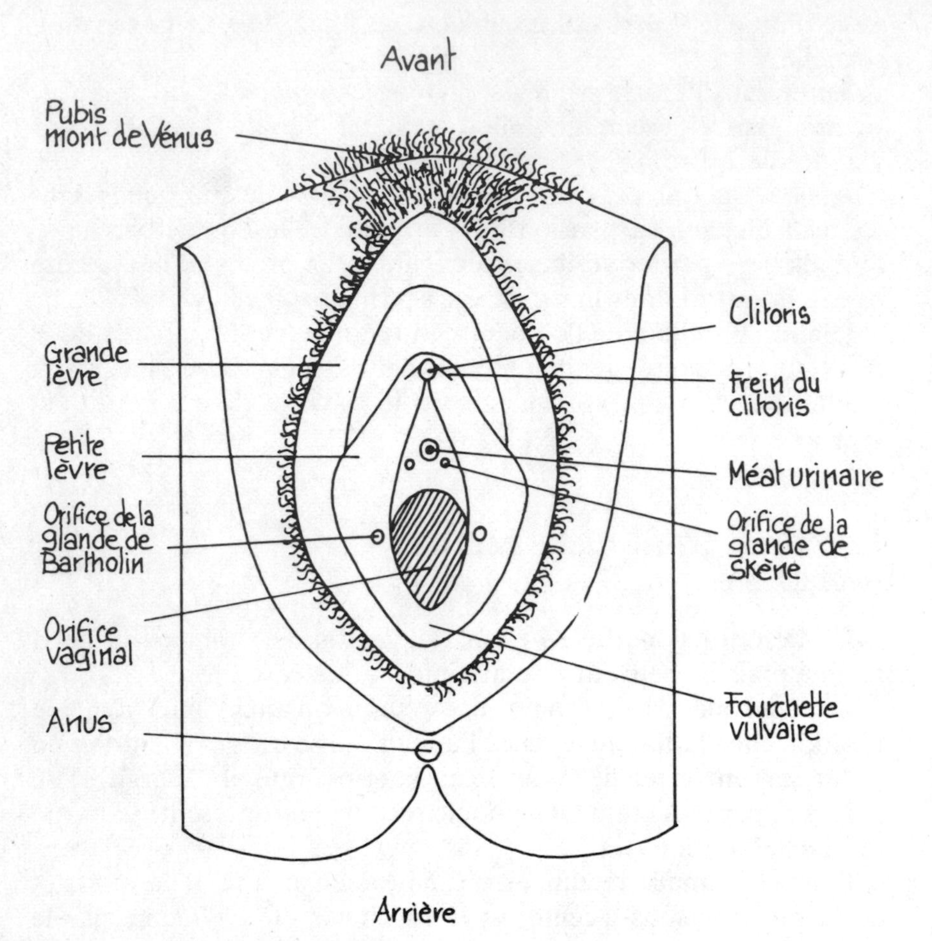

Fig. n° 1 : LES ORGANES GÉNITAUX EXTERNES DE LA FEMME

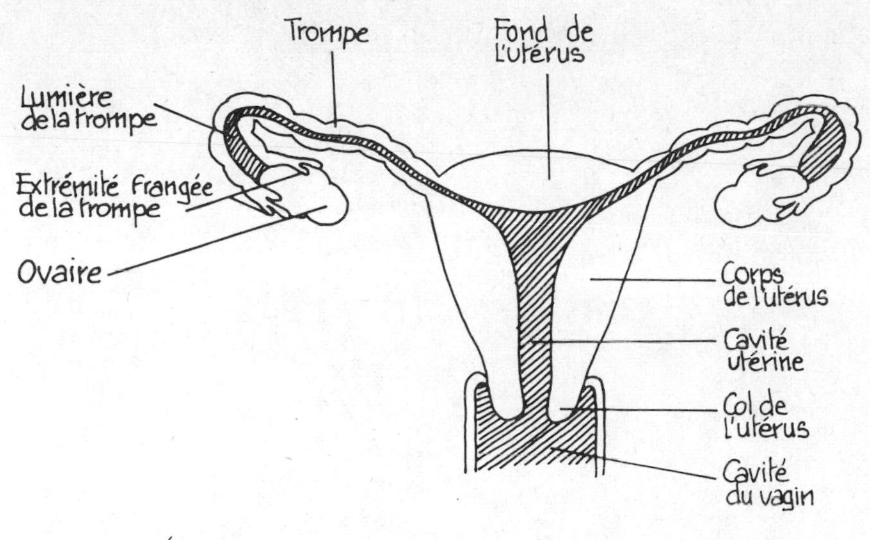

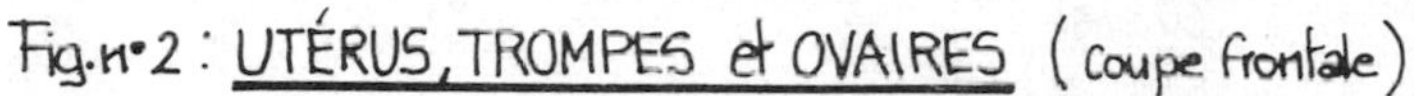
Fig. n° 2 : UTÉRUS, TROMPES et OVAIRES (coupe frontale)

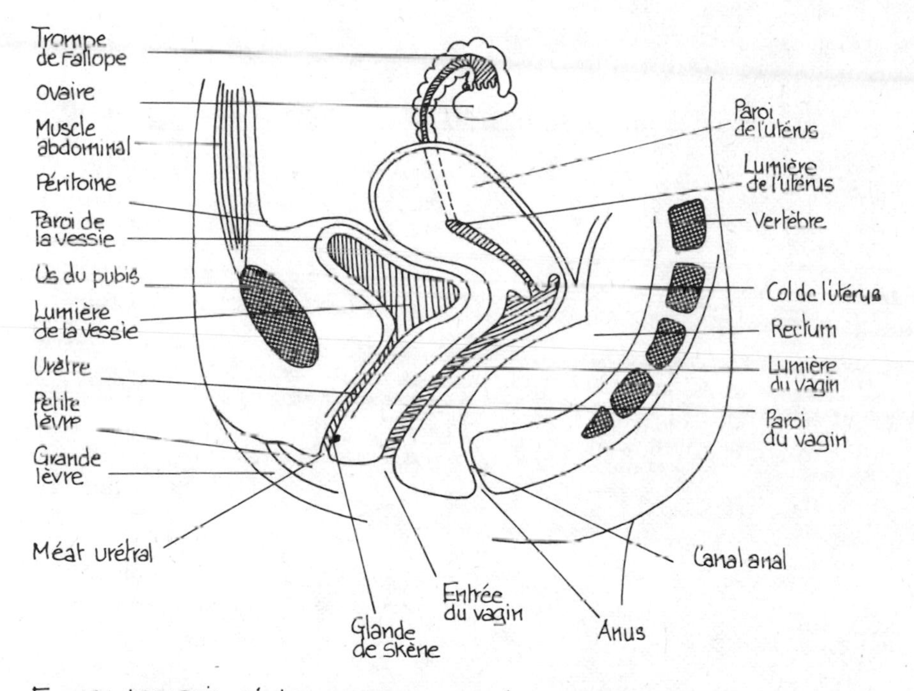

Fig. n° 3 : APPAREIL GÉNITAL DE LA FEMME (coupe sagittale et médiane)

Fig. n° 4 : COUPE TRANSVERSALE DE LA VERGE

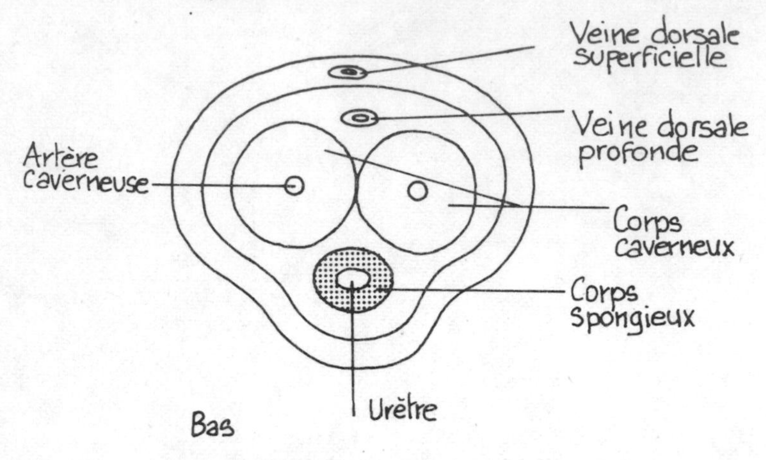

Fig. n° 5 : LES ORGANES INTERNES DE LA REPRODUCTION CHEZ L'HOMME
(Vue de dos)

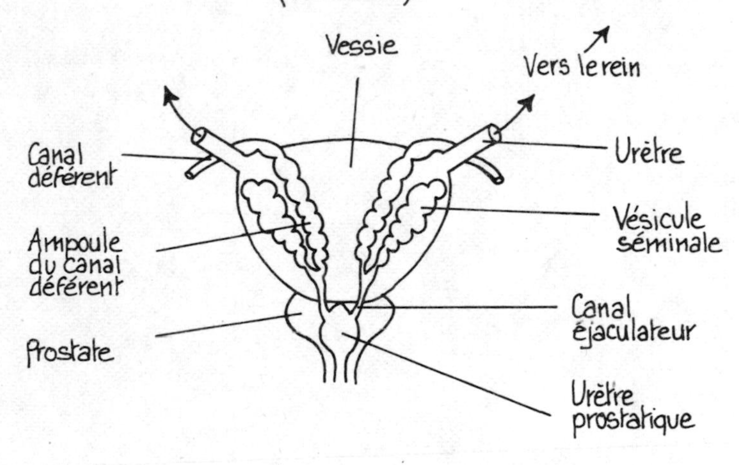

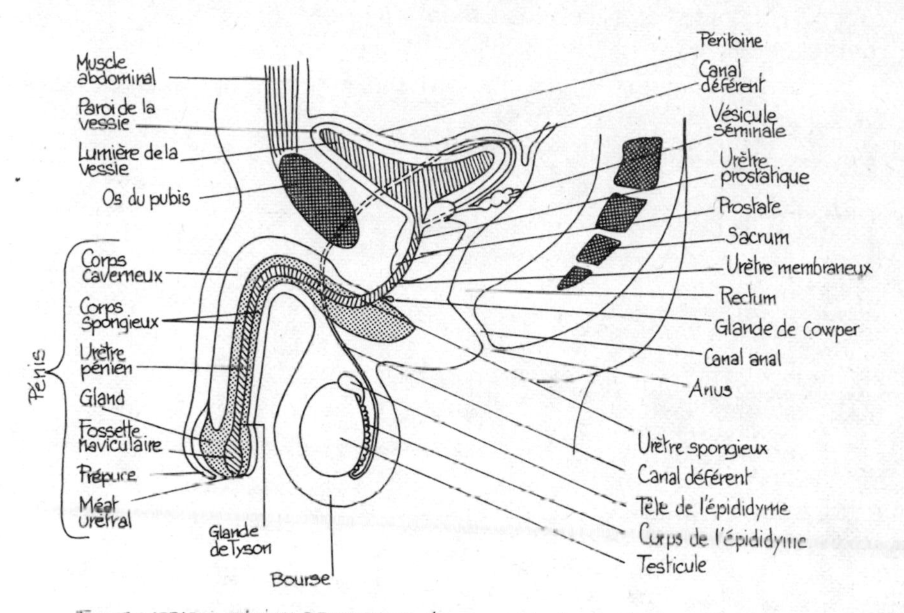

Fig. n°6 : APPAREIL GÉNITAL DE L'HOMME (coupe sagittale et médiane)

Les différentes maladies sexuellement transmissibles

Ce sont toutes les maladies transmises essentiellement par les rapports sexuels et touchant essentiellement, mais non uniquement, les voies uro-génitales.

Beaucoup d'agents infectieux peuvent être responsables de ces M.S.T. (voir tableau 1).

Agent		Maladie
SPIROCHÈTES :		
LE TRÉPONÈME PÂLE	responsable de	LA SYPHILIS
BACTÉRIES		
GONOCOQUE CHLAMYDIAE TRACHOMATIS MYCOPLASME et UREAPLASMA GERMES PYOGÈNES (staphylocoque, streptocoque, pneumocoque, colibacille, proteus, gardnerella vaginalis)	responsables de	URÉTRITES, VULVO-VAGINITES ET CERVICITES
HEMOPHILUS DUCREYI	responsable de	CHANCRE MOU
CALYMMATOBACTERIUM GRANULOMATIS	responsable de	DONOVANOSE
SHIGELLES et SALMONELLES	responsables de	INFECTIONS DIGESTIVES (surtout chez les homosexuels)
VIRUS		
•HERPÈS VIRUS HOMINIS (type II et éventuellement type I)	responsable de	HERPÈS
PAPOVA VIRUS	responsable de	CONDYLOMES ACUMINÉS (ou végétations vénériennes ou crêtes de coq)
POX VIRUS	responsable de	MOLLUSCUM CONTAGIOSUM
VIRUS DE L'HÉPATITE B VIRUS DE L'HÉPATITE A	responsables de	INFECTIONS DU MÊME NOM (surtout chez les homosexuels)
CYTOMEGALOVIRUS VIRUS D'EPSTEIN-BARR	responsable de	MONONUCLÉOSE INFECTIEUSE
PARASITES		
TRICHOMONAS VAGINALIS	responsable de	URÉTRITES et VAGINITES
SARCOPTES SACBIEI	responsable de	GALE
PHTIRUS INGUINALIS	responsable de	PHTYRIASE (ou morpion)
AMIBES et LAMBLIA	responsable de	INFECTIONS DIGESTIVES (surtout chez les homosexuels)
LEVURES (champignons)		
CANDIDA (essentiellement albicans)	responsable de	URÉTRITES, BALANITES ET VAGINITES
AUTRE AGENT		AGENT responsable du SIDA (surtout chez les homosexuels), inconnu jusqu'à présent, presque certainement un virus : CYTOMEGALOVIRUS ou RÉTROVIRUS ou...

TABLEAU 1. — *Les différents agents des différentes M.S.T.*

Première partie

LES DIFFERENTES M.S.T. CHEZ LA FEMME ET CHEZ L'HOMME : mode de contamination, symptomatologie, complications et conduite à tenir

LA SYPHILIS

La syphilis est une maladie infectieuse, très contagieuse, due à une bactérie appartenant à la famille des SPIROCHÈTES, appelée TREPONEMA PALLIDUM (tréponème pâle). La syphilis fait partie d'un ensemble de maladies appelées tréponématoses, du nom des germes responsables, groupés sous le nom de tréponèmes.

Elle est remarquable par la richesse de ses manifestations cliniques et par son aptitude à rester complètement muette, sans aucun symptôme pendant des années.

Il y a quelques dizaines d'années, elle était considérée comme la plus grave et la plus « honteuse » des maladies vénériennes, aujourd'hui avec un traitement précoce et bien adapté son évolution est devenue relativement bénigne.

Historique de la maladie

C'est à la fin du XVe siècle que la syphilis fut citée et décrite pour la première fois en Europe. Il n'en avait jamais été fait aucune mention, jusque-là, dans aucun écrit.

La véritable origine de la syphilis reste inconnue et il existe trois grandes théories essayant de l'expliquer.

— Selon la première théorie, la syphilis viendrait d'une maladie tropicale atteignant les esclaves noirs d'Afrique, maladie due à un spirochète, voisin du tréponème pâle, mais donnant une symptomatologie bien différente, appelée le PIAN. Cette tréponématose, donnant essentiellement des manifestations cutanées, a été importée d'Afrique en Europe où, évoluant dans des conditions écologiques bien différentes, elle se serait transformée en une infection vénérienne.

— Selon une seconde théorie la syphilis viendrait des Antilles, importée en Europe au XVe siècle par les marins de Christophe Colomb, qui, de retour en Espagne en 1493 furent envoyés en Italie, pour renforcer le siège de Naples en 1494, appelés par le roi de France Charles VIII.

Après la conquête de Naples en 1494, une épidémie de syphilis se déclara. Cette affection fut appelée au départ, le « mal français » par les Italiens et le « mal de Naples » par les Français, comme toujours dans ces cas là, chacun se renvoyant la politesse.

— Enfin une troisième théorie ferait remonter la syphilis à la plus haute antiquité. Certains auteurs auraient en effet trouvé des lésions d'ostéites syphilitiques (c'est-à-dire d'atteintes osseuses telles qu'elle peuvent être vues au cours de la syphilis) sur des squelettes et pensent que la syphilis existait dans l'ancien monde comme une tréponématose endémique dont l'infection vénérienne ne serait que l'une des facettes.

Épidémiologie de la syphilis

La syphilis est due au tréponème pâle qui est un bacille, mobile, de 8 à 14 microns de longueur en forme de spire, d'hélice.

La syphilis sévit en France sous forme d'épidémies périodiques, les deux dernières épidémies coïncident avec les deux conflits mondiaux. Des statistiques du Département d'action sanitaire et sociale ont mis en évidence un fait intéressant, à savoir la plus grande fréquence de la syphilis dans les grandes villes et les agglomérations portuaires. Mais les déplacements faciles et rapides expliquent que même en zone rurale, on puisse observer de nombreux cas de cette maladie.

Une recrudescence des cas de syphilis récente a été observée depuis quelques années. Cette augmentation est un phénomène mondial, et les statistiques publiées par l'Organisation mondiale de la santé concernant différents pays confirment les constatations faites en France.

Mode de contamination

Le mode de contamination est essentiellement, sinon uniquement vénérien ; ceci dans environ 9 cas sur 10.

Mais la transmission peut aussi être extragénitale : contacts buccaux, anaux, ou parfois simplement cutanés par contact corporel étroit.

Ainsi cette histoire bien connue dans le milieu médical d'un interne qui a présenté un chancre syphilitique au niveau du cou. Après enquête, on s'est souvenu que lors d'une soirée organisée par les internes, il avait porté une femme sur ses épaules, laquelle vraisemblablement ne portait pas de sous-vêtement et présentait un chancre au niveau de la vulve. La contamination se serait faite très probablement à partir d'une petite plaie que présentait notre interne, plaie qu'il aurait pu se faire par exemple en se rasant.

Il faut aussi noter les cas devenus rares de « chancre du baiser », avec transmission de la mère à l'enfant et de contamination professionnelle, (dentistes, techniciens de laboratoire pouvant se contaminer à partir d'un sang ou d'un serum infecté).

Par contre la transmission par les objets de toilette souillés ou par un verre à boire contaminé n'a jamais été démontrée scientifiquement. Néanmoins, dans les pays où la syphilis sévit à l'état endémique, on peut observer des contaminations non vénériennes, notamment chez les enfants par contact avec des individus atteints.

La syphilis peut aussi être transmise par transfusion sanguine, et un test sérologique de dépistage de la syphilis est systématiquement pratiqué chez tous les donneurs de sang et tous les sujets présentant une réaction sérologique positive sont éliminés en tant que donneurs.

Le risque pour une femme enceinte présentant une syphilis non traitée d'infecter son enfant en cours de grossesse est presque certain dans les deux premières années de la maladie, et diminue avec le temps pour devenir exceptionnel si le début de la maladie remonte à plus de 20 années.

Le tréponème pâle est très virulent et la contagion est presque certaine, si il existe sur la partie cutanée en contact avec le germe une érosion, une fissure ou une excoriation, c'est-à-dire une plaie aussi minime soit-elle.

En effet le tréponème pénètre dans l'organisme soit par voie muqueuse, c'est-à-dire par les revêtements non protégés par la peau comme par exemple la bouche, la langue, le vagin, la muqueuse utérine etc. (le tréponème pouvant traverser les muqueuses parfaitement saines), soit par voie cutanée, c'est-à-dire à travers la peau, mais à condition qu'il y ait une plaie.

Le risque de contagion dans la syphilis est surtout élevé pendant les 2 à 4 premières années de la maladie et lorsque la maladie remonte à plus de 4 ans le risque de contaminer son ou ses partenaires devient minime.

Il faut savoir aussi que la syphilis ne confère pas d'immunité, c'est-à-dire qu'une personne ayant déjà fait une syphilis peut en contracter une seconde, voire une troisième ou une quatrième.

Par contre toutes les personnes exposées à la syphilis ne la contractent pas. Certains se montrent plus résistants que d'autres à l'infection. De plus parmi les personnes infectées, une partie seulement développe des symptômes, les autres étant asymptomatiques.

L'évolution de la syphilis est plus sévère chez l'homme que chez la femme. Il est possible que le tréponème survive plus difficilement chez la femme, en raison des changements hormonaux menstruels cycliques. On a montré que la grossesse, avec ses variations hormonales et chimiques encore plus importantes, donne une protection accrue, spécialement à la multipare (c'est-à-dire la femme ayant eu plusieurs grossesses), contre le développement de lésions tardives de la syphilis. En France la syphilis a une nette prédominance chez les sujets entre 18 et 45 ans. Au-delà de cet âge, son incidence diminue progressivement, mais sans jamais disparaître totalement.

Signes cliniques de la syphilis

Dans la syphilis on distingue trois phases cliniques :

— la syphilis primaire
— la syphilis secondaire
— la syphilis tertiaire.

Les périodes primaire et secondaire de la maladie sont regroupées sous le nom de syphilis précoce.

Les manifestations de la syphilis tertiaire sont regroupées sous le nom de syphilis tardive.

I. — LA SYPHILIS PRIMAIRE : C'EST LE CHANCRE SYPHILITIQUE

Le chancre syphilitique est la première manifestation de la maladie. Il apparaît après une période d'incubation qui est en moyenne de 3 semaines. Cependant cette période d'incubation peut être plus courte ou au contraire beaucoup plus longue, et elle varie en fait de 10 jours à 3 mois. Ceci rend donc indispensable, une surveillance clinique et sérologique pendant au moins trois mois après un contact suspect ou un rapport avec une personne porteuse de la syphilis. En effet un examen négatif un mois après un contact suspect n'est pas suffisant pour écarter tous risques de contamination.

On appelle période d'incubation le temps qui s'écoule entre le jour de la contamination (à savoir le jour du rapport contaminant) et l'apparition de la première manifestation clinique de la maladie, à savoir en ce qui concerne la syphilis : le chancre.

Le chancre va se développer au point de pénétration du tréponème dans l'organisme, c'est dire que l'on peut trouver le chancre sur différentes parties du corps et pas seulement sur les organes sexuels.

Le chancre débute comme une tache visible, mais non palpable, en général de couleur rose ou rouge chair. Mais il peut apparaître comme une tache brillante, analogue à une brûlure de cigarette. Puis la tache se surélève et devient ce que l'on appelle une papule qui, elle, est à la fois visible et palpable, c'est-à-dire un peu surélevée par rapport à la surface de la peau normale avoisinante. Puis la surface de cette papule s'érode, donnant naissance à une ulcération superficielle, c'est-à-dire un petit cratère très peu profond, rougeâtre, légèrement brillant et vernissé (comme recouvert de vernis), lisse dont le fond est propre.

Sa base et ses bords sont indurés, ayant la consistance du carton mâché.

Cette lésion laisse suinter un liquide clair et transparent appelé serosité, dans laquelle on trouve les tréponèmes. Parfois cette ulcération peut se recouvrir d'une croûte. Le chancre syphilitique est en général unique et habituellement non douloureux.

En fait chacun de ces caractères peut être pris en défaut.

En effet le chancre peut être parfois double, voire multiple.

Dans certains cas le chancre syphilitique peut être douloureux, en particulier lorsqu'il s'agit d'un chancre situé au niveau de l'anus. Parfois le chancre peut se surinfecter et devenir ulcéreux, c'est-à-dire formant un cratère assez profond, à fond sale et devenir là aussi douloureux.

Le plus souvent, environ dans 90 % des cas, le chancre syphilitique siège au niveau des organes génitaux externes : chez la femme, sur la vulve (grande et petite lèvres, fourchette et clitoris) et sur le col de l'utérus, où il est invisible de la femme elle-même ; chez l'homme, sur le sillon banalo-préputial, le gland, le fourreau et la face interne du prépuce, où, en raison de l'œdème associé, il peut entraîner un phimosis.

Mais les chancres syphilitiques peuvent aussi, comme on l'a dit, être extra-génitaux, et peuvent siéger sur n'importe quelle partie du corps, de la tête aux pieds. Essentiellement, au niveau des lèvres, où ils sont alors de grande taille (2 à 2,5 centimètres de diamètre), de la langue, des amygdales, des doigts (souvent douloureux s'ils siègent sous l'ongle), du menton, du pubis ou de l'anus où ils sont là aussi souvent douloureux.

Et bien sûr, ces formes à localisation extra-génitales sont beaucoup plus trompeuses que les formes à localisation génitale.

En général le chancre syphilitique s'accompagne de ce que l'on appelle dans le langage médical une adénopathie satellite : c'est-à-dire que les ganglions qui sont voisins et en rapport avec l'endroit où est situé le chancre vont augmenter de volume.

Cette adénopathie indolore est habituellement unilatérale, du côté du chancre, et située dans le territoire voisin du chancre.

Ainsi un chancre génital s'accompagnera d'une adénopathie inguinale, c'est-à-dire, dans le pli de l'aine, située du même côté que le chancre si celui-ci n'est pas médian.

Un chancre de l'amygdale s'accompagnera d'une adénopathie au niveau du cou ou sous la mâchoire du côté où siège la lésion.

Cependant parfois l'adénopathie peut-être bilatérale.

Même en l'absence de tout traitement, cette lésion primaire, à savoir le chancre, disparaît en 3 à 6 semaines, en général sans laisser de traces ou en laissant parfois une très légère pigmentation de la peau.

L'adénopathie satellite, quant à elle, en l'absence de traitement, persiste plus longtemps, parfois plusieurs mois. Et même sous traitement l'adénopathie est toujours plus longue que le chancre à disparaître.

Donc un principe de base : devant tout « bouton » ou « lésion » situé sur les organes génitaux, voire ailleurs, surtout en cas de contact douteux, il faut aller consulter son médecin sans attendre. En effet souvent la disparition de la lésion rassure et par la suite on n'y pense plus et pour peu que la période secondaire de la maladie passe inaperçue, on ne se rendra pas compte que l'on est porteur d'une syphilis, et on risque quelques années plus tard de voir apparaître les manifestations de la syphilis tertiaire.

D'autant plus aussi que parfois un traitement antibiotique qui a été prescrit pour tout autre chose, peut rendre encore plus bâtard l'aspect du chancre et plus éphémère sa durée, et que chez les femmes les chancres génitaux passent souvent inaperçus.

En effet seul le médecin pourra faire un diagnostic. Il s'aidera en principe pour ce faire, d'examens de laboratoire, qui au cours de cette période primaire permettent de confirmer ou d'affirmer le diagnostic de syphilis :

— D'une part en mettant en évidence l'agent responsable, à savoir le tréponème pâle au niveau du chancre ; en effet comme on l'a déjà dit, la sérosité que laisse sourdre le chancre est riche en tréponèmes.

— D'autre part par les réactions dites sérologiques, nécessitant une prise de sang par ponction veineuse.

Les réactions sérologiques de la syphilis, ou sérodiagnostic de la syphilis, consistent à rechercher dans le sang du sujet des anticorps, c'est-à-dire des substances protéiques fabriquées par l'organisme pour se défendre contre l'intrus, ici le tréponème pâle.

La classique réaction de Bordet Wassermann (appellée par ses initiales BW) a été depuis peu abandonnée en France et actuellement est remplacée par des réactions plus sensibles, plus spécifiques et plus faciles à mettre en œuvre.

Il existe plusieurs réactions sérologiques de la syphilis, qui recherchent des anticorps différents, et qui ne se positivent pas toutes en même temps. Je ne rentrerai pas dans les détails techniques de ces différentes réactions, mais il faut savoir que :

— Le premier test à se positiver est une réaction dite d'immunofluorescence, appellée FTA (de l'anglais Fluorescent Treponema Antibody).

Cette réaction est la plus précoce et se positive dès les premiers jours de l'apparition du chancre, c'est-à-dire environ 3 semaines après le rapport contaminant.

— D'autres réactions se positivent un peu plus tard ce sont :

- Les réactions de floculation : V.D.R.L. et Kline
- Réaction d'hémagglutination : TPHA.

Ces réactions se positivent vers le 10e-12e jour après le début du chancre pour le TPHA, et vers le 20e jour du chancre pour le V.D.R.L. ou le Kline.

— Quant au test de Nelson, qui est la réaction de référence, il se positive encore plus tardivement.

Presque toujours négatif au cours de la période primaire, il ne se positive qu'entre la 6e semaine et le 60e jour de l'infection, donc le plus souvent au cours de la période secondaire et alors même que le chancre a déjà disparu.

Il faut savoir que le Kline ou le V.D.R.L. peuvent se positiver lors de diverses circonstances, en dehors d'une syphilis. Il s'agit de réactions faussement positives, le plus souvent transitoires (exemple au cours de la grossesse, d'infections diverses, de certains traitements tels que pénicilline, sulfamides, vaccinations), parfois permanentes (exemple au cours de certaines maladies du sang, certaines maladies immunologiques ou certaines affections rhumatismales). Mais, dans tous ces cas, tous les autres tests sérologiques seront négatifs.

Évolution sous traitement

Si le malade est traité correctement et précocement dès cette période de chancre, le chancre disparaît 3 à 5 jours après le début du traitement et les réactions sérologiques se négativent dans l'ordre inverse de la positivation, le F.T.A. se négativant en dernier, le test de Nelson n'ayant parfois même pas le temps de se positiver.

— Si le traitement intervient plus tard, les tests se négativeront plus difficilement et le test de Nelson surtout, le TPHA dans une moindre mesure, pourront rester très longtemps positifs, traduisant la trace sérologique de l'infection, mais ne signifiant en aucun cas une absence de guérison.

Mais il faut bien comprendre que tout ce que nous venons de voir est théorique et qu'un chancre syphilitique peut apparaître bien plus tard que 3 semaines après le rapport contaminant et que les réactions sérologiques peuvent se positiver plus tardivement par rapport au chancre.

Donc en cas de contact suspect ou de lésions évocatrices ou non, le médecin sera souvent amené à faire pratiquer une seconde, voire même une troisième recherche sérologique, en cas de négativité du premier ou des deux premiers sérodiagnostics. De même il aura souvent recours à ces réaction sérologiques pour surveiller l'efficacité du traitement.

II. — LA SYPHILIS SECONDAIRE

On ne saurait donc trop le répéter, la seule règle sûre est de considérer comme syphilitique toute tache ou ulcération génitale, jusqu'à preuve du contraire, surtout s'il existe une histoire d'exposition à l'infection. Et si le diagnostic s'avère exact, il faudra traiter correctement et suffisamment avec une surveillance du traitement par les tests sérologiques.

Dans ce cas, c'est la guérison, tout rentrera dans l'ordre et les manifestations de la période secondaire n'apparaîtront pas.

Par contre en l'absence d'un traitement correct dès la période de chancre, c'est le passage à la syphilis secondaire.

Elle se traduit par des manifestation dues à la dissémination généralisée des tréponèmes, apparaissant en général environ 45 jours après le début du chancre non traité, soit environ 60 à 70 jours après le rapport contaminant.

Cependant là encore ces délais peuvent varier, de plusieurs jours à plusieurs mois, après le début du chancre.

La syphilis secondaire se caractérise par différents types de signes cliniques.

1) **Des signes généraux :**

Maux de tête, perte de l'appétit, nausées et vomissements,

douleurs musculaires et articulaires, adénopathies multiples et indolores.

Ces signes sont habituellement discrets et se voient chez 50 % des femmes et 25 % des hommes atteints. A eux seuls ils ne sont ni typiques, ni évocateurs.

2) **Manifestations cutanées et muqueuses :**

— La roséole : c'est une éruption très discrète pouvant facilement passer inaperçue faite de taches rondes, d'un rose à peine visible, s'effaçant à la pression, ni douloureuses, ni prurigineuses.

Ces taches siègent essentiellement sur le thorax et les membres, respectant le visage, les paumes des mains et les plantes des pieds. Elles sont très fugaces, disparaissant rapidement sans laisser de trace.

— Les syphilides papuleuses : ce sont des papules, c'est-à-dire des élevures de la peau, que l'on peut sentir sous le doigt, dont la couleur va du rose au « café au lait » suivant l'ancienneté de la lésion.

Ces papules sont fermes et indurées, mais indolores et non prurigineuses.

Contrairement aux macules de la roséole, elles siègent le plus souvent sur les paumes des mains et les plantes des pieds.

Des papules érosives se développent au niveau des régions humides et chaudes (scrotum, vulve, anus, entre les orteils) pouvant confluer et devenir volumineuses et plates, prenant l'aspect de verrues : ce sont les condylomes.

Ces syphilides papuleuses sont très contagieuses.

— Les plaques muqueuses et les papules humides sont des papules gris blanc siègeant sur les lèvres, dans la cavité buccale et le nez, ainsi que sur les organes génitaux et l'anus.

— Une atteinte des poils et des ongles :

- Perte des cheveux, irrégulière ou en plaques.
- Perte des cils et des sourcils, de la barbe.
- Ongles friables et cassants.

Il n'est pas toujours évident, même pour le médecin, de rattacher ces diverses manifestations, qui peuvent simuler différentes dermatoses, à une syphilis à sa phase secondaire. Le médecin s'aidera dans la majorité des cas, d'une part de la mise en évidence du tréponème dans les lésions cutanées et muqueuses décrites, d'autre part et surtout des réactions sérologiques de la syphilis qui à ce stade sont en général toutes positives.

Cette période secondaire de la syphilis dure quelques mois à un an. Pendant cette période, les rechutes sont toujours possibles, tout particulièrement si le traitement n'a pas été institué ou s'il n'a pas été bien suivi.

Ces rechutes cliniques donnent des manifestations identiques aux lésions secondaires intitiales, c'est-à-dire, de type cutanéo-muqueux.

Toutes ces lésions récidivantes sont hautement contagieuses ; c'est dire l'importance d'un examen clinique rigoureux pendant la période qui suit le traitement.

Ces rechutes cliniques sont précédées d'une rechute sérologique, laquelle passera inaperçue si les différentes réactions sérologiques ne s'étaient pas auparavant négativées sous l'effet du traitement, sauf si on utilise des réactions dites quantitatives, permettant d'objectiver une augmentation du taux des anticorps par rapport au sérodiagnostic précédent.

Une fois le diagnostic de syphilis précoce posé, il ne sera jamais assez suffisant de répéter au malade qu'il doit immédiatement prévenir tous les partenaires sexuels qu'il a eus :

— Dans les 3 mois précédents en cas de syphilis primaire.

— Dans l'année précédente en cas de syphilis secondaire.

— Dans les 2 années qui précèdent en cas de syphilis latente précoce, c'est-à-dire de syphilis sans signes cliniques et découverte fortuitement par des examens sérologiques.

En pratique tous ces partenaires se trouvant dans l'un de ces trois cas devront aller consulter le plus rapidement possible leur médecin et se soumettre à des examens sérologiques, pour savoir s'ils ont été ou non contaminés. Il faut bien comprendre que l'on peut avoir été contaminé, même si l'on n'a constaté aucune des manifestations cliniques déjà décrites d'une syphilis primo-secondaire, seules les réactions sérologiques pouvant affirmer cette absence de contamination.

Les patients doivent savoir qu'ils sont contagieux pendant toute cette période primo-secondaire.

En aucun cas, ces sujets ne devront avoir de rapports sexuels, maritaux ou autres, pendant au moins un mois après la fin du traitement, lequel devra être soumis à une surveillance médicale régulière.

Une fois le traitement terminé, la malade devra être suivi régulièrement, cliniquement et sérologiquement, pendant les 2 années qui suivent, pour s'assurer d'une guérison définitive.

III. — LA SYPHILIS TERTIAIRE OU SYPHILIS TARDIVE

Au-delà de la deuxième année, la syphilis entre dans sa période latente et perd en général sa contagiosité.

Elle est cliniquement asymptomatique, c'est-à-dire ne donnant aucun signe clinique, et le restera pendant plusieurs années, voire même le reste de l'existence du malade et cela même en l'absence de traitement.

Le sujet pourra mourir de vieillesse ou d'une tout autre maladie. La seule possibilité de mettre en évidence la maladie repose sur les tests sérologiques qui seront toujours positifs, représentant la trace laissée dans le sang de la pénétration du tréponème pâle dans l'organisme.

Et on découvre habituellement cette syphilis latente au décours d'examens de dépistage systématiques et obligatoires en France pour un mariage, une grossesse, pour les immigrés, ou chez les donneurs de sang.

Une fois diagnostiquées, les syphilis latentes devront être traitées comme une syphilis primo-secondaire.

En effet, le risque d'un sujet syphilitique arrivé à cette période, en raison d'une absence de traitement ou d'un traitement insuffisant, est de se trouver à la merci d'un accident tertiaire grave et souvent irréversible. Les lésions tertiaires de la maladie peuvent apparaître 4 à 10 ans après la contamination, mais parfois 20 à 40 ans après ou même jamais.

Ces lésions de la syphilis tertiaire sont de différents types. On distingue trois grandes catégories de lésions dans la syphilis tertiaire :

— les lésions de la syphilis tertiaire bénigne
— l'atteinte cardio-vasculaire
— l'atteinte neurologique ou neurosyphilis.

1) **Les lésions de la syphilis tertiaire bénigne :**

Elles sont plus fréquentes chez les femmes que chez les hommes, pouvant s'associer à d'autres manifestations de la syphilis tardive, (neurosyphilis ou atteinte cardio-vasculaire).

Ces lésions sont diverses :

— Des lésions cutanéo-muqueuses, appelées les gommes syphilitiques qui sont des saillies, de la peau ou des muqueuses, nodulaires, hémisphériques, indolores.

Les gommes muqueuses, souvent localisées au niveau du palais, du larynx, du pharynx et de la cloison du nez, peuvent aboutir à des mutilations et des déformations buccales et nasales.

— Des atteintes des os et des articulations (gommes osseuses) associées dans la moitié des cas à des douleurs profondes et perforantes.

— Des atteintes des viscères (gommes viscérales) pouvant se développer au niveau des yeux avec risque de cécité, de l'estomac, du foie, des poumons, de l'appareil génito-urinaire.

2) **Le syndrome cardio-vasculaire :**

Les premiers symptômes traduisant l'atteinte cardio-vasculaire de la syphilis tertiaire apparaissent habituellement dans un délai minimum de 10 à 40 ans après la contamination, avec une majorité de cas dépistés dans les 20 ans qui suivent le rapport contaminant.

Ce syndrome se manifeste essentiellement par des atteintes de l'aorte, qui est une grosse artère partant du cœur, plus précisément du ventricule gauche et amenant le sang oxygéné à tous les territoires de l'organisme.

On peut voir des anévrismes de l'aorte, sorte de tumeur, de poche de la paroi de l'aorte, avec le risque majeur de rupture de cet anévrisme souvent mortel.

Parfois se constitue une insuffisance aortique qui consiste en une insuffisance de la tonicité des valvules aortiques, qui sont de petites valves présentes au niveau de l'orifice de l'aorte à son abouchement au ventricule gauche et qui lors de la contraction ou du relâchement du cœur s'ouvrent ou se ferment.

Il peut aussi y avoir un rétrécissement de l'orifice des artères coronaires qui sont des artères qui vascularisent le cœur.

3) **Le neurosyphilis :**

Environ 10 % des sujets atteints de syphilis et non traités vont développer une neurosyphilis, avec deux fois plus d'hommes que de femmes. La syphilis nerveuse apparaît essentiellement lors d'une syphilis passée inaperçue ou négligée, insuffisamment ou non traitée. Sa symptomatologie est variée, mais peut être résumée en deux manifestations principales.

— La paralysie générale :

Il s'agit en fait d'une méningo-encéphalite dont les premiers signes cliniques apparaissent entre 7 et 20 ans après la contamination. Elle comporte :

- Une atteinte neurologique menant à une déchéance physique profonde.
- Un syndrome psychiatrique qui aboutit à un état démentiel.

En l'absence de traitement son évolution est fatale.

— Le Tabes :

Plus fréquent que la paralysie générale, il est dû à une destruction de la moelle épinière par le tréponème pâle.

Ses manifestations surviennent le plus souvent dans les 30 années voir même plus, qui suivent la contamination. Le début peut être insidieux et s'étaler sur plusieurs années.

Il est responsable de douleurs intenses, en coup de poignard, dites fulgurantes, au niveau des membres inférieures et du ventre, d'incontinences et d'infections urinaires, de troubles visuels pouvant conduire à la cécité et d'une instabilité à la station debout avec une démarche chancelante pouvant conduire à une immobilisation complète du patient.

Conduite à tenir devant une syphilis tardive

Une fois le diagnostic de syphilis tardive posé, sur la clinique et les examens sérologiques, il conviendra de faire examiner le partenaire et, si le patient est une femme, ses enfants.

Il est utile d'essayer de se rappeler d'avoir ou non présenté des lésions de syphilis précoce dans les années qui ont précédé, et de se souvenir des contacts éventuels de cette époque.

A cette occasion, on découvrira des sujets contacts, atteints par l'infection syphilitique, non traités mais apparemment sains, qui auraient eu à attendre un diagnotic jusqu'à l'apparition éventuelle de signes cliniques de syphilis tardive.

Même à ce stade de la maladie, les traitements pourront avoir un effet bénéfique, parfois même très important, d'où l'intérêt d'aller consulter et d'avoir un diagnostic.

IV. — LA SYPHILIS CONGÉNITALE

La syphilis n'est pas une maladie héréditaire, c'est-à-dire transmise par les gènes du père ou de la mère à l'enfant, mais elle est congénitale, c'est-à-dire qu'elle peut être transmise seulement par la mère à l'enfant.

La syphilis congénitale est en fait une maladie infectieuse, transmise au fœtus, à travers le placenta, par une femme atteinte de syphilis récente évolutive.

C'est une maladie que l'on peut facilcment prévenir. Elle ne survient en effet que lorsqu'une femme enceinte présente une syphilis qui n'est ni diagnostiquée, ni traitée pendant la grossesse.

Et étant donné que de nos jours, les réactions sérologiques de la syphilis sont obligatoires au cours de la première visite prénatale, la syphilis congénitale n'est donc due qu'à la négligence de mères qui ne se rendent pas à ces consultations prénatales.

Plus la syphilis de la mère est récente, plus le risque de syphilis congénitale est grand.

La mise au monde d'un enfant mort-né se voit surtout lorsque la contamination maternelle est très récente. Si la contamination est un peu plus ancienne, des bébés présentant des symptômes de syphilis congénitale naîtront.

Cependant si la mère a été contaminée depuis plus de deux ans, le risque d'infection du fœtus est beaucoup plus faible.

La syphilis congénitale évolue en deux phases, une phase précoce ou infantile, qui est contagieuse et dure les deux premières années de la vie, suivie d'une phase avancée ou tardive, non contagieuse, où l'on trouve aussi ce que l'on appelle les stigmates de la syphilis congénitale.

1) Les signes de la syphilis congénitale précoce :

— Les premières lésions de la syphilis congénitale, apparaissant en général dès la naissance, sont des lésions cutanées à type d'éruption bulleuse, faite de bulles, de cloques sur la peau, siégeant principalement sur les paumes des mains et les plantes des pieds.

Des fissures peuvent apparaître au niveau des commissures de lèvres, autour des narines et de l'anus, guérissant en laissant des cicatrices appelées raghades.

Il peut y avoir aussi une chute des cheveux du nouveau-né ou au contraire une abondance de cheveux grossiers appelée « perruque syphilitique », les cils et soucils peuvent manquer.

Une perte de poids et un arrêt de croissance peuvent s'associer aux symptômes précédents, pouvant donner au nourrisson un aspect de vieillard.

— Des plaques muqueuses analogues à celles observées au cours de la syphilis secondaire de l'adulte peuvent apparaître au niveau de la cavité buccale.

— Des lésions viscérales à type d'augmentation de volume du foie et de la rate, d'atteinte des poumons (pneumonie), d'atteinte des yeux, de méningites.

— Des lésions osseuses, à type d'inflammation des os des membres, apparaissent dès les trois premiers mois de la vie, responsables de douleurs souvent si intenses que l'enfant garde le membre atteint immobile.

Le diagnostic de la syphilis congénitale précoce évoqué devant ces signes sera confirmé par la découverte du tréponème dans les lésions cutanées et muqueuses et par les réactions sérologiques de la syphilis qui sont positives chez le nouveau-né malade. La mère de ce bébé a obligatoirement elle aussi la syphilis.

2) **La syphilis congénitale tardive :**

Elle présente tous les aspects de la syphilis acquise tardive, mais l'atteinte cardio-vasculaire y est très rare.

— Les gommes cutanées et muqueuses apparaissent entre 5 et 25 ans et sont en fait rares. Cependant assez fréquemment on peut en trouver au niveau du nez et dans la cavité buccale, responsables parfois de perforation de la cloison nasale et d'effondrement du palais.

— Certaines lésions propres à la syphilis congénitale peuvent apparaître :

• Une kératite, c'est-à-dire une atteinte de la cornée, atteignant 50 % des enfants malades et responsable d'une diminution de la vision apparaissant soit précocement vers 4 ans soit beaucoup plus tard vers 40 ans.

• Une surdité annoncée par des bourdonnements d'oreille et des vertiges, apparaissant entre 9 et 15 ans.

• Une hydarthrose du genou, c'est-à-dire un épanchement de liquide dans l'articulation, apparaissant entre 10 et 20 ans.

• Les stigmates de la syphilis congénitale, à type d'anomalies des dents, du nez, de certains os (tibia, os frontal...).

Si on diagnostique une syphilis chez une femme enceinte et qu'on traite cette femme convenablement au cours du premier trimestre de la grossesse, le fœtus sera indemne.

Si la syphilis est diagnostiquée au-delà du premier trimestre, on traitera la mère et l'enfant à sa naissance. Le résultat d'un tel traitement reste bon. Il peut naître des bébés en bonne santé de femmes traitées lors du huitième mois de grossesse.

Il serait donc souhaitable de pratiquer un second sérodiagnostic de la syphilis systématique vers le septième mois de grossesse.

Ce qu'il faut retenir de la syphilis

La syphilis est une maladie infectieuse essentiellement sexuellement transmissible, contagieuse pendant les deux premières années de son évolution.

Plus le diagnostic de syphilis est précoce et plus le traitement sera efficace. Correctement traitée pendant la période primo-secondaire elle guérit sans laisser de séquelles.

Donc devant toute lésion douteuse, même banale des organes génitaux, ou même ailleurs située, ou en cas de rapport suspect, il faut aller consulter sans attendre, son médecin traitant ou son gynécologue, sans prendre aucun traitement auparavant, qu'il soit local ou général.

Surtout ne pas attendre ! En effet les lésions peuvent disparaître spontanément et cela peut rassurer.

Mieux vaut aller consulter pour s'entendre dire qu'il s'agit d'une lésion bénigne, que de ne pas consulter et se retrouver quelques années plus tard avec des lésions de syphilis tertiaire, pour lesquelles le traitement est parfois beaucoup plus aléatoire qu'à la période primo-secondaire.

Il faut savoir aussi que la syphilis dans sa période primo-secondaire peut facilement passer inaperçue, d'où l'utilité des prises de sang pour un sérodiagnostic systématique de la syphilis. La loi prévoit une sérodiagnostic de la syphilis lors de l'examen de santé annuel des étudiants, avant le mariage, pendant la grossesse. Et un pourcentage élevé de syphilis est ainsi dépisté.

La syphilis n'est pas une maladie héréditaire, mais la femme infectée peut contaminer l'enfant pendant la grossesse ou l'allaitement.

La syphilis est une maladie contagieuse et il faudra toujours prévenir son ou ses partenaires du moment, et même des partenaires éventuels plus anciens et les inciter sinon les « forcer » à aller consulter, même s'ils déclarent n'avoir présenté ou ne présenter actuellement aucun signe clinique

Il faut en effet toujours avoir présent à l'esprit que la syphilis peut facilement passer inaperçue et que seuls les tests sérologiques permettent d'affirmer l'absence de contamination.

La syphilis n'est pas immunisante : 2 ou 3 syphilis successives et plus peuvent se voir chez une même personne, malchanceuse ou chez une personne dont le, la ou les partenaires n'ont pas été traités.

On peut même dire qu'un sujet contaminé une première fois est un sujet à haut risque de recontamination, plus vraisemblablement d'ailleurs, par ses habitudes sexuelles qu'en raison d'une problématique réceptivité particulière.

A chaque nouvelle infection ces patients peuvent présenter une symptomatologie clinique classique, à savoir : chancre, roséole, plaques muqueuses etc. Cependant les recontaminations peuvent être inapparentes cliniquement et seuls les tests sérologiques quantitatifs seront alors révélateurs.

Les traitement actuels de la syphilis, prescrits suffisamment tôt, et bien suivis stoppent l'évolution de la maladie, entraînent une guérison avec parfois pour seules traces la persistance de certaines réactions sérologiques positives, ces dernières ne signifiant en rien l'absence de guérison de la maladie, mais représentant la trace de la pénétration du tréponème pâle dans l'organisme.

Donc bien traitée la syphilis n'est plus une maladie effrayante, mais il faut quand même avoir présent à l'esprit qu'en l'absence de traitement sont évolution peut être grave, voire même fatale.

A propos de deux cas ou le diagnostic de syphilis aurait pu ne pas être posé

Un dossier à la main j'appelle :

— Madame Françoise F...

Une jeune femme blonde, les cheveux longs recouvrant les

épaules, se lève d'un fauteuil de la salle d'attente, écrase nerveusement la cigarette qui commençait seulement à se consumer et se dirige vers la porte que j'avais entrouverte. Je la fais passer dans une des salles de prélèvements et l'invite à s'asseoir dans le fauteuil présent à cet effet.

Quelques instants auparavant j'avais consulté le dossier de cette patiente, préparé par une secrétaire et y avait lu les examens prescrits par le médecin :

— V.D.R.L., T.P.H.A., F.T.A., Test de Nelson.

C'est une belle jeune femme que j'ai en face de moi, mais son visage est fermé, et ses traits sont légèrement crispés. Devant son regard qui laisse transparaître une certaine anxiété, je suis presque sûr qu'il ne s'agit pas d'un examen prénuptial ou prénatal pour lesquels les réactions sérologiques de la syphilis sont demandés à titre systématique, car obligatoires.

En prenant l'air détaché pour essayer de la mettre à l'aise, je lui demande pourquoi son médecin lui a prescrit ces examens. Elle baisse les yeux d'un air gêné ; mais je lui explique qu'étant médecin elle peut me parler en toute tranquillité, et mue par un désir évident de se confier et surtout cherchant à être réconfortée par des paroles apaisantes, voyant que j'étais prêt à l'écouter, elle se décide à me raconter son histoire.

Françoise est mariée depuis quelques années avec un monsieur charmant, qu'elle adore me dit-elle, et je n'ai aucune raison de mettre sa parole en doute. Jusqu'à « ce fameux jour » elle n'avait jamais eu de liaison extra-conjugale. Elle vivait heureuse avec son mari, Patrick, et leur petit garçon de 3 ans, Jérôme. Patrick a une profession qui l'amène souvent à voyager et à être absent de la maison plusieurs jours de suite. Au début, ces absences répétées avaient été un peu difficiles à supporter pour Françoise, mais avec le temps, elle s'y était faite et elle avait pris l'habitude de passer des soirées, toute seule à la maison à « bouquiner » ou à s'occuper à quelques tâches ménagères qu'elle n'avait plus le temps d'entreprendre dans la journée depuis qu'elle avait décidé de travailler.

Le petit Jérôme passait en général la semaine chez sa grand-mère maternelle, et Françoise et son mari le prenaient avec eux le week-end. Un soir, alors que, comme souvent Patrick était en déplacement, et que Françoise allongée sur un divan, détendue mais fatiguée après une pleine journée de travail, se proposait de commencer la lecture d'un bon livre, qu'elle avait acheté la veille, la sonnerie du téléphone retentit et les ennuis de Françoise commencèrent.

— Allo, Françoise ? Bonjour ma chérie, comment vas-tu ? C'est Martine. Comment vont Patrick et le petit ?

— Bonjour Martine ! Et toi comment vas-tu ? Cela fait longtemps que nous ne nous sommes pas vues et même plus d'un mois que nous n'avons pas bavardé au téléphone. Tu as bien fait de m'appeler. Justement avec Patrick on se proposait de te téléphoner pour t'inviter à passer un dimanche à la maison. Tu sais, Patrick apprécie beaucoup ta compagnie et aime bien écouter tes histoires de célibataire endurcie. Tu n'as toujours pas trouvé l'homme idéal ? Tu sais Jérôme a baucoup grandi, il parle très bien maintenant et il est très beau. Et toi, ça sera pour quand un enfant ?

Martine et Françoise, sont des amies de longue date, et elles sortaient souvent ensemble avant que Françoise ne rencontre Patrick. Mais depuis son mariage Françoise a beaucoup moins souvent l'occasion de voir Martine, qui mène une vie assez trépidante de célibataire.

— Excuse-moi Françoise, reprend Martine, je n'ai pas beaucoup de temps pour discuter, je t'appelle juste pour te dire qu'il faut absolument que Patrick et toi veniez ce soir à la maison. Je donne une petite soirée que j'ai décidé d'organiser à l'improviste et je tiens absolument à vous avoir tous les deux.

— Tu sais, dit Françoise, Patrick est en déplacement pour son travail et je n'aime pas sortir sans lui. Cela sera pour une prochaine fois.

Martine insiste, rappellant à Françoise, avec un léger ton de reproche, que c'est son anniversaire, et qu'elle a décidé à la dernière minute de fêter ses 30 ans et qu'il n'est pas possible que sa meilleure amie ne soit pas là, à cette occasion.

— Tu sais Françoise, j'ai parlé souvent de toi à tous mes nouveaux amis, et ils tiennent absolument à te connaître ; tu verras ils sont très « sympas ». Dommage pour Patrick ! Mais tu te fais belle et tu sautes dans un taxi. Je t'attends dans une heure au plus tard. Pour rentrer, ne t'inquiète pas, il y aura sûrement quelqu'un pour te raccompagner.

Sur ce, Martine rappelle, sur un ton légèrement ironique, son adresse à Françoise et raccroche sur un « A tout de suite ! » sans appel, sans laisser à Françoise le temps de répondre. Songeuse, Françoise repose le combiné téléphonique, se disant qu'après tout il n'y avait aucune raison de ne pas accepter l'invitation de Martine. Martine lui en voudrait certainement de ne pas être là pour fêter ses 30 ans et Françoise se disait qu'en outre cela lui ferait sûrement du bien de sortir un peu et de voir du monde.

Un peu plus d'une demi-heure après l'appel téléphonique de Martine, Françoise était prête, après une douche rapide, un maquillage léger et après avoir revêtu un ensemble qui lui allait très bien et qu'elle n'avait pas eu l'occasion de mettre depuis assez longtemps. Elle tira la porte derrière elle, en se promettant de ne pas rentrer trop tard, pour apaiser sa conscience. C'était en effet la première fois qu'elle sortait sans Patrick, le soir.

Elle trouva assez rapidement un taxi et en moins d'une demi-heure, celui-ci la déposa à l'adresse de Martine. La cabine de l'ascenseur était là, au rez-de-chaussée, et après un instant d'hésitation elle se souvint de l'étage où habitait son amie. L'ascenseur l'amena au 5e étage. Un dernier coup d'œil dans le miroir de l'ascenseur, lui rappella qu'elle était très jolie. Satisfaite, elle appuya plusieurs fois sur le bouton de sonnette de l'appartement de Martine. L'accueil fut très chaleureux et l'ambiance semblait très bonne.

Martine sait choisir ses amis, se dit Françoise. La prenant par le bras, Martine lui présenta presque tout le monde, puis elle la laissa avec un homme charmant, Michel, qui se proposa très courtoisement de lui tenir compagnie.

La soirée se prolongea sans que Françoise s'en rende compte. Michel était très plaisant à regarder et aussi à écouter et l'alcool aidant, ce qui devait arriver arriva.

Plus tard, Michel se proposa tout naturellement de raccompagner Françoise, et celle-ci accepta, tout comme elle ne refusa pas le détour que lui proposa Michel, terminer la soirée en allant boire un dernier verre chez lui.

Françoise rentra très tard ou plutôt très tôt le lendemain matin chez elle et elle essaya de s'endormir en oubliant tout ce qui s'était passé pendant la soirée et la nuit précédente et en se promettant de ne plus jamais sortir seule sans Patrick.

Elle aimait son mari et ne voulait pas avoir d'aventure. Ce serait, se jura-t-elle, la première et la dernière fois qu'elle tromperait Patrick.

Michel était un homme certes charmant, mais d'une part il ne s'était pas révélé un amant merveilleux, d'autre part elle ne l'aimait pas. Elle s'endormit en pensant qu'elle ne le verrait plus et que toute cette histoire serait vite oubliée dès que Patrick serait de retour.

Le lendemain Patrick rentra et elle sut faire en sorte qu'il ne soupçonne rien dans son comportement. Elle avait pris aussi la précaution de téléphoner à Martine, de la mettre au courant, la faisant promettre de ne jamais faire allusion à cette soirée. La vie de Françoise reprit son cours paisible et heureux. Michel avait eu la délicatesse de ne pas se manifester. Il lui avait laissé en la quittant son numéro de téléphone et en homme ayant l'habitude des femmes qu'il était, il savait que Françoise l'appellerait si elle désirait le voir.

Les jours passèrent et Françoise avait complètement oublié cette aventure. Trois semaines plus tard, Martine lui téléphona en lui disant qu'il fallait absolument qu'elle la voie et qu'elle passerait la prendre à la sortie de son travail, sans plus d'explications.

A la sortie du bureau, Françoise repéra tout de suite la petite voiture noire de Martine et se dirigea vers le véhicule. Dès qu'elle vit Martine, elle comprit que les problèmes étaient proches.

Contrairement à son habitude, la voix de Martine était grave. Elle en vint directement au fait.

— Bonjour ma chérie. Depuis trois jours Michel essaie à tout prix de te joindre. Il m'a téléphoné trois jours de suite pour me demander de te dire de l'appeler ou de lui donner ton numéro de téléphone. J'ai pensé qu'il voulait absolument te revoir pour pousser plus loin votre aventure. J'ai donc refusé, bien entendu, de lui donner tes coordonnées, et je n'ai même pas voulu t'en parler.

Mais cet après-midi, il m'a encore appelé et devant mon refus persistant il m'a avoué, très gêné, qu'on lui avait découvert une syphilis et qu'il fallait absolument que tu l'appelles, mais que tu ne t'inquiètes pas outre mesure.

« SYPHILIS » ! le mot résonna aux oreilles de Françoise. Le regard toujours posé sur Martine, qui continuait de parler, Françoise cependant ne l'écoutait plus, ne l'entendait plus. Les pensées se bousculaient dans sa tête :

Syphilis ! Maladie vénérienne ! Transmise par des rapports sexuels !

Patrick ! Est-ce qu'il va me prendre Jérôme ? Je vais me retrouver toute seule.

Comment ai-je pu être aussi sotte ? Que va penser Patrick ? Il ne me pardonnera jamais de l'avoir trompé.

— Françoise !

Elle sentit une main lui secouer légèrement le coude. Se rendant compte qu'elle était à nouveau écoutée, Martine reprit :

— Ecoute chérie, je suis vraiment désolée de tout ce qui t'arrive. Tout est de ma faute et tu sais combien je le regrette. Mais ne te laisse pas aller ! Téléphone à Michel, il sera sûrement de bon conseil. D'après son médecin ce n'est pas sûr du tout que tu aies été contaminée, mais il faut que tu ailles consulter et faire, m'a-t-il dit, une prise de sang.

— Ce n'est pas ta faute, répliqua Françoise. Ne t'inquiète pas, mais le mot SYPHILIS m'a toute retournée. Je me sens déjà mieux. Donne-moi, le numéro de téléphone de Michel ; comme je ne comptais plus le revoir, je ne l'ai pas gardé. Je vais l'appeler et suivre ses conseils ; je te tiendrai au courant.

Le premier choc de Françoise passé, Martine avait mis le moteur de sa voiture en route et elle se dirigeait vers le domicile de son amie. Arrivée chez elle, Françoise prit congé de Martine. Elle monta les quelques marches qui amenaient au perron de sa porte et une fois à l'intérieur de l'appartement, elle se dirigea directement vers le téléphone, et composa le numéro qu'elle avait inscrit quelques instants auparavant sur une petite feuille d'agenda que lui avait tendue Martine.

Michel décrocha tout de suite

— Allo !

— Bonjour Michel, c'est Françoise.

Michel lui confirma qu'il avait une syphilis, mais lui fit bien comprendre que bien entendu il ne soupçonnait rien, le jour de leur rencontre. C'est seulement 48 heures après qu'il avait remarqué une petite plaie sur sa verge. Comme cette plaie persistait et que Michel était un peu au courant de tout ce qui concernait les maladies sexuellement transmissibles, il alla consulter son médecin traitant, qui lui fit faire un prélèvement local et une prise de sang.

Les résultats de laboratoire, que Michel avait reçus, ont confirmé le diagnostic évoqué par son médecin.

— Tu sais, dit Michel, d'après mon « toubib », et il en connaît des choses, il n'est pas certain du tout que tu sois toi-même atteinte. Mais il a bien insisté pour que je prévienne toutes mes partenaires, qu'elles aillent elles-mêmes consulter et qu'elles se soumettent à des examens de laboratoire. Si tu désires aller le voir je te donne son adresse et son numéro de téléphone pour prendre un rendez-vous. Si tu préfères, vas voir un médecin de ton choix, mais je t'en prie, vas-y le plus tôt possible.

Françoise opta pour la deuxième solution, en pensant à un dermatologue qui lui avait été vivement recommandé par des collègues de bureau.

— Ne t'en fais pas, dit-elle, j'ai un bon médecin et je lui téléphonerai demain à la première heure pour prendre un rendez-vous.

Devant le ton grave de Françoise, Michel essaya de la réconforter comme il put, en lui rappelant ce que lui avait dit son médecin à savoir que la contamination de Françoise était loin d'être certaine, et que, au pire, un traitement correctement suivi l'assurerait d'une guérison. Mais il ne fit aucune allusion à Patrick, Françoise non plus, se disant qu'elle en parlerait à son médecin. Et elle raccrocha en promettant à Michel de prendre un rendez-vous avec le médecin dès le lendemain, ce qu'elle fit.

Par chance, le médecin put la recevoir le soir même et elle s'y rendit à la sortie du bureau.

Une vague d'angoisse la submergea lorsqu'elle entra dans le cabinet de consultation. Après un interrogatoire minutieux et un examen clinique et gynécologique complet, qui dura une éternité pour Françoise, le médecin lui déclara pendant qu'elle se rhabillait :

— Chère Madame, cliniquement vous n'avez rien. Pas la moindre trace de chancre. Malheureusement cela n'est pas suffisant du tout pour éliminer une syphilis. Il va falloir faire une prise de sang dans le laboratoire de votre choix pour un sérodiagnostic de la syphilis. Nous sommes au 24e jour du rapport éventuellement contaminant, vous pourrez donc aller au laboratoire dès demain. Il n'est pas indispensable que vous soyez strictement à jeun. Mais si les tests sont négatifs, il faudra les répéter dans un mois, et même une troisième fois un mois plus tard. Si à trois reprises les tests sont négatifs alors nous pourrons seulement être tout à fait rassurés.

Françoise parla alors de Patrick et demanda au médecin s'il fallait absolument le prévenir dès à présent, en espérant bien entendu une réponse négative.

— Tant que vos tests resteront négatifs, ceci n'est absolument pas indispensable et je comprends très bien que vous préfériez cette solution. Mais si par malheur les tests sont positifs, il faudra alors le mettre au courant et qu'il vienne me voir. Cela sera indispensable. Quant à votre petit garçon les risques de contamination sont si minimes pour lui qu'il ne sera pas indispensable de le soumettre à ces examens.

Pendant que Françoise me racontait son histoire, je lui avais fait la prise de sang et elle me quitta en me remerciant de ma compréhension et me demandant ce que je pensais de tout cela. J'essayais de la rassurer, en lui disant que selon moi, il y avait peu de chances que ses tests soient positifs. Cependant je lui recommandais d'éviter tous rapports avec son mari en attendant les résultats. En effet au cas où les réactions sérologiques de Françoise seraient positives, traduisant chez elle une infection syphilitique, plus les rapports avec son mari seraient nombreux, plus les risques de contamination de ce dernier seraient grands. Huit jours plus tard, Madame Françoise F... me demanda au téléphone.

— Allo ! Docteur, excusez-moi de vous déranger, mais je ne pouvais pas attendre plus longtemps. Je dois passer ce soir à votre laboratoire pour prendre mes résultats mais je voulais savoir si vous les aviez dès à présent. Est-ce que vous vous souvenez de moi ?

— Chère Madame, ne vous excusez pas, je suis très heureux de vous annoncer que tous vos tests sont négatifs.

A l'autre bout du fil, j'entendis un « merci beaucoup Docteur » dit d'un ton au bord des larmes, mais de larmes de joie.

Et je m'en voulus presque de troubler son bonheur en lui rappellant, comme lui avait dit son médecin, qu'elle devait absolument se soumettre à une seconde prise de sang dans un mois. Cependant j'essayais de la rassurer de mon mieux en lui disant qu'à présent que les premiers tests étaient négatifs, les risques qu'elle fût contaminée étaient bien moindres.

Trois semaines plus tard, Madame Françoise F... était à nouveau dans mon laboratoire. Suivant les instructions du dermatologue qu'elle était allée consulter, elle venait se soumettre à la deuxième série de tests. Elle était beaucoup plus rassurée que lors de notre première rencontre, beaucoup plus décontractée. Cependant elle était encore préoccupée, puisqu'elle me demanda, pendant que je la prélevais, quel pourcentage de chances, selon moi, avait-elle d'avoir des tests à nouveau négatifs.

— Docteur, est-ce que je pourrais comme la dernière fois vous appeller au téléphone le jour de mes résultats ? Cela m'a porté chance la première fois ! Est-ce que cela ne vous dérangera pas trop ?

Elle me remercia d'accéder à sa demande et prit congé sur un sourire.

Ce fut la dernière fois que je vis Madame Françoise F...

En effet huit jours plus tard, elle me demanda au téléphone, comme convenu. Mais autant la première fois j'étais heureux de l'avoir au bout du fil pour lui apprendre une bonne nouvelle, autant cette fois-ci j'étais gêné. En effet il n'est jamais très agréable d'apprendre une mauvaise nouvelle à quelqu'un. Et c'était le cas.

Malheureusement, tous les tests de Madame Françoise F... étaient cette fois-ci positifs. Il n'y avait aucun doute, elle avait contracté la syphilis.

Je pris le téléphone et lui annonçais comme je pus la nouvelle. Après un court instant pendant lequel elle demeura sans voix, j'entendis un « merci beaucoup Docteur » laconique.

J'essayais de trouver des paroles pour la réconforter, lui disant que le traitement actuel de la syphilis était parfaitement au point et que la guérison lorsque le dépistage est précoce, ce qui était son cas, est certaine et rapide.

Mais je savais bien que cela n'était pas suffisant, et que son principal problème était tout autre. Il fallait qu'elle mette son mari au courant de sa maladie. Elle ne répondit pas à ces dernières paroles et raccrocha sur un nouveau « merci pour tout, Docteur ».

M'en voulait-elle indirectement de lui avoir appris cette mauvaise nouvelle, alors qu'elle espérait de toutes ses forces une réponse autre ? Je n'en savais rien. Mais de toutes les façons je ne pouvais lui en vouloir.

Je fus mis au courant de la suite de l'histoire de Madame Françoise F... par mon confrère et ami, le dermatologue qui la suivait et à qui je téléphonais quelques semaines plus tard.

Il m'apprit que Madame Françoise F... était revenue le voir, avec ses résultats de sérodiagnostic de la syphilis positifs, accompagnée de son mari, qu'elle avait mis au courant. Celui-ci, un homme charmant et qui aimait sa femme, d'après mon confrère, se soumit docilement aux examens qui lui furent prescrits, sans trop poser de questions au sujet de la manière dont sa femme avait pu être contaminée.

Sa femme l'avait-elle mis au courant de sa liaison très passagère ?

Ou bien n'a-t-il pas voulu savoir exactement ?

Toujours est-il que tout a l'air de s'être bien terminé pour notre jeune femme. Les tests du mari sont restés négatifs, même ceux pratiqués 3 mois plus tard et il n'a pas donc dû être traité.

Madame Françoise F... quant à elle, grâce à la deuxième série de tests qui a été pratiquée, a pu être traitée précocement et correctement, alors qu'elle n'a présenté aucun signe clinique de syphilis primaire. Aucun chancre n'a été décelé, aucune adénopathie non plus, même après un examen clinique et gynécologique soigneux pratiqué alors que les tests étaient positifs et avant l'institution du traitement antibiotique.

Madame Françoise F... a eu un seul rapport avec un sujet atteint de syphilis et a été contaminée, mais Madame F... a eu plusieurs rapports avec son mari avant de savoir qu'elle était atteinte et celui-ci n'a pas été contaminé.

Mon confrère dermatologue, avant de raccrocher et peut-être pour ménager ma susceptibilité, me dit :

— Au revoir cher confrère. Vous savez, Madame Françoise F... a déménagé. C'est pour cela qu'elle n'est pas allée dans votre laboratoire pour y subir ses examens de contrôle, qui ont permis d'affirmer la guérison.

Monsieur Jacques K... entre dans la salle de prélèvement où j'examine le dossier le concernant.

Sur l'ordonnance jointe au dossier je lis :

— Numération formule sanguine

— Vitesse de sédimentation

— MNI Test (il s'agit d'un test pour dépister une mononucléose infectieuse, maladie dont je dirai quelques mots plus loin)

— Réactions sérologiques de la syphilis

— Prélèvement de la lésion sublinguale avec examen au microscope à fond noir.

C'est un monsieur d'une cinquantaine d'années, mais il en paraissait en fait quarante, les cheveux grisonnants mais encore bien drus et soigneusement coiffés, qui s'avance vers moi.

Il est élégamment vêtu, d'un complet de flanelle gris moyen, très bien coupé, mettant en valeur sa haute stature et sa carrure athlétique.

Je l'invitai à ôter sa veste, qu'il accrocha soigneusement au porte-manteau, et à venir prendre place dans le fauteuil situé en face de moi. Comme je le fais souvent, je le questionnai pour savoir pourquoi son médecin lui prescrivait ces examens.

— Je suis allé consulter ce médecin pour un petit problème que j'ai dans la bouche, là sous la langue.

Et il ouvre la bouche, soulève sa langue et je peux observer une tuméfaction peu volumineuse, du plancher de la bouche, présentant en son centre un petit cratère, à fond propre.

— Je vois, lui répondis-je. Depuis quand avez-vous cette lésion ?

Je me rendis compte assez rapidement que M. Jacques K... n'était pas le genre d'homme qui se confiait très facilement et qui, sur une simple question, allait raconter toute son histoire.

Mais devant mon attitude expectative, il me dit que cette tuméfaction est apparue il y a un peu plus de trois semaines. Au début elle était assez petite et indolore. Mais une semaine plus tard environ, me dit-il, cette masse a augmenté rapidement de volume, est devenue assez douloureuse et purulente, gênant la mastication des aliments et même l'absorption de boissons chaudes. Des ganglions assez volumineux, durs mais indolores sont apparus sous le maxillaire inférieur droit, du côté de la tuméfaction.

— Au début me dit-il, j'ai pensé qu'il s'agissait d'un aphte. Mais lorsque la lésion a grossi et que des ganglions sont apparus, j'ai jugé préférable d'aller consulter un médecin. Mais en fait il ne s'agit pas du même médecin que celui qui me prescrit ces examens.

En effet M. Jacques K... a d'abord été consulter un premier médecin, qui devant cette tuméfaction légèrement purulente, lui a prescrit un prélèvement du pus qui s'écoulait de la lésion, avec un examen bactériologique et un antibiogramme. L'antibiogramme est un examen qui permet de déterminer les antibiotiques actifs sur le germe éventuellement isolé dans un prélèvement.

Et pour M. Jacques K... le laboratoire mit en évidence dans le pus de la lésion un staphylocoque doré pathogène et fit un antibiogramme comme l'avait demandé le médecin prescripteur.

Au vu des résultats, le médecin ordonna un traitement antibiotique de 8 jours, traitement, que je pus faire préciser par le patient.

A la fin du traitement, la lésion avait nettement diminué de volume, était devenue propre, ne laissant plus s'écouler de pus. La gêne douloureuse s'était estompée, voire même avait disparu, et l'adénopathie satellite avait elle aussi regressé.

Mais une semaine après la fin du traitement, la lésion était toujours présente, bien que la symptomatologie beaucoup moins bruyante ; et sur les conseils du premier médecin, M. Jacques K... alla consulter un médecin spécialiste en otorhinolaryngologie (O.R.L.).

Celui-ci, après un examen clinique minutieux, lui prescrivit les examens sus-cités. Mon confrère spécialiste a dû sûrement soupçonner fortement une syphilis et heureusement que le premier médecin avait pris la précaution de donner un traitement antibiotique qui ne risquait pas de masquer le développement d'une syphilis.

En effet, une fois disparue la surinfection sous l'action du traitement antibiotique prescrit initialement, la lésion que j'observai avait une base et des bords indurés, et était légèrement ulcérée en son centre ; son fond était propre, et après un léger grattage, qui ne fut pas douloureux pour le patient, la lésion laissa sourdre une sérosité que je prélevai pour l'examen au microscope à fond noir.

Je fis la prise de sang pour pratiquer les autres examens prescrits et M. Jacques K... prit congé en insistant bien pour que les résultats ne lui soient pas envoyés par la poste, même s'il venait les prendre avec un peu de retard. Je le rassurai en ce sens, pensant qu'il s'agissait vraisemblablement d'un homme marié qui désirait que sa femme ne se doute de rien.

L'examen au microscope à fond noir que je pratiquai tout de suite sur la sérosité que j'avais prélevée permit de confirmer mon opinion. En effet dans les oculaires de mon microscope je vis des spirochètes ayant l'aspect d'hélices argentées, se déplacer sur un fond noir, animés de mouvements lents et majestueux. Il s'agissait très vraisemblablement de tréponèmes pâles, et non pas de spirilles banales que l'on peut parfois trouver dans des prélèvements pratiqués au niveau de la bouche.

Cependant avant de téléphoner à mon confrère et de lui annoncer le diagnostic, je préférais attendre les résultats des réactions sérologiques de la syphilis. La N.F.S. et la V.S. ne montraient rien de bien significatif, le M.N.I. test était négatif.

Le V.D.R.L. et le T.P.H.A. comme prévu étaient positifs et venaient confirmer le diagnostic de syphilis. Le médecin et le malade furent mis au courant de ces résultats et le traitement fut institué.

Trois semaines plus tard, je revoyais M. Jacques K... dans mon laboratoire, toujours aussi élégamment vêtu. Il venait se soumettre aux examens de surveillance habituellement prescrits en cours de traitement.

Assis sur le fauteuil à prélèvement, M. Jacques K... semblait plus à son aise que lors de notre première rencontre et je le sentais plus disposé à parler.

Je lui demandai si la cure d'antibiotique s'était bien passée. Il me dit qu'il n'avait eu aucun problème et se mit à me raconter qu'il était marié et père de deux enfants.

— Vous savez Docteur, me dit-il, vous allez bientôt voir ma femme. Mon médecin a tenu absolument à ce qu'elle soit surveillée, bien que je lui aie dit que nous n'avons pas eu de rapports depuis plus de deux mois.

Devant mon air attentif il reprit :

— Je voudrais vous dire, Docteur, me dit-il, mis en confiance peut-être par l'attitude compréhensive que j'essayais d'adopter, je suis bisexuel. Depuis quelques années, mis à part les rapports que j'ai avec ma femme et qui ne sont pas très fréquents, j'ai assez souvent des rapports homosexuels.

Je le laissais poursuivre sur sa lancée.

— Lorsque j'ai des rapports de ce genre, continua-t-il, étant donné ma situation professionnelle et familiale, je ne peux pas me permettre de relations suivies. Je ne prends jamais les coordonnées de mon partenaire d'un soir et surtout ne laisse jamais les miennes. Ce sont des relations brèves et épisodiques. Tout cela pour vous dire, Docteur, que je n'ai aucun moyen de prévenir le partenaire qui m'a vraisemblablement contaminé et les partenaires que j'ai pu avoir par la suite et que selon mon médecin, j'aurais pu moi-même contaminer. Et cela m'ennuie beaucoup, car si ils ne se rendent pas compte de leur maladie, ils ne pourront pas être traités et pourront continuer à transmettre l'infection.

J'essayai de le rassurer en lui disant qu'avec un peu de chance, un ou plusieurs de ces partenaires pourront se rendre compte de certains symptômes qui les amèneraient à consulter, tout en sachant que cela ne sera sûrement pas le cas pour tous et je l'incitai à essayer de retrouver le ou les partenaires qui pourraient être porteurs de l'infection en retournant dans les endroits où il les avait rencontrés. Et à son regard j'ai su qu'il le ferait.

— Quant à ma femme, Docteur, elle n'est bien entendu pas au courant de ma bisexualité et je compte sur vous pour n'y faire aucune allusion.

Devant mon air légèrement offusqué, il poursuivit :

— Excusez-moi Docteur, mais pour moi il est très important que ma femme ne se doute de rien. Je me donne assez de mal pour cela, car je sais qu'elle ne le supporterait pas.

Au besoin je préférerais qu'elle pense que j'ai eu une aventure avec une femme. Jugez-vous indispensable qu'elle soit mise au courant de mon infection dès à présent ou au contraire pourrais-je selon vous éviter cette démarche ?

— Comme vous l'a certainement dit le docteur C..., si les réactions sérologiques s'avèrent négatives chez votre femme, et cela à trois reprises, à un mois d'intervalle chacune, et si vous vous abstenez de tous rapports avec elle pendant au moins la durée de votre traitement, il ne sera peut-être pas indispensable de la mettre au courant. Mais admettez, poursuivis-je, qu'il est difficile de soumettre une personne à des examens de laboratoire, à trois reprises sans que celle-ci ne vous pose quelques questions.

» D'autre part si, malheureusement pour vous et pour elle, les réactions sérologiques de votre femme se révèlent positives, comment envisagez-vous de lui faire accepter un traitement sans la mettre au courant de la maladie pour laquelle elle devra être traitée ?

Devant son air songeur, je conclus :

— Je pense qu'à présent, avec ce que votre médecin vous a dit et ce que j'ai pu ajouter, vous êtes au courant de la situation et vous restez seul juge.

Je raccompagnais M. Jacques K... en lui disant à bientôt.

Trois jours plus tard je me trouvais en face de Mme Jacques K... C'est une dame charmante d'une cinquantaine d'années.

Devant l'air circonspect que je prenais pour la questionner, elle essaya de me mettre à l'aise, en me disant que son mari lui avait tout raconté et qu'elle savait qu'il avait eu une brève aventure avec une des nombreuses secrétaires de son bureau, et qu'il avait contracté une maladie vénérienne, une syphilis, me dit-elle.

— Il n'a pas de chance, le pauvre ! ajouta-t-elle. Qu'en pensez-vous Docteur ? D'après mon mari, le risque pour moi d'avoir été contaminée est très faible, étant donné que nous n'avons pas eu de rapports depuis quelque temps.

— C'est exact, lui répondis-je. Mais il faudra quand même vous soumettre à trois séries d'examens à un mois d'intervalle chacune, avant de pouvoir affirmer que vous n'avez pas été contaminée.

Un peu rassurée, elle reprend :

— Vous savez Docteur, je n'ai jamais été portée sur le sexe et cela ne s'est pas arrangé depuis ma ménopause. Comme vous avez pu le constater mon mari est encore jeune, il est bien portant et dynamique et je comprends qu'il ait des besoins, même si je ne puis les assouvir.

» Lorsqu'il m'a raconté son aventure cela m'a fait beaucoup de peine, parce que j'aime mon mari, mais je n'ai pas fait de drame parce que je me suis dit qu'indirectement c'était peut être de ma faute.

» Si je ne me dérobais pas constamment à ses avances et si je lui cédais un peu plus souvent peut-être n'aurait-il pas eu cette aventure et n'en serions-nous pas là ? Cette maladie, est-ce qu'elle est grave, Docteur ? Mon mari coure-t-il des risques ?

Je lui répondis sur un ton rassurant, que la syphilis est une maladie que l'on peut considérer comme bénigne, à condition que le diagnostic soit précoce et que le traitement soit correctement suivi, ce qui était le cas de son mari, et que par conséquent il ne courait aucun risque et sa guérison ne faisait aucun doute.

— Quant à vous, poursuivis-je, si vos tests s'avèrent positifs, un traitement bien conduit, avec une surveillance par des examens sérologiques, vous assurera d'une guérison définitive. Mais si ces premiers tests sont négatifs je vous recommande instamment de revenir pour une deuxième série de tests et éventuellement, en cas de négativité, pour une troisième série.

— Je sais, Docteur, me dit-elle, le médecin que j'ai consulté a déjà suffisamment insisté là-dessus.

» Je vous dis donc à dans un mois, je l'espère. En effet si je reviens vous voir dans un mois juste, c'est que mes premiers tests étaient négatifs, n'est-ce pas Docteur ?

» Pourriez-vous me faire parvenir les résultats par la poste s'il vous plaît ?

— Bien sûr madame, ne vous inquiétez pas, lui dis-je. Vous recevrez très bientôt un exemplaire de votre résulat et votre médecin en recevra un double. Vous verrez avec lui pour ce qu'il conviendra de faire en fonction de vos résultats.

J'eus l'occasion de voir à plusieurs reprises M. et Mme Jacques K... dans les mois qui suivirent, lui pour une surveillance sérologique du traitement, elle pour les deux autres séries de tests, lesquels se révélèrent tous négatifs. Mme K... n'avait pas été contaminée.

Lors de notre dernière entrevue, elle se laissa aller à certaines confidences :

—Vous savez, Docteur, me dit-elle, depuis cette « histoire » mon mari et moi sommes plus proches l'un de l'autre et je cède beaucoup plus à ses désirs, sexuels, j'entends, conclut-elle.

LES BLENNORRAGIES

Le terme de blennorragie est connu depuis des siècles et il était utilisé pour désigner une maladie donnant chez l'homme un écoulement urétral purulent, dont la cause à l'époque n'était pas connue.

Puis fut découvert un germe : le gonocoque, et par la suite d'autres microbes responsables d'urétrite.

Jusqu'il y a quelques années le terme de blennorragie était réservé à l'infection due au gonocoque, mais actuellement ce terme s'applique à toutes les infections responsables d'urétrite chez l'homme, de vaginite ou de cervicovaginite chez la femme.

A côté de la blennorragie à gonocoque, nous verrons :

— la blennorragie à trichomonas,
— la blennorragie à candidas,
— la blennorragie à germes pyogènes banaux,
— les blennorragies dites non spécifiques dues aux :

- Chlamydiae
- Mycoplasmes
- Virus
- Agents non identifiés.

La blennorragie gonococcique

Appelée vulgairement « chaude pisse » en raison des brûlures urinaires parfois importantes qu'elle provoque, la blennorragie gonococcique est une maladie à transmission essentiellement sexuelle, atteignant les organes génitaux, mais aussi le rectum et plus rarement la région buccale.

C'est une maladie dont la fréquence ne diminue pas en France et si le nombre de cas officiels y est d'environ 20 000 par an, il est très probable que ce chiffre en fait atteigne les 500 000 cas par an.

I. — LE GONOCOQUE

L'agent infectieux responsable est le gonocoque appelé encore Neisseria Gonorrhoae, du nom d'Albert Neisser qui le découvrit en 1879 dans le pus d'urétrite. Mais la maladie dont il est responsable est connue depuis la préhistoire.

Le gonocoque est un germe dont la taille est de l'ordre du micron, ayant l'aspect d'un grain de café, car il présente une face bombée, tandis que l'autre est aplatie. Il présente une affinité particulière pour les muqueuses qu'il pénètre facilement.

Il est très fragile en dehors de l'organisme humain, très rapidement tué par l'eau, le savon, la sécheresse ou la chaleur. En revanche il peut survivre plusieurs heures (5 ou 6 heures) sur une serviette souillée par du pus et restée humide à la température de la pièce.

II. — LE MODE DE TRANSMISSION

La blennorragie gonococcique est une maladie essentiellement sexuellement transmissible.

Le mode de contamination se fait essentiellement par contact sexuel, vaginal, anal, ou parfois même buccal, lors de la pénétration. La contamination peut aussi se faire par l'intermédiaire des doigts souillés au cours des rapports sexuels et ce, même si un préservatif a été utilisé pendant ces rapports.

Chez la femme, le risque de contamination est très élevé, car le vagin reçoit, outre la verge, le sperme qui entraîne avec lui les germes présents au niveau de l'urètre masculin.

Cependant il existe des contaminations non vénériennes, parmi lesquelles on classe :

— L'atteinte oculaire du nouveau-né, qui se contamine lors de l'accouchement d'une mère atteinte de gonococcie génitale.

— Certaines vulvo-vaginites des petites filles, pouvant résulter de mauvaises règles hygiéniques de parents atteints de l'infection.

— Chez la femme, l'infection du col de l'utérus, après une insémination artificielle à partir d'un sperme de donneur contaminé.

— La contamination à partir d'objets ou de siège de toilette souillés est rare, car il faudrait que le pus non encore séché soit mis en contact direct d'un organe susceptible d'être contaminé. Cependant ce risque, bien que rare, existe puisque comme nous l'avons vu, le gonocoque peut survivre 5 ou 6 heures dans certaines conditions sur un linge souillé. Donc le linge de toilette intime doit être personnel, car il peut être responsable de contamination familiale, en particulier pour les petites filles, si elles l'utilisent juste après un de ses parents contaminés.

III. — SYMPTOMATOLOGIE DE LA GONOCOCCIE GÉNITALE

Les formes asymptomatiques de gonococcie, c'est-à-dire ne se traduisant par aucun signe clinique, alors que le sujet est porteur de germes, donc contagieux, sont de plus en plus fréquentes surtout chez la femme.

Ainsi 50 % des gonococcies génitales de la femme sont asymptomatiques contre seulement moins de 10 % des blennorragies à gonoccoques chez l'homme.

Actuellement on considère que plus de 50 % des femmes ayant une localisation uro-génitale ou une localisation anorectale gonococcique et plus de 90 % des femmes et des hommes ayant une localisation pharyngée peuvent être considérés comme des porteurs sains de gonoccoques, asymptomatiques, mais contagieux.

A) La gonococcie génitale chez la femme

La période d'incubation de la gonococcie génitale chez la femme est en moyenne de 7 à 15 jours.

1) **Les différentes formes cliniques :**

— Comme, on l'a déjà dit, la majorité des femmes atteintes de gonococcie ne remarquent aucun symptôme, mais n'en sont pas moins contagieuses.

— Dans sa forme typique la gonococcie génitale chez la femme associe une urétrite et une cervicite (atteinte du col de l'utérus).

- L'urétrite :

Elle se manifeste par des douleurs à la miction et des envies fréquentes d'uriner. A l'examen, la pression de l'orifice de l'urètre fait sourdre un pus jaunâtre, mais l'écoulement spontané de pus est rare. Le méat urétral, c'est-à-dire l'orifice de l'urètre, est parfois gonflé et enflammé.

- Vulvo-vaginite et cervicite :

Il peut exister, associée à la cervicite, une inflammation de la vulve et du vagin avec des brûlures et des démangeaisons vulvo-vaginales pendant les rapports.

La cervicite, c'est-à-dire l'inflammation du col utérin, quant à elle, peut entraîner une pesanteur pelvienne, des leucorrhées purulentes jaunâtres.

Cependant souvent les symptômes sont plus frustres, voire absents et ces formes sont d'autant plus redoutables qu'elles peuvent être à l'origine de complications génitales hautes, atteignant par exemple les trompes.

Et de nombreuses infections génitales à gonocoques sont découvertes lors d'examens gynécologiques systématiques, prénataux par exemple. Cependant, même en cas d'infection, l'examen gynécologique peut se révéler tout à fait normal et seul un examen bactériologique pratiqué en laboratoire pourra objectiver la gonococcie.

2) **Les complications de la gonococcie génitale de la femme :**

— On peut avoir une atteinte des glandes de Skène, une atteinte des glandes de Bartholin, laquelle est en général unilatérale, se traduisant par un gonflement, une rougeur et une douleur d'une grande lèvre, une atteinte de la vessie avec envies fréquentes d'uriner et rarement présence de sang dans les urines.

— La complication principale est réprésentée par **l'atteinte des trompes de Fallope** ou salpingite.

Elle se développe souvent à l'occasion d'une grossesse, d'un curetage ou de la mise en place d'un stérilet chez une femme atteinte de gonococcie génitale. La salpingite gonococcique est cinq ou six fois plus fréquente chez les femmes porteuses d'un stérilet. Cette complication pourrait être évitée dans ces deux derniers cas par un prélèvement cervico-vaginal pratiqué systématiquement à la recherche de gonocoque avant le curetage ou la pose d'un stérilet. On considère que 20 % des femmes atteintes de gonococcie peuvent présenter des lésions des trompes.

La salpingite se manifeste souvent juste après les règles, par une douleur du bas ventre en général unilatérale, à droite ou à gauche, plus rarement bilatérale, accompagnée parfois de nausées, de vomissements et d'un malaise général

Dans certains cas, l'inflammation de la trompe donne des douleurs de faible intensité, durant quelques jours, récidivantes, avec souvent des douleurs pendant la période des règles et pendant les rapports.

La salpingite peut aussi entraîner une atteinte de l'état général, et pendant les poussées une fièvre modérée.

Cette atteinte des trompes est une complication redoutable de la blennorragie gonococcique et de la plupart des autres blennorragies ; en effet le risque majeur en est la stérilité par obturation de ces « conduits » que sont les trompes de Fallope et qui amènent l'ovule de l'ovaire à l'utérus.

En cas de salpingite droite, le diagnostic se pose avec celui d'une appendicite.

Ces salpingites peuvent elles-mêmes se compliquer de péritonite en cas de perforation de la trompe infectée.

La péritonite est une inflammation du péritoine (membrane tapissant les parois et les organes de l'abdomen), représentant une urgence chirurgicale et responsable de fortes douleurs dans le ventre et de fièvre.

Des statistiques ont fixé à 12,8 % le risque de stérilité après une salpingite, à 35 % après deux salpingites et à 75 % après trois salpingites.

B) La gonococcie génitale chez l'homme

Chez l'homme, la période d'incubation de la gonococcie génitale est courte, en général de 3 à 5 jours, avec des extrêmes allant de 24 heures à 15 jours, voire un mois.

1) **Les différentes formes cliniques :**

Dans sa forme typique, la blennorragie gonococcique donne une urétrite aiguë.

L'urétrite est précédée par un petit picotement de l'extrémité de la verge, puis une brûlure à la miction. Par la suite apparaît un écoulement urétral purulent, jaunâtre ou verdâtre, en général abondant, d'odeur désagréable, tachant et collant au slip. Les lèvres du méat (c'est-à-dire de l'orifice urétral) peuvent être gonflées, rouges, avec des bords éversés. La pression de la verge, partant du pubis pour remonter vers le méat, fait apparaître une goutte de pus verdâtre. Mais souvent cette manœuvre n'est pas indispensable, car le pus remonte spontanément au méat. Et l'écoulement urétral dans la blennorragie gonococcique est souvent très abondant, non seulement matinal, mais se poursuivant tout au long de la journée et de la nuit, tant et si bien que beaucoup de patients utilisent une protection : un morceau de coton ou une compresse stérile entourant le méat urétral. Souvent le malade se rend compte que son premier jet d'urine est à la fois double et trouble ; ceci est dû au pus urétral.

Cet écoulement abondant, verdâtre ou jaunâtre, avec brûlures à la miction (d'où son nom de « chaude pisse ») survenant 3 à 5 jours après un contact, est caractéristique de la blennorragie gonococcique, par comparaison aux écoulements, en général beaucoup plus discrets comme nous le verrons, des blennorragies non gonococciques.

Cependant les urétrites gonococciques avec picotement intra-urétral discret et écoulement faible deviennent de plus en plus fréquentes, parfois avec juste une goutte de pus le matin au réveil avant d'uriner. Les signes cliniques peuvent même être totalement absents : ce sont les formes asymptomatiques, assez rares cependant chez l'homme, et pour lesquelles c'est le médecin qui pourra révéler l'écoulement en appuyant sur le canal urétral tout le long de son trajet. De toute façon, devant tout écoulement urétral, abondant ou minime, avec ou sans picotement de l'urètre, avec ou sans brûlures à la miction, il faudra aller consulter votre médecin, lequel vous fera pratiquer le plus souvent un prélèvement du pus urétral en laboratoire. Le germe en cause pourra ainsi être identifié et un antibiogramme pratiqué sur ce germe permettra de déterminer le ou les antibiotiques appropriés.

Au stade d'urétrite gonococcique, les complications sont rares ;

mais lorsque l'infection traîne et atteint l'urètre postérieur, celles-ci deviennent plus fréquentes.

2) **Les complications de la blennorragie gonococcique chez l'homme :**

— Les conduits para-urétraux, les glandes de Tyson, de Cowper et de Littré, peuvent être atteints donnant une symptomatologie peu évocatrice.

— Le gonocoque peut aussi infecter la prostate ; c'est la prostatite avec une gêne périnéale et sus-pubienne, des envies fréquentes d'uriner et des difficultés à uriner avec mictions peu importantes et douloureuses.

— Les vésicules séminales peuvent être atteintes donnant une érection douloureuse et des traînées de sang dans le sperme avec risque de stérilité.

— Le gonocoque peut aussi infecter l'épididyme, donnant une épididymite en règle unilatérale, avec un épididyme gonflé, sensible voire très douloureux, parfois un hydrocèle (épanchement de liquide dans les bourses). Si elle est bilatérale, l'atteinte des épididymes ou des canaux déférents peut conduire à la stérilité.

Après 5 urétrites gonococciques on considère que 2 à 4 % des hommes font une épididymite bilatérale avec les risques de stérilité auxquels elle expose.

— Atteinte de la vessie avec envies fréquentes d'uriner, sang dans les urines et difficultés à uriner.

— Enfin le gonocoque peut être responsable d'un rétrécissement urétral entraînant une diminution de la puissance du jet urinaire ou un double jet, voire même une impossibilité à uriner. Dans certains pays d'Afrique on considère que plus de 5 % des hommes atteints de gonococcie génitale font un rétrécissement urétral et deviennent parfois stériles.

Dans nos pays ce rétrécissement est heureusement plus rare.

IV. — LOCALISATIONS EXTRAGÉNITALES DE L'INFECTION GONOCOCCIQUE

A) *L'ano-rectite à gonocoque :*

C'est l'infection du canal anal et du rectum par le germe. Cette localisation ano-rectale se voit dans environ 8 % des cas d'infections gonococciques féminines et dans environ 5 % des cas de gonococcies chez l'homme où elle atteint surtout les homosexuels.

Dans 10 % des cas l'atteinte ano-rectale représente la seule localisation de l'infection gonococcique. C'est dire la nécessité de prélèvements ano-rectaux systématiques.

La plupart du temps la période d'incubation est impossible à préciser du fait de la discrétion des signes cliniques de cette atteinte.

En effet, l'ano-recite gonococcique est habituellement asymptomatique.

Cependant, elle peut donner un écoulement rectal de pus ou un saignement, parfois une irritation anale ou une douleur à la défécation.

Chez l'homme la contamination est presque exclusivement due à un rapport anal (homosexuel passif). Chez la femme la contamination peut-être due aussi à un rapport anal, mais le plus souvent il s'agit d'une contamination de l'anus par l'écoulement vaginal infecté.

A la rigueur on peut considérer qu'un doigt souillé par une verge ou un vagin contagieux et introduit profondément dans l'anus puisse être un mode de contamination possible.

B) *Localisation bucco-pharyngée de l'infection à gonocoque :*

Il s'agit d'une localisation assez fréquente puisqu'elle est mise en évidence dans près de 40 % des infections gonococciques chez l'homosexuel, dans 11 % des gonococcies féminines et 4 % des gonococcies masculines. Dans la majorité des cas elle est asymptomatique ou ne donnant qu'une banale angine rouge n'attirant pas l'attention.

Cependant dans certains cas la symptomalogie peut être plus marquée, avec des ulcérations des lèvres et une inflammation des muqueuses de la cavité buccale et de la langue.

La contamination bucco-pharyngée est due le plus souvent à un rapport oro-génital, mais elle peut être due à un baiser « profond » puisque le gonocoque est retrouvé dans la salive.

C) *La gonococcie cutanée :*

Elle se voit dans environ 2 % des cas de gonococcies, survenant surtout chez les sujets jeunes. Il peut s'agir parfois de la seule localisation de la gonococcie chez des partenaires d'hommes ou de femmes atteints.

Parfois elle est annonciatrice de manifestations graves.

Il s'agit en général d'une éruption de petites taches rouges, légèrement surélevées, en général indolores, plus rarement sensibles, à localisations très variables : creux axillaire, sourcils, doigts, cuisses etc.

On peut observer en plus une inflammation des muqueuses de la bouche, des taches hémorragiques sur le palais ou des ulcérations de la langue.

Ces lésions cutanées sont souvent associées à des douleurs articulaires. Parfois il existe une fièvre modérée et intermittente.

D) *Arthrite gonococcique :*

Actuellement rare, elle est plus fréquente chez la femme, et apparaît environ un mois après le début de l'infection gonococcique, ou parfois au décours de lésions cutanées avec douleurs articulaires.

L'atteinte articulaire par le gonocoque se manifeste par de la fièvre, avec une douleur intense à la mobilisation du membre atteint. L'articulation est gonflée, sensible ; la peau recouvrant l'articulation est rouge et chaude.

En l'absence de traitement on aboutit à une atteinte des tendons et des ligaments, avec destruction et ankylose de l'articulation.

E) *Conjonctivite gonococcique :*

L'atteinte des conjonctives chez l'adulte est due à une contamination manuelle, en rapport le plus souvent avec un manque d'hygiène. En effet la contamination se fait à partir de l'écoulement génital du sujet lui-même ou de son partenaire. Chez l'enfant la contamination se fait à partir de parents.

La conjonctivite gonococcique est rare, le plus souvent elle atteint les deux yeux.

En l'absence de traitement, il se produit une ulcération de la cornée, qui peut aboutir à une perte de la vision.

V. — L'INFECTION GONOCOCCIQUE DU NOUVEAU-NÉ

Chez le nouveau-né, qui se contamine lors de l'accouchement à partir des sécrétions vaginales infectées de la mère, l'infection gonococcique se traduit par une atteinte oculaire.

En cas d'infection génitale à gonocoque passée inaperçue avant l'accouchement chez la mère, l'infection oculaire du nouveau-né va se manifester dès le 4e jour de la naissance par l'atteinte d'un ou des deux yeux, qui deviennent rouges, avec larmoiement, et un écoulement purulent qui va coller les paupières entre elles.

Sans traitement elle évolue vers une kératite superficielle, c'est à-dire une atteinte de la cornée pouvant aboutir à une diminution, voire une perte de la vision. Si un traitement précoce est instauré, elle guérit sans séquelles.

VI. — LA GONOCOCCIE CHEZ L'ENFANT

Chez le jeune garçon la gonococcie génitale est rare, elle est presque toujours transmise par voie sexuelle. Une atteinte ano-rectale peut se voir après sodomisation.

Chez la petite fille la gonococcie est le plus souvent contractée par contamination à partir d'un des parents ou des deux parents atteints, par exemple lorsqu'elle dort dans le lit de ses parents. Et l'atteinte rectale peut être due soit à une sodomisation soit le plus souvent à une contamination à partir de pertes vaginales infectées.

A noter aussi chez le petit garçon et surtout la petite fille, la possibilité d'une contamination à partir d'un linge de toilette souillé d'un des parents.

VII. — CONDUITE À TENIR DEVANT UNE INFECTION GONOCOCCIQUE

Il faut savoir qu'il existe un traitement de la blennorragie gonococcique, qui, lorsqu'il est bien adapté et correctement suivi, permet d'obtenir chez l'homme comme chez la femme une guérison et permet d'éviter les complications s'il est institué précocement.

Donc l'objectif principal pour tout patient, homme ou femme, sera de déceler suffisamment tôt un ou plusieurs des symptômes tels qu'ils ont été décrits plus haut et d'aller consulter son médecin le plus rapidement possible.

Il existe pour la gonococcie, des traitements dits « minute », qui consistent à avaler 10 comprimés ou plus d'un antibiotique, en une seule prise, et qui sont de plus en plus utilisés dans le traitement des gonococcies, et des traitements à posologie plus faible, mais échelonnés sur 6 à 10 jours.

Dans ce deuxième type de traitement, même si l'écoulement et les brûlures diminuent et disparaissent rapidement, parfois 24 à 48 heures après le début du traitement, il faudra surtout poursuivre ce traitement pendant les 6 à 10 jours ordonnés, puis arrêter ce traitement brutalement, et non pas en diminuant progressivement le nombre de comprimés quotidiens, afin d'éviter une guérison incomplète ou une récidive de l'infection due à la persistance de germes plus résistants. Il faut aussi signaler des traitements par antibiotiques injectables essentiellement par voie intramusculaire, à raison de 1 ou 2 ampoules, qui sont souvent utilisés et efficaces.

Dans les cas de gonococcies compliquées, de localisations non uro-génitales ou de gonococcies disséminées, on utilise un traitement plus long. Les salpingites quant à elles, de même que les septicémies à gonocoques, sont en général traitées en milieu hospitalier. Un sujet porteur d'une gonococcie devra prévenir tous les partenaires qu'il a pu avoir dans les 20 à 30 jours qui précèdent l'apparition de ses symptômes ; et il devra les inciter à aller consulter, et cela même si ces personnes ne se plaignent d'aucun signe clinique ; en effet il faudra toujours avoir présent à l'esprit la fréquence des formes asymptomatiques.

Les critères de guérison de la blennorragie gonococcique sont représentés par la disparition complète et persistante de tous les symptômes, à la fin du traitement, mais mieux encore, par la disparition du gonocoque sur un second prélèvement pratiqué en laboratoire, 3 à 8 jours après la fin du traitement, qui seule permettra d'affirmer la guérison.

Chez l'homme l'amélioration clinique sous traitement est en général très rapide. Les brûlures urinaires diminuent en 24 heures et l'écoulement urétral se tarit en 48 heures ; les urines deviennent claires.

Chez la femme, la guérison est plus difficile à évaluer cliniquement en raison de la symptomatologie souvent plus discrète et, plus encore que chez l'homme, la guérison ne pourra être affirmée que sur des cultures pratiquées en laboratoire.

La blennorragie à trichomonas vaginalis (ou T.V.)

Pendant des dizaines d'années, l'infection à trichomonas appelée aussi trichomonase, a été considérée comme un problème clinique d'importance mineure et ce malgré sa large diffusion et les troubles physiques et émotionnels parfois sérieux qu'elle peut entraîner, surtout chez les femmes.

Et auparavant avec les traitements traditionnels utilisés, il était souvent impossible d'obtenir une guérison définitive, ce qui pouvait alimenter un sentiment de renonciation chez les patients atteints et leur faire accepter ces troubles comme une condition quasi inéluctable.

Cependant au cours des quelque dix dernières années, notamment en raison de la forte incidence de cette infection dans tous les pays, les chercheurs ont mis au point des traitements qui actuellement permettent d'obtenir une guérison de l'infection.

I. — HISTORIQUE

La première description du trichomonas vaginalis a été faite par Donne en 1836.

Jusqu'en 1936, le trichomonas vaginalis (T.V.) fut considéré comme saprophyte du vagin (c'est-à-dire pouvant être présent dans la cavité vaginale sans pour autant être responsable de troubles ou d'infection), bien que déjà certains auteurs évoquaient dès 1855 la possibilité d'une contamination par voie sexuelle.

Ce n'est qu'en 1936, lors du symposium de Reims, qu'on reconnut au T.V. son rôle pathogène (c'est-à-dire qu'il pouvait être responsable d'infections).

II. — LE TRICHOMONAS VAGINALIS

C'est un parasite de 10 à 30 microns de long sur 5 à 14 microns de large qui présente une membrane ondulante et quatre flagelles qui sont des sortes de longs cils.

Le T.V. est un organisme plutôt délicat, qui exige pour vivre des conditions environnantes assez constantes. Il est très sensible à l'humidité ambiante et il meurt rapidement s'il est transféré dans l'eau.

III. — SOURCE DE LA CONTAMINATION

La trichomonase est une maladie sexuellement transmissible comme le prouvent de nombreuses statistiques réalisées dans différents pays, ainsi que la fréquence maximale de l'infection entre 16 et 35 ans, c'est-à-dire la période où l'activité génitale est maximale.

L'incidence la plus forte est trouvée chez les sujets ayant une activité sexuelle importante et des partenaires multiples.

La trichomonase est une maladie essentiellement sexuellement transmissible chez la femme, et presque exclusivement sexuellement transmissible chez l'homme.

La contamination se fait le plus souvent par rapports sexuels avec pénétration.

L'homme est la source habituelle de contamination pour la femme. Lors de l'éjaculation, les T.V. présents dans le système urogénital de l'homme contaminé sont transportés par le sperme dans le vagin, où ils se multiplient rapidement.

A son tour l'homme est contaminé par la femme porteuse de T.V. dans son vagin. Il faut savoir que le trichomonas, après un rapport, peut survivre quelques jours et parfois même plus d'une semaine sur le prépuce d'un individu « sain ».

Certains auteurs se sont efforcés de démontrer que la contamination par T.V. pouvait survenir en dehors de tout contact sexuel.

La survie du T.V. a été étudiée sur des cuvettes de W.C. et sur des serviettes de toilette. Sur de tels supports le T.V. peut survivre quelques heures (trois heures maximum) si les conditions d'humidité et de température lui sont favorables.

Le linge de toilette servant à plusieurs personnes, par exemple une mère et sa fille, représente la source principale de contamination extra-sexuelle. En effet le T.V. peut résister au savon à la concentration habituellement utilisée, ainsi d'ailleurs qu'à l'hypochlorite des piscines.

Ainsi la contamination par T.V. pourrait donc éventuellement se faire à partir de sièges de W.C. souillés, de linges de toilette infectés, d'instruments spéciaux (comme par exemple un spéculum) non stérilisés, de l'eau des piscines, puisque le T.V. peut, si les conditions ne lui sont pas trop défavorables, survivre quelques heures à la température ambiante.

Cependant ces cas de contamination sont relativement rares et le mode principal de contamination par T.V. reste le contact sexuel.

IV. — SYMPTOMATOLOGIE DE L'INFECTION À T.V.

A) Trichomonase chez la femme

La trichomonase est une M.S.T. très fréquente chez la femme, puisqu'elle atteint 20 % des femmes en période d'activité génitale.

La période d'incubation de la trichomonase féminine est difficile à préciser, cependant elle varie en général entre 2 et 20 jours pouvant parfois être beaucoup plus longue.

1) Les formes cliniques :

• Dans sa forme typique de la femme jeune, la trichomonase donne un tableau de vaginite aiguë qui associe :

— Des leucorrhées d'abondance variable ; habituellement elles sont assez abondantes, liquides, mousseuses, jaunâtres, malodorantes, cette odeur est bien connue des médecins et surtout des gynécologues.

— Des démangeaisons vulvaires et surtout des brûlures vaginales et vulvaires parfois intenses, qui sont caractéristiques de la vaginite à T.V. Leur intensité est variable allant de la simple gêne intermittente à la sensation de brûlure intense responsable d'insomnie et d'irritabilité. L'observation de lésions vulvaires de grattage est assez fréquente.

— Une dyspareunie, c'est-à-dire une douleur pendant les rapports, qui est provoquée par l'irritation locale et l'inflammation. Il s'ensuit une contraction douloureuse des muscles du périnée qui rend difficiles les rapports sexuels.

Dans cette forme typique, la vaginite est fréquement associée à une urétrite et une atteinte des glandes de Skène. Ces localisations du parasite restent le plus souvent asymptomatiques, hormis les rares cas de brûlures mictionnelles que l'on peut signaler.

• A côté de cette forme typique aiguë qui représente 10 à 15 % des cas de trichomonases environ, existe une forme subaiguë, qui est la plus fréquente représentant environ 50 % des infections à T.V. de la femme.

Dans cette forme subaiguë les symptômes sont les même que ceux de la forme aiguë typique, mais ils sont plus atténués.

— Dans certains cas les brûlures et les douleurs aux rapports peuvent manquer.

— Ailleurs les leucorrhées elles-mêmes sont absentes et il peut n'y avoir aucun symptôme. Ces formes asymptomatiques de trichomonase sont assez fréquentes chez la femme. Ce sont elles qui sont en grande partie responsables de la propagation de l'infection à T.V. C'est dire l'importance de l'enquête sociale qui s'efforce de rechercher tous les partenaires sexuels et de pratiquer des prélèvements chez tous les partenaires d'une femme porteuse de T.V. même s'ils ne présentent aucun symptôme

— Il existe aussi des formes de trichomonase avec atteinte de la vessie donnant alors des brûlures mictionnelles et des envies fréquentes d'uriner ; les infections à trichomonas sont une des causes de cystite récidivante.

2) **Les complications de l'infection à T.V. :**

A côté de la vaginite à T.V. il existe des formes plus étendues de trichomonase. Les T.V. ne pénètrent pas dans les tissus et donc n'atteignent pas les organes éloignés. Cependant lorsque le vagin est infecté, le T.V. colonise souvent l'urètre et les glandes de Skène et de Bartholin, constituant des foyers d'infection extravaginaux, responsables de fréquentes récidives, si un traitement par voie générale n'est pas institué et si on se contente d'un traitement local.

Par contre le trichomonas vaginalis ne donne pas de salpingite. Cependant il existe des formes de trichomonases qui peuvent simuler une atteinte des trompes, et ces formes ne sont pas si rares. Il s'agit en général de femmes jeunes, présentant une leucorrhée avec fièvre, douleurs du bas ventre et altération de l'état général : à l'examen clinique, le ventre est douloureux. Tous ces signes évoquent une salpingite et parfois devant l'intensité des douleurs un acte chirurgical peut être envisagé. Un prélèvement vaginal, s'il est fait, permettra de découvrir le T.V. et fort heureusement le prélèvement vaginal fait partie du bilan gynécologique initial.

Le traitement de la trichomonase permet de faire disparaître tous ces symptômes, qui en fait n'étaient pas en rapport avec une salpingite.

3) **Problèmes des cancers du col utérien et des trichomonases :**

Il semble qu'à l'heure actuelle il soit impossible de conclure à l'effet carcinogène (c'est-à-dire à un effet favorisant l'apparition d'un cancer) du T.V. sur les cellules des femmes infectées.

Mais, même si le T.V. n'est pas carcinogène par lui-même, on peut craindre que l'inflammation chronique dont il est responsable puisse faire le « lit » d'un cancer du col de l'utérus, c'est-à-dire qu'il puisse favoriser à la longue l'apparition d'un cancer du col utérin. D'où la nécessité de diagnostiquer et de traiter toute infection à trichomonas vaginalis, même lorsqu'elle est asymptomatique.

B) Trichomonase chez l'homme

Avec les progrès des recherches, l'infection à T.V. chez l'homme s'est révélée beaucoup plus fréquente qu'on ne le pensait et actuellement on peut estimer que l'infection à T.V. se produit avec la même fréquence dans les deux sexes.

La plus forte incidence de la trichomonase chez l'homme se situe entre 21 et 25 ans ; et cette incidence va toujours en décroissant au fur et à mesure que l'âge augmente.

La période d'incubation est pour l'homme aussi difficile à préciser : 2 à 15 jours en moyenne, parfois beaucoup plus longue, d'où les problèmes de contamination puisque pendant cette période d'incubation, les patients sont déjà contagieux.

1) **Formes cliniques :**

- Formes asymptomatiques :

Dans la majorité des cas, la trichomonase chez l'homme est totalement asymptomatique, découverte fortuitement chez le partenaire d'une femme infectée par le T.V.

Au maximum y a-t-il une légère humidité du méat urétral.

- Formes typiques :

Dans sa forme typique, qui est relativement rare, l'infection à

T.V. chez l'homme donne un tableau d'urétrite subaiguë. Le patient présente un léger écoulement urétral, inodore, tachant légèrement le slip (donnant en général des tâches blanchâtres par opposition aux tâches jaunâtres ou verdâtres dues au gonocoque) accompagné d'une sensation de fourmillement, de démangeaison au niveau du méat et le long de l'urètre terminal. Des brûlures mictionnelles et des envies fréquentes d'uriner peuvent exister mais sont inconstantes. Les urines sont claires bien qu'elles contiennent des filaments.

Cet écoulement peu abondant se réduit parfois à la présence d'une « goutte matinale » au niveau du méat, avant d'uriner, généralement blanchâtre, translucide, inodore et de consistance filante.

• Beaucoup plus rarement l'infection à T.V. peut donner un tableau d'urétrite aiguë.

L'écoulement urétral est alors franc, souvent visqueux et blanchâtre mais parfois purulent et jaunâtre. Dans ce cas le diagnostic avec la gonococcie est très difficile sur l'aspect de l'écoulement.

Il peut y avoir une gêne à l'érection et des rapports douloureux.

• Dans certains cas le tableau peut être celui d'une urétrite chronique, dont la symptomatologie se résume à un simple écoulement peu abondant, blanchâtre ou translucide, qui persiste de long mois, avec des périodes de rémission plus ou moins longues. Et ce stade chronique peut même durer des années.

• Dans les deux sexes la trichomonase peut débuter par des ulcérations, des plaies très douloureuses, qui amènent le patient à consulter. Ces plaies siègent chez l'homme au niveau du gland ou du prépuce. On a même décrit des chancres trichomonasiques, mais ils sont très rares.

• Rarement on peut observer une balanite (c'est-à-dire une inflammation du gland) à trichomonas qui se manifeste par un suintement sous-préputial.

2) **Les complications de la trichomonase masculine :**

Outre au niveau de l'urètre, le T.V. peut-être retrouvé au niveau des glandes para-urétrales, des glandes de Cowper, des vésicules séminales, de la prostate, de l'épididyme et du testicule.

On pourra donc avoir :

— des prostatites à T.V. avec pesanteur pelvienne douloureuse, et parfois du sang dans le sperme.

Beaucoup plus rares sont :

— les épididymites à T.V. avec douleur et gonflement d'un épididyme,

— les atteintes des voies urinaires hautes.

V. — LE DIAGNOSTIC DES TRICHOMONASES

Si l'aspect clinique de l'écoulement, lorsqu'il est typique, peut orienter le médecin vers un diagnostic quasi certain de trichomonase, en particulier chez la femme, il y a beaucoup de formes asymptomatiques ou trompeuses, et seule la mise en évidence du T.V. par un examen au microscope, éventuellement complété par des cultures, permettra un diagnostic formel.

Chez la femme le T.V. sera recherché et facilement retrouvé dans le prélèvement des sécrétions vaginales.

Chez l'homme, la recherche du T.V. est plus délicate et se fera soit dans l'écoulement urétral, encore faut-il que ce dernier existe, soit dans le premier jet d'urine, soit dans les deux prélèvements.

Les examens de laboratoire permettent non seulement d'affirmer ou de confirmer le diagnostic de trichomonase, mais aussi de savoir si l'infection à T.V. est isolée ou associée à une infection autre.

Chez la femme comme associations fréquentes, il y a les associations trichomonas-gonocoque, trichomonas-candida, lesquels peuvent être masqués par le T.V.

Chez l'homme le T.V. peut être associé à un gonocoque, à une urétrite non spécifique, à une prostatite due à d'autres germes.

VI. — CONDUITE À TENIR DEVANT UNE TRICHOMONASE

Une fois le diagnostic de trichomonase posé, le traitement pourra être institué.

Actuellement il existe des traitements efficaces contre le T.V. Il s'agit de traitements par voie orale chez l'homme, par voie orale et aussi génitale chez la femme.

Le ou les partenaires devront être prévenus et traités. Tous les partenaires devront être traités simultanément. Un contrôle bactériologique sera fait en général à la fin du traitement pour vérifier la disparition du T.V. Habituellement le traitement fera disparaître les signes cliniques en 24-48 heures.

Les candidoses uro-génitales

Les candidas ou levures font partie d'un vaste groupe d'organismes appellés champignons, dont on distingue quelque 100 000 espèces. Très répandus, ils sont retrouvés dans le sol, dans l'air, dans l'eau, sur ou dans les êtres vivants de nature animale ou végétale.

Seuls les candidas, refermant une majorité de champignons pathogènes pour l'homme, nous intéressent en ce qui concerne l'étude des infections uro-génitales à champignons.

On parlera indifféremment :

— de mycoses uro-génitales ou infections uro-génitales à champignons,

— de candidoses uro-génitales ou infections uro-génitales à candida,

— de levuroses uro-génitales ou infections uro-génitales à levures,

— d'infections fongiques.

Ces candidoses urogénitales entrent dans le cadre des M.S.T. et deviennent de plus en plus fréquentes actuellement.

I. — HISTORIQUE

C'est J.S. Wilkinson en 1840 qui le premier évoqua l'origine mycosique de certains vaginites : il établissait à cette époque une corrélation entre une vulvo-vaginite et la présente de candida albicans dans la vagin.

En 1875 Houssmann faisait la preuve de la pathogénicité du candida albicans.

II. — LE CANDIDA

Les infections uro-génitales à champignons sont presque exclusivement dues à des levures du genre candidas et les candias albicans représentent l'espèce pathogène majeure.

Les candidas ou levures sont de petits champignons ovalaires de 3 à 6 microns de longueur, bourgeonnant.

Le candida est habituellement présent dans le tube digestif de l'homme, où il vit à l'état saprophyte. Mais à l'état physiologique son développement est très limité par la flore microbienne intestinale normale (c'est-à-dire par les bactéries normalement présentes dans le tube digestif). Cependant dans certaines conditions, le candida peut se multiplier, devenir abondant et pathogène.

Comme nous l'avons vu, le pH vaginal, qui traduit le degré d'acidité, est constant chez la femme. Dans certains cas il peut s'abaisser, c'est-à-dire que le milieu devient plus acide, et favoriser le développement du candida.

III. — SOURCE DE CONTAMINATION

Les candidoses uro-génitales sont plus fréquentes chez la femme que chez l'homme.

Si la candidose uro-génitale est le plus souvent transmise par voie sexuelle chez l'homme, elle l'est moins souvent chez la femme.

Les levures et particulièrement le candida albicans, sont fréquemment présents dans le tube digestif humain, mais aussi au niveau des organes génitaux de sujets ne présentant aucun signe d'infection. Ces levures vivent en commensales, dit-on, dans le vagin et plus rarement sur la verge.

A l'occasion de certaines circonstances favorisantes, même en dehors de tout contact sexuel, le candida peut se développer et devenir pathogène, responsable alors de manifestations cliniques.

Différents facteurs peuvent favoriser ce développement pathogène du candida albicans :

- Certains traitements, comme un traitement antibiotique ou corticoïde (cortisone et dérivés) prolongé, un traitement par des hormones sexuelles, essentiellement la pilule contraceptive. Ainsi les candidoses génitales sont deux fois plus fréquentes chez les femmes prenant la pilule que chez les femmes ne la prenant pas.

• Des déséquilibres hormonaux, comme le diabète.

• La grossesse.

• Des facteurs locaux : comme l'utilisation de savon acide pour la toilette, la répétition de petits traumatismes locaux (injection de liquide dans l'urètre, la vessie ou le vagin, voire même des rapports sexuels trop répétés) ou certaines anomalies congénitales chez l'homme (phimosis, hypospadias, méat large et béant, frein de la verge court ou prépuce long).

Cependant il est important de dire qu'une candidose urogénitale peut apparaître en dehors de tout traitement antibiotique, plus ou moins récent, en dehors de toute manœuvre traumatisante ou de toutes autres causes favorisantes.

Des candidoses uro-génitales, particulièrement contagieuses peuvent se développer spontanément, et d'ailleurs la transmission du candida albicans par voie sexuelle a été suffisamment démontrée.

Le nouveau-né, surtout fille, peut-être contaminé lors de l'accouchement d'une mère présentant une candidose vaginale. L'enfant, surtout la petite fille peut être contaminé par contact direct avec un membre de son entourage infecté.

La contamination indirecte peut être le fait d'objets ou de linges de toilette souillés.

A noter aussi que chez la femme il peut y avoir une contamination du vagin par les selles contaminées.

IV. — SYMPTOMATOLOGIE CLINIQUE DES CANDIDOSES URO-GÉNITALES

A) La candidose génitale chez la femme

Des statistiques montrent que 26 %, des femmes en période d'activité génitale présentent une candidose génitale.

• Dans sa forme typique la candidose génitale donne une vulvo-vaginite se traduisant par différents symptômes.

— Des leucorrhées abondantes, blanchâtres, d'odeur aigre, épaisses, grumeleuses, caillebottées : c'est l'aspect de « lait caillé » que les femmes reconnaissent facilement quand elles ont déjà eu ce genre de pertes vaginales.

— Les leucorrhées s'accompagnent d'un prurit vulvaire intense, de sensations de brûlures avec parfois douleurs aux rapports et brûlures à la miction.

— Parfois il s'y associe un œdème de la vulve, avec un aspect congestif de la muqueuse vulvaire, qui devient rouge-violacé, parfois saignant à vif.

Cependant le tableau n'est pas toujours aussi typique.

- La candidose peut dans certains cas se révéler par des pertes vaginales isolées qui peuvent être abondantes, blanc crémeux ou parfois purulentes et jaunâtres, mais le plus souvent cet écoulement est discret, contrastant avec une irritation vulvaire et vaginale marquée.

- Dans d'autres cas il peut y avoir un prurit isolé qui peut disparaître pour réapparaître quelque temps après.

Et en fait la plupart des patientes ayant une candidose ont des signes très discrets voire même aucun signe pendant de longues périodes. Il peut y avoir juste des douleurs pendant les rapports pouvant parfois être responsables d'une mésentente conjugale.

Dans certains cas il y a des érosions ou des ulcérations très douloureuses des parois vaginales rendant impossibles les rapports voire même l'introduction du spéculum lors de l'examen gynécologique.

A noter que le port de nylon à même la peau (comme par exemple des collants, gaines etc.), en empêchant l'élimination de l'humidité corporelle, favorise le développement des candidoses et leur extension au périnée et au haut des cuisses.

- Les complications de la candidose vaginale sont inexistantes mises à part la gêne douloureuse qu'elle peut entraîner, pouvant dans certains cas empêcher tous rapports.

Cependant, très souvent associées à cette candidose génitale on trouve des lésions cutanées (irritation de la face interne des cuisses, mycose plantaire, mycose des ongles), des lésions digestives (mycose buccale, rectite à candida).

- Enfin nous rappellerons que les femmes atteintes de candidose génitale sont contagieuses et peuvent transmettre leur candidose lors de rapports sexuels. Des études ont montré qu'environ 10 % des hommes ayant des rapports avec une femme porteuse d'une infection génitale à candida contractent cette infection.

• La candidose génitale de la petite fille :

Chez la petite fille, l'un des premiers signes à apparaître est le prurit vulvaire. Il est parfois très important et peut être responsable d'une gêne considérable.

La vulve est très rouge, parfois écorchée par des manœuvres de grattage. Secondairement apparaissent des pertes blanchâtres crémeuses souvent abondantes. Les lésions peuvent déborder la vulve et atteindre la face interne des cuisses et le pli interfessier.

Parfois surviennent des signes urinaires à type de brûlures à la miction.

B) La candidose urogénitale chez l'homme

Très souvent chez l'homme, la candidose uro-génitale est totalement asymptomatique, découverte souvent lors d'un prélèvement systématique effectué en raison d'une candidose génitale chez la partenaire.

Lorsqu'il existe une traduction clinique de cette infection génitale à candida, deux types de manifestations peuvent se voir et sont souvent d'ailleurs associées :

• L'urétrite à candida albicans :

Sa période d'incubation est en général impossible à préciser. Dans sa forme typique, il s'agit d'une urétrite subaiguë donnant un écoulement urétral en général peu abondant, souvent réduit à une goutte matinale, translucide, muqueux, avec présence dans les urines de quelques filaments.

Souvent s'y associe une sensation de légère brûlure ou de picotement au niveau du méat urétral.

Cependant, tous les tableaux cliniques peuvent se voir, depuis la forme totalement asymptomatique à l'urétrite aiguë avec un écoulement abondant, purulent et jaunâtre, parfois même hémorragique, associé à des mictions fréquentes et douloureuses et pouvant simuler une gonococcie. Mais cette forme aiguë d'infection à candida est rare.

Les complications de l'urétrite à candida par extension secondaire à tout l'appareil urogénital sont rares, mais non exceptionnelles.

On pourra ainsi avoir des prostatites, des vésiculites (atteinte des vésicules séminales), des épididymites.

Mais dans la majorité des cas l'évolution de ces complications est favorable.

• La balanite et la balanoposthite à candida albicans :

La balanite est l'inflammation du gland, et on parle de balanoposthite, lorsque le gland et le prépuce sont atteints.

La balanite est très fréquente dans les candidoses génitales masculines. Elle peut être soit isolée, soit dans la moitié des cas environ associée à l'urétrite à candida.

Dans les formes mineures il s'agit de 2 ou 3 petites papules (élevures rougeâtres de la peau) qui vont devenir érosives, le tout sur un fond rougeâtre.

Parfois il s'agit simplement d'une rougeur et d'une irritation du gland et chez les sujets non circonscis de la face interne du prépuce, accompagnée souvent de démangeaisons parfois discrètes parfois importantes donnant une impression de brûlure intense.

Certains hommes, dont la partenaire présente une mycose vaginale, se plaignent d'irritation du gland et parfois de la verge juste après les rapports.

En cas de balanoposthite le gland et le prépuce sont rouges et sensibles, présentant des petites vésicules, des fissures de la peau et par endroits un enduit blanchâtre crémeux, adhérent à la peau.

Dans certains cas, en particulier chez le diabétique, le gland peut-être ulcéré et le prépuce gonflé par l'œdème. Sans traitement cela peut aboutir à un phimosis plus ou moins serré avec suintement sous le prépuce. Il devient alors très difficile pour le patient de décalotter le gland.

Des études ont montré que plus de 50 % des femmes ayant des rapports avec un homme porteur d'une candidose urogénitale seront contaminées et développeront à leur tour une infection génitale à candida.

V. — DIAGNOSTIC DES CANDIDOSES URO-GÉNITALES

Le diagnostic sera fait par l'examen clinique, complété en général par un prélèvement en laboratoire. Il s'agit d'un prélèvement tout à fait indolore, vulvo-vaginal chez la femme, urétral ou au niveau du gland ou du prépuce chez l'homme, qui permettra d'isoler le candida albicans et de pratiquer un mycogramme, lequel permettra de tester la sensibilité du candida aux différents antifongiques dont on dispose. (Un antifongique est un produit actif sur les champignons.)

VI. — CONDUITE À TENIR DEVANT UNE CANDIDOSE URO-GÉNITALE

Une fois posé le diagnostic d'infection urogénitale à candida, en ayant présent à l'esprit qu'il s'agit d'une infection pouvant être transmise par voie sexuelle, il faudra prévenir le ou les partenaires. Ceux-ci devront être examinés à la recherche de candida et tous les partenaires devront être traités en même temps, si l'on veut se mettre à l'abri des recontaminations.

Dans les candidoses génitales le traitement habituellement utilisé est un traitement essentiellement local, à base de crèmes, d'ovules gynécologiques voire d'instillation d'antifongiques dans l'urètre pour les urétrites de l'homme. Un traitement par voie générale, par la bouche, sera associé lorsqu'il existe en plus une candidose digestive.

Malheureusement le traitement est encore assez souvent décevant en raison de la chronicité de l'infection et des réinfections mutuelles fréquentes.

Il faudra donc aussi rechercher les facteurs favorisants et éventuellement les supprimer.

Quelques conseils hygiéno-diététiques à retenir pour diminuer le risque des mycoses génitales et de leur récidives :

— changer fréquemment de sous-vêtements,

— supprimer les savons trop acides,

— bien assécher la peau après la toilette, l'humidité favorisant le développement des champignons,

— éviter les régimes riches en glucides, en pain, pommes de terre, carottes.

— on leur préférera les régimes riches en protéines (viandes, yaourts).

En général un traitement antifongique local éventuellement complété par un traitement par voie buccale, associé à la suppression dans la mesure du possible des causes déclenchantes, permet, s'il est institué en même temps chez les différents partenaires, de se débarrasser du candida.

Cependant, les récidives restent encore assez fréquentes, d'où l'intérêt de pratiquer un prélèvement de contrôle, 8 à 10 jours après la fin du traitement afin de s'assurer de la disparition du candida.

Nous rappellerons enfin, que les complications graves de la candidose génitale, telles que les septicémies à candida sont très rares, alors que les problèmes d'ordre psychologique sont fréquents et que le traitement des candidoses s'adresse tout autant au terrain qu'au champignon lui-même.

Les blennorragies non gonococciques à germes pyogènes

La présence de germes dit pyogènes dans les sécrétions uro-génitales de l'homme et de la femme est très fréquente, mais elle n'engage pas toujours la reponsabilité de ces germes dans le déclenchement de l'infection.

Cette étiologie (cause) bactérienne autre que le gonocoque peut être évoquée dans 10 à 20 % des cas de blennorragies. On ne peut retenir cette cause que si plusieurs prélèvements mettent en évidence le même agent bactérien en quantité suffisante et associé à une réaction inflammatoire locale et à un déséquilibre de la flore bactérienne normalement présente au niveau du vagin chez la femme.

Le point de départ de cette infection pourra être endogène (par exemple a partir d'une lésion de l'arbre urinaire, ou chez la femme, contamination du vagin a partir de selles infectées) ou exogène (transmission du germe par rapports sexuels).

En effet si tous ces germes ne sont pas nécessairement sexuellement transmissibles, le fait de les retrouver chez les différents partenaires, de noter leur disparition après un traitement synchronisé, d'observer leur réapparition lors de la reprise des rapports avec des partenaires non traités, incite à envisager leur éventuelle contagiosité par voie sexuelle.

Par ordre de fréquence décroissante on trouve :

— les staphylocoques, mais seuls certains types de staphylocoques sont pathogènes,
— les colibacilles,
— les protéus,
— les gardnerella,
— les entérocoques,
— les streptocoques
— les listeria,
— le bacille pyocyanique.

Parmi ces germes certains streptocoques dit du groupe B et les listeria peuvent poser des problèmes lorsqu'ils infectent une femme enceinte et nous les étudierons plus en détail dans le chapitre M.S.T. et grossesse.

I. — LA SYMPTOMATOLOGIE CLINIQUE

A) Les infections génitales à germes pyogènes chez la femme

Les principaux signes cliniques sont des leucorrhées banales, d'abondance variable, associées ou non à une inflammation de la vulve et du vagin, mais en général ne s'accompagnant pas de prurit ni de brûlures vaginales, bien qu'elles peuvent être présentes dans certains cas.

A la leucorrhée s'associent souvent des signes de cystite, à type de brûlures mictionnelles, d'envies fréquentes d'uriner, parfois de douleurs au niveau de la vessie.

Par contre les douleurs aux rapports sexuels sont plus rares. Assez fréquemment on peut observer des troubles digestifs.

Les complications à type de bartholinite ou de salpingite sont rares.

B) Les infections uro-génitales à germes pyogènes chez l'homme

Elles se manifestent habituellement par une urétrite subaiguë, se traduisant par un léger suintement du méat urétral ou par un discret écoulement urétral, translucide, blanchâtre ou parfois jaunâtre, accompagné de quelques brûlures ou d'une gêne à la miction.

Il s'y associe souvent des envies fréquentes d'uriner, des difficultés à uriner et la présence de pus dans les urines.

Chez l'homme cette urétrite à germes pyogènes s'accompagne souvent d'une prostatite, d'une épididymite ou d'une balanite laquelle est en général ici peu érosive.

II. — DIAGNOSTIC

Dans ce type d'infection le diagnostic sera fait sur les examens pratiqués en laboratoire et non douloureux, du prélèvement vulvo-vaginal chez la femme, du prélèvement de la goutte urétrale chez l'homme, auquels sont associés systématiquement un examen bactériologique des urines, et parfois du sperme chez l'homme.

Ces prélèvements permettent d'isoler le germe en cause, lequel ne sera tenu pour responsable de l'infection qu'à certaines conditions décrites plus haut, et de faire un antibiogramme sur ce germe s'il est jugé pathogène.

III. — CONDUITE À TENIR

Ces germes pyogènes peuvent éventuellement être transmis par voie sexuelle et donc, une fois le diagnostic établi et la responsabilité du germe mise en cause, il faudra prévenir ses partenaires lesquels devront consulter, se soumettre à des prélèvements de laboratoire et en cas de positivité de ces derniers devront eux aussi être traités, même en l'absence de symptômes. On évitera ainsi les recontaminations possibles.

L'antibiogramme pratiqué en laboratoire permettra au médecin de choisir l'antibiotique le mieux adapté à chaque cas, et la voie d'administration appropriée, locale ou générale ou les deux associées.

Dans la majorité des cas, un traitement bien adapté et bien suivi permet d'obtenir la guérison.

Infections génitales à chlamydiae

Depuis plusieurs années il est de plus en plus question des chlamydiae, et actuellement ils sont très « à la mode ».

Mais cela n'est pas sans raison. A présent, et cela depuis quelques années, que l'on sait isoler les chlamydiae, on a montré que les blennorragies à chlamydiae sont les plus fréquentes de toutes les blennorragies, plus fréquentes que les blennorragies à gonocoques. Les urétrites à chlamydiae représentent plus de 50 % des urétrites non gonococciques et ceci explique bien que ces microbes soient à la mode et que l'on en parle de plus en plus.

Tous les auteurs de par le monde s'accordent à dire que c'est la plus fréquente des infections génitales féminines et masculines.

I. — HISTORIQUE

Les chlamydiae ont eu plusieurs dénominations avant cette dernière, qui elle, semble définitive. Ce sont des microbes responsables d'affections fort diverses comme la psittacose, le trachome, la lymphogranulomatose vénérienne, les conjonctivites à inclusions et de nombreuses infections uro-génitales.

En 1907 Prowazek découvrit de petites granules formant une inclusion dans les cellules conjonctivales de sujets atteints du trachome, et il proposa le nom de chlamydozoa (du grec clamy = casaque et dozoa = être vivant).

Par la suite ils furent considérés comme des virus. Mais plus tard on démontra qu'ils différaient des virus par de nombreux caractères et leur identité bactérienne fut établie.

II. — LES CHLAMYDIAE

Les chlamydiae sont des bactéries particulières par le fait qu'elles se multiplient uniquement à l'intérieur des cellules de l'hôte qu'elles infectent. Donc bien qu'il s'agisse de bactéries, les techniques pour les mettre en évidence reposent sur l'utilisation de cultures cellulaires qui sont plus utilisées pour l'étude des virus que des bactéries. Et c'est en raison de ces techniques, relativement compliquées et nécessitant un équipement assez lourd, qu'impose l'isolement des chlamydiae, que peu de laboratoires encore pratiquent la recherche de ces bactéries.

Depuis quelques années on a individualisé deux espèces de chlamydiae.

— Chlamydiae psittaci : très répandues dans le monde animal, mais pouvant être responsables chez l'homme de certaines infections respiratoires.

— Chlamydiae trachomatis (C.T.) : parasite strict de l'homme chez lequel il peut infecter les différentes muqueuses (muqueuses conjonctivale, urétrale, vaginale et cervicale).

III. — MODE DE CONTAMINATION

La contamination par chlamydiae trachomatis est essentiellement vénérienne, c'est-à-dire par transmission lors des rapports sexuels.

Ces germes séviraient essentiellement tout au moins aux U.S.A., dans les groupes à niveau socio-économique élevé et chez les étudiants.

La contamination par C.T. se fait le plus souvent au sein de couples stables, contrairement à la gonococcie et l'âge optimal est 30 à 40 ans chez l'homme, 25 à 30 ans chez la femme.

La femme sous contraception orale semble avoir deux fois plus de risques de contracter une chlamydiose, sans que l'on connaisse très bien l'explication.

Il faut aussi signaler le risque de contamination de l'enfant lors du passage vaginal à l'accouchement d'une mère infectée.

Il faut signaler que les porteurs sains de chlamydiae trachomatis sont très nombreux chez les hommes comme chez les femmes, ce « portage de germe » pouvant durer depuis plusieurs années.

IV. — MANIFESTATIONS CLINIQUES DES INFECTIONS HUMAINES À CHLAMYDIAE

Comme on l'a vu chlamydia trachomatis peut être responsable de différents types d'infections et chlamydia psittaci, qui essentiellement parasite l'animal, peut aussi être responsable chez l'homme d'une affection, la psittacose.

A noter que le trachome et la psittacose n'entrent pas dans le cadre des M.S.T. mais il en sera dit quelques mots afin d'être complet sur les chlamydiae.

1) **Les infections humaines dues à chlamydia psittaci :**

Chlamydia psittaci est très répandu dans le monde animal, l'homme n'étant qu'un chaînon épidémiologique mineur.

Chez l'homme la psittacose débute après une période d'incubation de 10 à 15 jours, après un contact avec des oiseaux infectés.

Assez souvent elle peut être totalement asymptomatique et passer inaperçue. Dans certains cas elle est responsable d'une fièvre avec des signes d'atteinte pulmonaire. Sous traitement elle guérit le plus souvent sans séquelles.

2) **Les infections humaines dues à chlamydia trachomatis :**

Pathogène presque exclusivement pour l'homme, chlamydia trachomatis est responsable d'infections à la fois oculaires et génitales.

A) *Le trachome :*

Véritable fléau historique il frappe encore 500 millions de personnes dans le monde et sévit surtout dans les pays sous-développés où il touche particulièrement les enfants.

Malnutrition, hygiène déplorable, difficultés d'accéder à des soins efficaces sont des facteurs d'aggravation engendrant des séquelles malheureusement classiques : mal-voyance et cécité (perte de la vue).

B) *Les infections oculo-génitales :*

1) **L'infection uro-génitale à chlamydia trachomatis (C.T.) :**

a) *L'infection uro-génitale à C.T. chez la femme :*

Elle représente la plus fréquente des M.S.T. chez la femme. Chlamydia trachomatis a été mis en évidence chez 40 % des femmes consultant pour des problèmes gynécologiques et chez plus de 60 %, des partenaires femmes d'hommes infectés par C.T.

- La période d'incubation est assez difficile à préciser, allant en général de 10 à 30 jours avec des extrêmes de 1 à 60 jours.

Parfois on ne retrouve même pas de notion de contact sexuel récent.

• Les manifestation cliniques de l'infection génitale à C.T. sont en général banales chez la femme, mais le risque d'infection de l'appareil génital haut pouvant être à l'origine de salpingite va en faire toute sa gravité.

— Dans la majorité des cas, l'infection se manifeste uniquement par des leucorrhées banales, pertes blanchâtres ou jaunâtres, assez abondantes. Cependant l'examen gynécologique met en évidence des signes d'inflammation du col utérin, qui est rouge, fragile, pouvant saigner au contact.

La cervicite s'accompagne souvent d'urétrite, laquelle peut parfois être isolée. Et de nombreuses infections urinaires dites « amicrobiennes », car on ne retrouve dans ces urines aucun germe responsable de l'infection, sont en fait des urétrites à C.T.

— Dans moins de 10 % des cas l'infection à C.T. est responsable d'une vulvo-vaginite subaiguë, associant des leucorrhées plus ou moins abondantes, des démangeaisons et des brûlures vulvo-vaginales, parfois des douleurs aux rapports.

— Parfois les femmes infectées par C.T. ne se plaignent d'aucun symptôme.

Donc les manifestations génitales basses de l'infection à C.T. chez la femme, sont généralement assez frustes, souvent à type de cervicite silencieuse.

En pratique devant tout tableau uro-génital subaigu, traînant ou récidivant, il faudra penser à C.T.

• Les complications génitales de l'infection à C.T. chez la femme.

Elles représentent un des risques majeurs de l'infection à C.T.

— *Les salpingites :* Représentent la complication essentielle.

C'est une des complications les plus redoutables de l'infection génitale à C.T. d'autant plus redoutable qu'elle est fréquente.

Elle apparaît en général chez la femme jeune.

C.T. serait responsable de 60 % des salpingites avant 20 ans, et de 30 % des salpingites chez les femmes en général.

On a constaté que certains facteurs pouvaient favoriser leur apparition, à savoir :

• L'âge 20-25 ans.
• La présence d'un stérilet.
• Le fait d'avoir eu plusieurs grossesses.

Souvent la salpingite peut révéler l'infection génitale à C.T. passée jusque-là inaperçue.

Elle peut revêtir un double aspect :

— *D'une part la salpingite aiguë,* bruyante, avec fièvre et douleurs du bas ventre, classiquement unilatérale, mais souvent bilatérale.

Le pronostic dépend bien entendu de la précocité du diagnostic bactériologique et de la mise en route d'un traitement approprié.

Dans 40 % des cas il y des pertes de sang associées, qui peuvent faire évoquer un autre diagnostic.

On retrouve C.T. au niveau du col utérin, dans 20 % des cas de salpingites à C.T. Assez souvent on peut aussi retrouver C.T. chez le partenaire.

Dans ces formes aiguës le sérodiagnostic de C.T. permettra de montrer un titre d'anticorps antichlamydiae trachomatis élevé et évolutif et permettra d'affirmer ou de confirmer le diagnostic.

— *A côté des salpingites aiguës :* il existe des salpingites plus dangereuses car silencieuses.

Ces salpingites dites chroniques sont une conséquence très grave de l'infection à C.T. puisqu'elles passent le plus souvent inaperçues et entraînent une stérilité par obstruction des trompes. Et 30 à 60 % des stérilités d'origine tubaire (c'est-à-dire ayant pour origine les trompes) sont dues à une infection génitale à C.T. passée inaperçue ou mal traitée.

Dans ces salpingites silencieuses, C.T. est isolé dans 25 % des prélèvements pratiqués au niveau du col utérin et le sérodiagnostic est faiblement positif et non évolutif.

Enfin à noter que les stérilités tubaires sont plus fréquente après des salpingites à C.T. que des salpingites à gonocoque.

- Complications de l'infection génitale à C.T. chez la femme enceinte.

La plupart des études ont montré que 4 à 10 % des femmes enceintes présentent une infection génitale à C.T. Pour ces femmes il existe alors un risque élevé d'accouchement prématuré et la mortalité néonatale est plus lourde que chez les femmes enceintes non infectées.

De plus il y a un risque d'infection du nouveau-né lors du passage vaginal à l'accouchement, responsable, chez ce dernier de conjonctivites ou de pneumonies.

b) *L'infection uro-génitale à C.T. chez l'homme :*

• La période d'incubation est pour l'homme aussi, difficile à préciser : en général l'urétrite se manifeste 10 à 60 jours, après le rapport contaminant, avec une moyenne de 2 à 3 semaines.

Parfois l'urétrite apparaît sans notion de contact sexuel récent.

• Les manifestations cliniques de l'urétrite à C.T. :

Dans la majorité des cas (plus de 75 % des cas) il s'agit d'une urétrite associant un écoulement en général discret (il s'agit plutôt en fait d'un léger suintement), plus souvent clair, visqueux et filant que purulent et presque toujours peu douloureux, avec seulement une sensation de démangeaison du canal urétral ou de légères brûlures.

Cet écoulement urétral est soit spontané soit uniquement provoqué par la pression de l'urètre. Les urines sont claires avec présence de quelques filaments dans le premier jet urinaire.

Parfois l'écoulement peut se limiter à une petite « goutte » matinale isolée, qui peut dans certains cas obséder le patient et par là, être auto-entretenue par des pressions intempestives de l'urètre tous les matins à la recherche de cette « goutte ».

L'écoulement peut être absent si le malade a uriné depuis peu de temps.

Non traitée, cette urétrite subaiguë et discrète peut durer des mois, évoluant de façon capricieuse avec des phases d'accalmie et de rechute.

En effet, en l'absence de traitement, l'écoulement peut parfois disparaître complètement, mais il réapparaîtra dans plus de 70 % des cas sans que l'on sache très bien si sa réapparition est due à une rechute vraie ou à une nouvelle contamination à la suite d'un rapport avec une partenaire non ou mal traitée.

Les récidives sont parfois difficiles à distinguer des réinfections. Certaines urétrites à C.T. évoluent depuis des mois, voire des années entrecoupées de périodes de rémission.

Dans certains cas (15 à 30 % des cas), C.T. peut être responsable d'une urétrite aiguë en tous points semblable à l'urétrite gonococcique avec une période d'incubation parfois très courte, de quelques jours, mais souvent impossible à préciser.

Environ 70 % des urétrites aiguës non gonococciques sont dues à C.T. Il faut aussi savoir qu'assez fréquemment l'urétrite à C.T. peut survenir en même temps qu'une urétrite gonococcique, toutes les deux pouvant êtres dues au même rapport contaminant.

Après traitement de la gonococcie par un antibiotique qui agit sur le gonocoque mais inefficace sur C.T., dans un délai de 1 à 4 semaines, apparaît une nouvelle urétrite, en général moins marquée que la première qui était due au gonocoque, qui pourra faire penser à une récidive de la gonococcie en rapport avec un traitement inefficace, insuffisant ou mal suivi, ou à un contact sexuel avec une partenaire non traitée. Mais lors du prélèvement effectué après ce traitement on constate que le gonocoque est absent et qu'il s'agit en fait d'une urétrite à C.T., si la recherche de C.T. est pratiquée sur ce prélèvement.

La moitié des hommes atteints d'urétrite à C.T. présentent des signes urinaires à type de brûlures mictionnelles, ou plus rarement d'envies fréquentes d'uriner.

Les formes asymptomatiques d'infection génitale à C.T. représentent plus de 10 % des cas.

• Les complications loco-régionales de l'infection à C.T. chez l'homme.

— *Les épididymites :*

L'épididymite à C.T. est le plus souvent unilatérale, survenant chez le sujet jeune.

Actuellement aux Etats-Unis on considère que C.T. est la principale cause d'épididymite aiguë chez le sujet de moins de 35 ans.

Elle peut faire encourir un risque de stérilité, quoique ce risque soit encore contesté et ne soit pas démontré formellement.

Cette épididymite n'entraîne pas en général d'atteinte du testicule lui-même ; elle ne s'accompagne pas de fièvre sinon d'une fièvre discrète.

Dans certains cas l'épididymite peut révéler l'infection génitale à C.T.

— *Les autres complications :*

L'urétrite à C.T. peut se compliquer de cystite, de prostatite, de vésiculite, rarement de rétrécissement urétral ou de balanite.

2) **Autres localisations de l'infection à C.T. dans les deux sexes :**

— La localisation pharyngée de l'infection à C.T. est de plus en plus signalée. Elle s'observe essentiellement chez les partenaires d'hommes ou de femmes infectés, après contacts oro-génitaux. Le plus souvent elle n'est reponsable d'aucun symptôme.

— La localisation anale de C.T. est observée dans 10 % des cas de rectite et d'ano-rectite chez les homosexuels, moins souvent chez la femme. Cependant la rectite ou ano-rectite à C.T. est rarement purulente. Elle est due soit à un rapport génito-anal, soit chez la femme, souvent à une contamination par des sécrétions vaginales infectées.

3) **Les complications extra-génitales de l'infection à C.T. dans les deux sexes :**

• *Conjonctivites*

Les conjonctivites à C.T. de l'adulte représentent toujours des complications de l'infection génitale à C.T., la contamination se faisant par les mains souillées par les décharges urétrales ou les pertes vaginales, mains qui n'ont pas été lavées et avec lesquelles on se frotte les yeux.

Il s'agit de conjonctivites aiguës, donnant des conjonctives rouges avec des sécrétions purulentes collant souvent les paupières, mais qui guérissent sans séquelles, ni lésions oculaires.

• *Le syndrome de FISSINGER-LEROY-REITER (F.L.R.)*

C'est la complication la plus grave de l'infection à C.T car elle peut avoir une évolution fatale dans certains cas.

Le syndrôme de F.L.R. complique environ 1 à 3 % des infections à C.T. Il est beaucoup plus fréquent chez l'homme que chez la femme dans la proportion de 15 hommes pour une femme atteinte.

Les premières manifestations cliniques de ce syndrome de F.L.R. surviennent habituellement entre 20 et 40 ans, plus rarement chez l'enfant et chez le sujet âgé.

Jusqu'à présent l'origine de ce syndrome de F.L.R. n'est pas connue de manière absolument certaine, mais le groupe des chlamydiae semble être très vraisemblablement un des agents responsables.

Le syndrôme de F.L.R. est appelé aussi syndrome oculo-urétro-synovial car il associe une conjonctivite, une urétrite, et une atteinte articulaire.

Les troubles apparaissent en général une à quatre semaines après le début de l'urétrite.

La maladie peut débuter de trois manières différentes :

— soit le plus souvent par une urétrite aiguë, suivie quelques jours plus tard par des inflammations des articulations ou de simples douleurs articulaires et par une conjonctivite.

— soit par une urétrite très discrète, la maladie se manifestant essentiellement par une arthrite et une conjonctivite,

— soit par un épisode de diarrhée suivi quelques jours ou quelques semaines plus tard des autres manifestations.

Le plus souvent le premier épisode du syndrome de F.L.R. guérit spontanément. L'urétrite et la conjonctivite disparaissent en quelques semaines, les arthrites disparaissent plus lentement.

Mais les rechutes sont fréquentes, et les récidives articulaires peuvent conduire à une déformation permanente, les conjonctivites à une cécité.

A ces trois localisations du syndrome de F.L.R. s'ajoutent encore une atteinte cutanéo-muqueuse (balanite érosive, dans 25 % des cas, lésions buccales douloureuses et macules cutanées), des manifestations générales, rares mais sévères, survenant après une évolution longue et récidivante (atteintes cardiaques ou neurologiques).

Un traitement, en général de longue durée, parvient à maîtriser l'évolution mais n'entraîne pas semble-t-il une guérison véritable.

C) *La lymphogranulomatose vénérienne (ou L.G.V.) ou maladie de Nicolas Favre :*

Bien que décrite dans ce chapitre consacré aux blennorragies, il ne s'agit pas d'une blennorragie, mais étant donné qu'elle fait partie des infections à chlamydiae trachomatis, elle sera traitée ici.

C'est une maladie rare dans nos régions, cependant elle n'a pas disparu et quelques cas sporadiques sont enregistrés en France depuis une dizaine d'années.

Cette maladie se voit surtout en Afrique et en Asie tropicale, en Amérique du sud et en Amérique centrale. Mais on la trouve aussi disséminée à travers le monde dans les villes portuaires essentiellement. Et en Occident, la L.G.V. est habituellement rencontrée chez les prostituées, les homosexuels, les marins, les voyageurs de commerce et les militaires qui reviennent de pays où sévit l'infection.

La L.G.V. atteint beaucoup plus fréquemment les hommes que les femmes dans un rapport de 6 hommes pour une femme atteinte. Sa transmission par voie sexuelle ne fait aucun doute.

L'incidence maximale de la maladie se situe entre 20 et 30 ans.

La période d'incubation de la L.G.V. est de 5 à 21 jours, pouvant dans certains cas atteindre 3 ou 4 mois.

Dans sa forme classique la L.G.V. se révèle par une lésion primaire, puis apparaissent des ganglions inguinaux et une atteinte de l'état général.

— *La lésion primaire :*

Il s'agit d'une petite plaie, d'une petite érosion superficielle à contours polycycliques, non indurée et transitoire, apparaissant chez l'homme sur le gland ou le prépuce, chez la femme sur la vulve, les parois du vagin ou le col utérin.

Des atteintes buccales peuvent se voir chez les homosexuels avec alors des ganglions cervicaux (c'est-à-dire au niveau du cou) ou sous-maxillaires.

Parfois chez l'homme, il peut y avoir un discret écoulement urétral qui passe souvent inaperçu.

— *Les adénopathies :*

Le plus souvent 1 à 6 semaines après la lésion primaire apparaissent des ganglions au niveau de l'aine, en général d'un seul côté, sensibles. Au début ces adénopathies sont discrètes mais ensuite elles deviennent confluentes, adhérent à la peau sus-jacente, qui devient violacée : il se forme ce que l'on appelle un bubon, qui va se fistuliser, c'est-à-dire s'ouvrir à la peau par un petit orifice, et laisser s'écouler du pus.

Assez souvent ces adénopathies inguinales sont révélatrices de la maladie, la lésion primaire pouvant passer inaperçue.

Lorsque la lésion primaire siège au niveau de l'anus, les adénopathies suppurées sont pelviennes ou autour du rectum. On peut avoir dans ces cas une rectite ulcéreuse avec écoulement rectal purulent et sanglant.

En l'absence de traitement, les lésions deviennent chroniques et se compliquent d'abcès péri-rectaux ou de rétrécissement rectal.

Il peut aussi se constituer des fistules (c'est-à-dire des communications) recto-vaginales ou recto-vésicales.

— *Les manifestations générales :*

Dans la L.G.V. il s'associe souvent une atteinte de l'état général, avec fièvre, frissons, malaises, douleurs articulaires, nausées, perte de l'appétit et amaigrissement.

A noter que les femmes sont souvent des porteuses saines c'est-à-dire qu'elles ne présentent aucun symptôme, bien qu'elles soient contagieuses.

Des phénomènes inflammatoires observés dans la L.G.V. peuvent provoquer un blocage de la circulation lymphatique entraînant un gonflement énorme et permanent des organes génitaux externes aboutissant à ce que l'on appelle un « éléphantiasis », qui atteint la vulve chez la femme, le pénis et le scrotum chez l'homme.

D) *Conduite à tenir dans les infections à C.T. :*

Devant l'un des symptômes décrits plus haut, urétrite subaiguë, cervicite, conjonctivite ou lésion primaire avec adénopathie dans la L.G.V., apparaissant chez vous ou chez votre partenaire, il faut absolument aller consulter.

Le diagnostic de chlamydiase sera fait d'une part sur la symptomatologie clinique et éventuellement sur la chronologie de ces symptômes dans le syndrome de F.L.R., d'autre part sur la mise en évidence du C.T. au niveau de l'urètre ou dans le sperme chez l'homme, de l'endocol chez la femme, des conjonctives, dans le pus du bubon, ou dans les urines.

A signaler que le prélèvement urétral pour rechercher le C.T. chez l'homme est légèrement douloureux, mais très supportable, car dans ce cas il ne s'agit pas de prélever le pus de l'écoulement urétral, comme dans les autres urétrites, mais de gratter légèrement les parois de l'urètre pour ramener des cellules urétrales car comme on l'a vu les chlamydiae sont strictement intracellulaires.

Chez la femme par contre le grattage de l'endocol est totalement indolore.

Le sérodiagnostic des chlamydiae sera d'un précieux renfort, pour le diagnostic surtout en cas de suspicion de salpingite chez la femme, et lorsque le C.T. n'est pas retrouvé au niveau de l'endocol.

Cependant il faut savoir que la présence d'anticorps anti-C.T. dans le sang, surtout lorsque leur taux est relativement faible, peut correspondre à une infection à C.T. ancienne, voire même guérie.

Pour être significatif d'une infection en cours, le sérodiagnostic devra montrer un taux assez élevé des anticorps anti-C.T., ou mieux une variation significative de leur taux sur deux sérodiagnostics, pratiqués à 15 jours d'intervalle.

De toutes façons le médecin reste seul juge de l'interprétation des examens de laboratoire pratiqués et lui seul, en fonction de la clinique et des résultats fournis par le laboratoire, pourra envisager le diagnostic d'infection à C.T.

Il existe des traitements antibiotiques efficaces contre le C.T. qui en général seront poursuivis un peu plus longtemps que dans les autres blennorragies, de 15 jours à 3 semaines environ.

Un traitement bien suivi permettra dans la majorité des cas d'obtenir une guérison, à condition que tous les partenaires soient traités simultanément.

Un contrôle après traitement par des prélèvements effectués en laboratoire est tout particulièrement souhaitable dans les infections à C.T., permettant de confimer la guérison.

Les infections uro-génitales à mycoplasmes

Ce sont des infections fréquentes puisque l'on considère qu'elles représentent 15 à 20 % des infections urogénitales non gonococciques.

Il s'agit de M.S.T. qui seraient responsables d'avortements, d'hypofertilité ou de stérilité.

Selon certaines études 50 % des hommes consultant pour stérilité seraient porteurs de mycoplasmes T. Mais cela ne veut pas dire que le traitement du mycoplasme permettra de guérir leur stérilité, quoique, comme nous le verrons plus loin, dans certains cas le traitement du couple peut permettre d'aboutir à des grossesses.

I. — HISTORIQUE

Les mycoplasmes ne sont pas des virus, mais ne sont pas non plus extactement des bactéries.

Ils appartiennent à une classe nouvelle de protistes inférieurs, les mollicultes.

Chez l'homme le premier mycoplasme fut isolé en 1937 par Dienes et Edsall à partir de pus d'un abcès de glande de Bartholin.

Par la suite 9 espèces de mycoplasmes ont été isolées et 4 espèces sont en fait vraisemblablement pathogènes pour l'homme.

— Mycoplasma pneumoniae ou agent d'Eaton responsable d'une pneumonie atypique chez l'homme.

— Mycoplasma fermentans isolé dans des vulvo-vaginites et des lésions gangréneuses du pénis. Mais il ne semble jouer aucun rôle dans les urétrites non gonococciques.

— Mycoplasma hominis que l'on a isolé dans le pharynx, l'appareil génito-urinaire et le canal anal de sujets bien portants.

On a invoqué son rôle dans les urétrites non et post gonococciques mais sans en faire la preuve. Il peut être considéré comme un saprophyte des voies génito-urinaires, pathogène occasionnel, de faible virulence, colonisant les tissus quand les conditions lui sont favorables.

— Mycoplasma T. ou ureaplasma uréalyticum. Ces souches ont été isolées par Shepard en 1954 de l'appareil génito-urinaire d'hommes atteints d'urétrites non gonococciques.

Cependant le mycoplasme T a été isolé dans l'appareil génito-urinaire de 20 à 30 % d'hommes adultes sains et 50 % de femmes saines en sont porteuses.

C'est en fait le seul mycoplasme qui semble être vraisemblablement pathogène pour les voies uro-génitales humaines.

II. — SYMPTOMATOLOGIE CLINIQUE DES INFECTIONS GÉNITO-URINAIRES À MYCOPLASMES

Les mycoplasmes peuvent être transmis par voie sexuelle et les infections à mycoplasmes entrent dans le cadre des M.S.T. Mais la transmission sexuelle ne semble pas être le seul mode de contamination.

A) Symptomatologie des infections uro-génitales à mycoplasmes chez la femme

- La période d'incubation de l'infection à mycoplasme est difficile à préciser, en moyenne de 10 à 60 jours.
- En général les mycoplasmes sont responsables chez la femme d'une vulvo-vaginite avec des leucorrhées habituellement non caractéristiques, assez abondantes, blanchâtres ou parfois jaunâtres, sans démangeaisons en général, cependant un léger prurit peut exister dans certains cas.

Il s'y associe parfois, une cystite avec brûlures à la miction et envies fréquentes d'uriner.

Assez souvent il y a une cervicite associée, c'est-à-dire une inflammation du col utérin.

• Les formes totalement asymptomatiques d'infections génitales à mycoplasmes sont fréquentes.

• Les complications des infections uro-génitales à mycoplasme :

Il peut y avoir une atteinte des glandes de Bartholin ou des glandes de Skène.

Les mycoplasmes peuvent aussi être responsables de salpingites ou de péritonites mais beaucoup moins fréquemment que les chlamydiae trachomatis.

• L'infection urogénitale à mycoplasme chez la femme enceinte : la contamination du nouveau-né ne s'effectue qu'à l'accouchement lors du passage du nouveau-né dans le vagin infecté.

On trouve les mycoplasmes parfois dans la gorge des enfants nés à terme et plus souvent chez les prématurés, mais en général sans incidence pathologique, c'est-à-dire que les nouveau-nés ne présentent aucun trouble, aucune manifestation pathologique pour autant.

B) Symptomatologie des infections urogénitales à mycoplasmes chez l'homme

• Là aussi la période d'incubation est difficile à préciser et des plus variables, elle est en moyenne de 10 à 60 jours.

• En général les mycoplasmes sont responsables d'une urétrite subaiguë dans 70 % des cas, donnant un écoulement peu abondant en général, incolore, filant, visqueux, accompagné parfois d'un léger prurit avec picotement du canal urétral ou de légères brûlures urinaires.

Comme l'urétrite à C.T., l'urétrite à mycoplasme non traitée peut régresser voir disparaître pour réapparaître au bout d'un certain temps.

Rarement, dans 2 % des cas seulement, les mycoplasmes peuvent être responsables d'une urétrite aiguë qui aura alors une période d'incubation beaucoup plus courte, de 1 à 3 jours.

A noter que les mycoplasmes sont responsables d'environ 10 % d'urétrites non gonococciques.

Assez fréquemment l'infection uro-génitale à mycoplasme est totalement asymptomatique chez l'homme, le mycoplasme étant découvert à l'occasion d'un prélèvement urétral systématique pratiqué chez un homme dont la partenaire présente une infection génitale à mycoplasme.

Chez l'homme les mycoplasmes peuvent aussi être responsables de balanites, de cystites hémorragiques.

• Les complications des infections urogénitales à mycoplasmes :

Les mycoplasmes peuvent être responsables de prostatite.

Ils peuvent aussi donner des épididymites.

Elles sont assez fréquentes et on retrouve dans 17 % des cas d'épididymites des mycoplasmes T. dans l'urètre, le sperme ou les urines.

Cette épididymite se manifeste par une douleur de l'épididyme, qui est souvent augmenté de volume. Fréquemment la peau du scrotum est œdématiée, enflammée et rouge. Dans plus de 25 % des cas il y a de la fièvre.

Le principal risque de l'épididymite non traitée est la stérilité qui survient chez 40 à 80 % des patients présentant une épididymite bilatérale. Une oligospermie (c'est-à-dire une diminution du nombre des spermatozoïdes) se voit chez 45 à 55 % des patients atteints d'une épididymite unilatérale.

La stérilité peut être causée par l'obstruction de la lumière des épididymes ou par le développement d'une orchite secondaire avec atteinte de la spermatogénèse (c'est-à-dire la formation des spermatozoïdes) ou bien par les deux à la fois.

C) Les complications des infections urogénitales à mycoplasmes dans les deux sexes

Outre les complications spécifiques à l'homme où à la femme les mycoplasmes peuvent être responsables d'autres complications :

• Complications articulaires variées à type d'hydarthrose, de douleurs articulaires ou même de syndrome de F.L.R.

• Une stérilité inexpliquée du couple :

Gnarpe et Frieberg ont étudié un groupe de couples présentant une stérilité inexpliquée, c'est-à-dire sans cause évidente de stérilité chez l'un ou l'autre des membres du couple.

On a trouvé chez les membres de ces couples 85 % d'hommes et 91 % des femmes porteurs de mycoplasmes T.

Dans un groupe de contrôle comportant des femmes ayant eu des grossesses et leurs conjoints, mycoplasme T n'a été trouvé que chez 22 % des femmes et 23 % des hommes.

Un traitement des mycoplasmes a été institué pendant cinq mois à 55 couples infectés par uréaplasma et présentant une stérilité inexpliquée. On a obtenu 15 grossesses, soit une fréquence de 27 %, qui représente un chiffre beaucoup plus élevé que celui que l'on aurait pu attendre, et le mycoplasme a disparu des cultures de contrôle.

III. — DIAGNOSTIC ET CONDUITE À TENIR DANS LES INFECTIONS URO-GÉNITALES À MYCOPLASMES

Le diagnostic d'infections urogénitales à mycoplasmes repose sur la mise en évidence des mycoplasmes en laboratoire.

En effet, la symptomatologie n'est pas suffisamment caractétistique pour permettre à elle seule d'évoquer le diagnostic.

Les mycoplasmes seront recherchés chez la femme dans les sécrétions vaginales et par un léger grattage de la paroi vaginale et de l'endocol ainsi qu'éventuellement dans les urines ; ces prélèvements sont indolores.

Chez l'homme les mycoplasmes seront recherchés dans la sécrétion urétrale, et par grattage de la partie antérieure du canal urétral qui peut être légèrement douloureux mais toujours très supportable, dans le sperme et éventuellement les urines.

Une fois le diagnostic posé il faudra prévenir tous les partenaires et les inviter à consulter et à se soumettre à des examens de laboratoire.

Lorsque les cultures faites au laboratoire isolent mycoplasme T (ou uréplasma urealyticum), tous les auteurs s'accordent pour le considérer comme pathogène et nécessitant un traitement.

Par contre la mise en évidence de mycoplasma hominis est d'interprétation plus nuancée. Suivant son abondance dans les prélèvements et suivant les auteurs il sera ou non considéré comme pathogène et nécessitera ou non traitement.

Souvent les examens de laboratoire mettent en évidence à la fois mycoplasme T et mycoplasma hominis dans le même prélèvement et le traitement sera alors indispensable.

Lorsque le traitement des mycoplasmes est instauré il devra être institué simultanément chez les différents partenaires pour éviter les recontaminations étant donné sa transmission par voie sexuelle.

Un traitement antibiotique approprié, lorsqu'il est institué simultanément chez tous les partenaires, permet d'obtenir en général la guérison sans complications.

Blennorragies à virus

Essentiellement deux virus peuvent être responsables de blennorragies. Ce sont le cytomégalovirus et l'herpès virus.

Ils peuvent être responsables chez l'homme d'une urétrite discrète, subaiguë, avec un écoulement minime.

Chez la femme ils donnent une vulvo-vaginite en général subaiguë.

Les formes asymptomatiques et les porteurs sains sont nombreux.

Ces virus peuvent être transmis à l'occasion d'un rapport sexuel à une femme enceinte avec le risque d'aboutir à la naissance d'un enfant microcéphale (c'est-à-dire au cerveau peu développé) avec arriération mentale.

Nous verrons l'herpès génital plus longuement dans un autre chapitre.

Ici nous n'avons envisagé que l'urétrite herpétique qui n'est en fait que l'une des localisations possibles de cet ensemble d'affections virales connues sous le nom général d'herpès.

Ce qu'il faut retenir des blennorragies en général

Les blennorragies chez la femme

Chaque fois qu'une femme présente des pertes blanchâtres, plus abondantes que celles observées habituellement, ou des leucorrhées jaunâtres ou verdâtres, elle devra aller consulter son médecin ou son gynécologue.

Schématiquement et en simplifiant :

— des pertes liquides, jaunâtres, souvent abondantes accompagnées de brûlures vulvaires et vaginales orientent vers le TRICHOMONAS.

— Des pertes blanchâtres, avec un aspect grumeleux de lait caillé, accompagnées de démangeaisons vulvaires et vaginales oriente vers un CANDIDA.

— Des pertes généralement abondantes, jaunâtres, avec des brûlures à la miction font penser au GONOCOQUE, en sachant que 60 % des femmes porteuses d'une infection à gonocoque ne présentent aucun symptôme.

— Une cervicite ou une vulvo-vaginite subaiguë, avec leucorrhées d'aspect variable, traînantes, peut évoquer un CHLAMYDIA TRACHOMATIS, un MYCOPLASME, une infection à germes banaux, plus rarement un virus.

— Une douleur dans le bas ventre en général unilatérale, associée ou non à des leucorrhées doit amener à consulter d'urgence : il peut s'agir d'une SALPINGITE qui peut être le premier symptôme d'une M.S.T.

Il ne faut pas oublier que juger de l'abondance d'une leucorrhée chez une femme est assez aléatoire puisqu'il existe une leucorrhée physiologique qui est d'abondance variable suivant les femmes et qu'il n'est donc pas toujours évident pour une femme de pouvoir différencier une leucorrhée physiologique d'une leucorrhée pathologique.

Il faut savoir que chez la femme il peut y avoir des causes non infectieuses de leucorrhée non physiologique, par exemple un traumatisme local survenant quelques fois après un rapport, l'introduction d'un corps étranger (tels que les tampons périodiques), ou des leucorrhées pouvant survenir parfois au cours d'infection de la vessie ou du rein.

Les blennorragies chez l'homme

Chaque fois qu'un homme présente un écoulement urétral quel qu'en soit son abondance, ou qu'il remarque des taches blanchâtres ou jaunâtres qui souillent son slip, il devra aller consulter son médecin. En effet, l'existence d'un écoulement urétral n'est jamais physiologique chez l'homme.

Schématiquement et en simplifiant :

— un écoulement urétral abondant, purulent et jaunâtre, s'accompagnant de brûlures mictionnelles oriente vers un GONOCOQUE.

— Un écoulement urétral discret, visqueux, blanchâtre ou translucide, filant, parfois limité à une « goutte matinale » ou parfois n'apparaissant qu'à la pression du canal urétral (cependant il faut se souvenir que la pression intempestive de l'urètre peut entretenir un léger écoulement) oriente plutôt vers un CHLAMYDIA, un MYCOPLASME, un TRICHOMONAS, des GERMES BANAUX, plus rarement un CANDIDA voire un VIRUS.

Il faut savoir qu'il existe cependant chez l'homme des urétrites d'origine non infectieuse, pouvant donner un discret écoulement urétral. Elles peuvent être dues à une inflammation post-traumatique ou caustique de l'urètre (parfois après un rapport sexuel), à un rétrécissement urétral secondaire à une infection antérieure. Enfin il existe parfois des urétrites survenant au cours d'infections de la vessie ou du rein.

Conduite à tenir devant une blennorragie chez la femme ou chez l'homme

— Chaque fois que vous observez des signes évoquant une blennorragie (écoulement urétral chez l'homme, leucorrhées blanchâtres ou jaunâtres chez la femme) il faudra aller consulter votre médecin.

— De même si votre partenaire ou un(e) de vos partenaires vous signale présenter des signes de blennorragie, même si vous n'avez aucun symptôme, il faut aller consulter votre médecin et vous soumettre à des prélèvements de laboratoire si ce dernier le juge nécessaire. En effet beaucoup de blennorragies sont totalement asymptomatiques et vous pouvez être un « porteur sain » de germes. Ce terme ne doit pas vous rassurer pour autant, car ce germe qui pour l'instant n'est responsable d'aucun symptôme pourra à un moment ou à un autre donner des manifestations cliniques, l'infection pouvant même parfois se révéler d'emblée par une complication. De plus en tant que « porteur sain » de germes, vous êtes contagieux et vous pourrez transmettre l'infection lors de rapports sexuels à vos partenaires qui eux-mêmes pourront transmettre le germe à leur tour. C'est le problème majeur de ces maladies, à savoir la diffusion des M.S.T.

— Devant tout signe de blennorragie, il est souhaitable sinon indispensable de faire pratiquer un prélèvement en laboratoire avant tout traitement, afin de mettre en évidence le ou les germes en cause, et de savoir grâce à un antibiogramme quels antibiotiques seront efficaces.

— Surtout ne prenez pas un antibiotique quelconque ou un antibiotique qui vous aurait été prescrit à l'occasion d'un précédent épisode infectieux génital, sans l'avis de votre médecin, en pensant que les symptômes étant pratiquement identiques dans les deux cas, il s'agit du même germe et que si le traitement a été efficace la première fois il le sera aussi cette fois-ci.

En effet comme on l'a vu, sauf dans leurs formes typiques, toutes les blennorragies peuvent donner les mêmes symptômes.

Et le traitement antibiotique que vous aurez ainsi pris à l'aveugle pourra, s'il est mal adapté et même s'il n'entraîne pas la guérison de la blennorragie, empêcher le ou les germes responsables de se développer sur les cultures mises en route par le laboratoire, sur le prélèvement que vous aurez accepté d'effectuer dans un second temps, et rendre ainsi tout diagnostic impossible.

De plus il ne faut pas oublier que souvent la blennorragie peut avoir une étiologie mixte, par exemple être due à la fois à un gonocoque et un trichomonas vaginalis ou à un gonocoque et un chlamydia trachomatis, que seuls les examens de laboratoire pourront objectiver.

— Une fois le diagnostic posé et le ou les germes responsables isolés, il faudra suivre scrupuleusement le traitement antibiotique ordonné par le médecin. Il ne faudra pas arrêter le traitement prématurément, même si les symptômes de la blennorragie disparaissent rapidement, dès le début du traitement ; au contraire il faudra poursuivre le traitement jusqu'à son terme même si vous le jugez trop long, si vous voulez vous mettre à l'abri des récidives. De même pour éviter les recontaminations il faudra un traitement simultané des deux ou de tous les partenaires.

— Lorsque votre partenaire vous signale présenter une blennorragie, deux solutions sont possibles, et ce, même si vous-même ne vous plaignez d'aucun symptôme.

Soit accepter de suivre le même traitement que celui qui a été prescrit à votre partenaire sans vous soumettre à des examens de laboratoire.

Soit faire pratiquer un prélèvement en laboratoire et vous traiter éventuellement en fonction des résultats. Cette deuxième attitude est la plus rationnelle surtout si vous ne présentez aucun symptôme.

Etant donné que les blennorragies sont des M.S.T., il faudra, d'une part s'abstenir de tout rapport pendant au moins la durée du traitement, d'autre part prévenir tous les partenaires que vous avez pu avoir dans les 30 à 60 jours qui ont précédé l'apparition des symptômes.

— Un contrôle en fin de traitement par un prélèvement effectué en laboratoire est souhaitable sinon indispensable pour s'assurer de la disparition du ou des germes en cause et par-là de la guérison.

— Enfin il ne faut pas oublier qu'en contractant une blennorragie on peut contracter en même temps une syphilis, donc un sérodiagnostic de la syphilis serait souhaitable avant tout traitement suivi de deux autres contrôles à un mois d'intervalle chacun.

— Chez une femme enceinte il faudra encore plus d'attention et de vigilance en raison des risques d'infections voire de malformations encourus par les nouveau-nés de mères infectées.

Mesures hygiéno-diététiques dans les blennorragies

— Pendant toute la durée du traitement supprimer tout alcool, quel qu'il soit (bière et cidre compris) et s'abstenir de rapports ceci pour deux raisons : d'une part le sujet est contagieux au début, d'autre part la guérison peut être retardée par la congestion vasculaire observée lors des rapports ou sous l'effet irritant de l'alcool.

— Avoir une bonne hygiène, par exemple se laver les mains à chaque fois qu'elles ont touché une zone contaminée. Eviter de se frotter les yeux sans s'être lavé les mains. Laver le linge de corps et de toilette souillé, à part si possible. Une fois lavé ce linge pourra être réutilisé.

— Prévenir comme nous l'avons souvent répété tous ses partenaires.

— S'assurer après traitement de la guérison, par la disparition complète et persistante de tous les symptômes et mieux encore par un examen bactériologique de contrôle pratiqué en laboratoire, environ 8 jours après l'arrêt du traitement.

La persistance des mêmes symptômes ou de symptômes diminués à la fin du traitement, de même que la reprise des symptômes ou de certains d'entre eux à l'arrêt du traitement devront faire envisager plusieurs hypothèses :

— Soit une récidive ou une rechute due à une résistance du germe au traitement prescrit ou due à un traitement mal suivi.

— Soit une recontamination par un (une) ou des partenaires non ou mal traités, ou par un(e) nouveau(elle) partenaire porteur(se) du même germe ou d'un autre germe.

— Soit une infection mixte, avec un germe passé inaperçu ou qui n'aurait pas été recherché sur le premier prélèvement de laboratoire.

Dans tous ces cas il faudra consulter à nouveau son médecin et envisager de nouveaux prélèvements bactériologiques.

A propos de quelques cas de blennorragies

M. W... Jean-Paul entre dans la salle de prélèvements où je suis en train d'examiner son dossier.

La fiche qui a été faite pour ce monsieur m'apprend qu'il a 31 ans et que son médecin a prescrit :

— un prélèvement urétral avec antibiogramme (si nécessaire)

— une sérologie de la syphilis.

Je le prie de s'asseoir et de retrousser une de ses manches pour pratiquer la prise de sang nécessaire au sérodiagnostic de la syphilis. A l'interrogatoire M. W. Jean-Paul me raconte qu'à la suite d'un rapport avec une partenaire de passage, qu'il ne connaissait pas jusqu'alors, 4 jours après ce contact il a présenté quelques picotements au niveau du méat urétral dans la journée et le soir même est apparu un écoulement, qu'il juge abondant, avec des brûlures, lors des mictions. Ces symptômes l'ont amené a consulter son médecin.

La prise de sang achevée, je lui demandais de baisser son pantalon et son slip. Monsieur W. avait pris la précaution d'entourer son méat d'un morceau de coton, car me dit-il, l'écoulement est permanent tout au long de la journée, colle au slip, l'obligeant à dormir sans ce dernier.

Une fois le coton enlevé, j'aperçois un méat aux lèvres légèrement gonflées et rouges, légèrement éversées. (M. W. est circoncis.)

A la pression légère du canal urétral sort un pus jaunâtre, épais que je prélève avec des écouvillons stériles.

Cet aspect clinique, associé à la notion de contact avec une partenaire de passage et la période d'incubation relativement courte m'évoque d'emblée une urétrite à gonocoques.

Une fois les prélèvements terminés, j'informai M. W. que les résultats de ses examens seraient prêts trois jours plus tard et lui confirmai qu'à présent les prélèvements étant effectués, il pouvait commencer le traitement prescrit par son médecin, ce qui permettra, lui dis-je, de faire disparaître les symptômes ou tout au moins de les atténuer en attendant les résultats.

Le médecin avait prescrit, pensant lui aussi à une gonococcie, deux ampoules d'un antibiotique à injecter par voie intramusculaire dans la même séance, et en général très efficace sur ce type d'urétrite.

A l'examen microscopique direct dit « à l'état frais », c'est-à-dire après avoir « exprimé » un des écouvillons dans une goutte d'eau physiologique déposée sur une lame de microscope, je notai l'absence de trichomonas. Je fis une coloration rapide, sur un des frottis obtenus, en passant un autre des écouvillons ayant servi au prélèvement, sur une lame de microscope sans eau physiologique cette fois. L'examen au microscope de ce frottis coloré me permit déjà de confirmer le diagnostic de gonococcie envisagé, en montrant la présence de petits « grains de café » colorés en rose, souvent groupés en petits amas.

Le lendemain, les cultures mises en route la veille vinrent confirmer le diagnostic, montrant le développement de nombreuses colonies de Neisseria gonorrhoae, sur lequel un antibiogramme fut pratiqué. Ce dernier montra que le gonocoque de M. W... était sensible à plusieurs antibiotiques dont celui prescrit par le médecin. Enfin la sérologie de la syphilis était négative.

Cependant trois semaines plus tard, M. Jean-Paul W. est à nouveau en face de moi avec une ordonnance prescrivant un prélèvement urétral, pour lequel cette fois le médecin précisait recherche de gonocoques, de mycoplasmes et de chlamydiae.

— Quel est votre problème cher Monsieur ? lui demandai-je.

— Voilà ce qui se passe, Docteur, me répondit-il. Le jour même des prélèvements, il y a trois semaines donc, je me suis fait faire l'injection des deux ampoules d'antibiotique prescrit par mon médecin et dès le lendemain les symptômes avaient pratiquement disparu. Les brûlures urinaires étaient déjà beaucoup moins importantes, et l'écoulement avait nettement diminué. Le surlendemain l'écoulement ainsi que les brûlures à la miction avaient complètement disparu et mon slip était propre, plus une tache !

» Mais il y a trois jours poursuit-il, il m'a semblé que l'écoulement, recommençait. Aucune comparaison cependant avec la première fois, mais sur mon slip il y avait quelques petites taches blanchâtres et le lendemain matin au réveil, j'ai remarqué en pressant légèrement sur ma verge, avant d'uriner, une petite goutte blanchâtre au niveau du méat. Je pense qu'il s'agit d'une rechute, conclut-il.

Je lui demandai s'il avait prévenu sa partenaire, si celle-ci avait été prélevée, si elle avait été traitée en même temps que lui, et si depuis il avait eu à nouveau des rapports avec elle ou avec une autre partenaire.

Il me répondit qu'en effet il l'avait mise au courant et qu'elle avait préféré se soumettre au même traitement que lui mais sans avoir fait pratiquer de prélèvement en laboratoire, et cela bien que selon elle, elle ne se plaignait d'aucun symptôme.

— Par la suite M. W., lui demandai-je, avez-vous eu à nouveau des rapports avec cette jeune femme ou avec une autre ?

— Sur les conseils de mon médecin, me dit-il, je me suis abstenu de rapport pendant 8 jours après le traitement. Depuis j'ai eu à nouveau des rapports réguliers avec cette personne, mais je suis sûr qu'elle aussi a suivi le traitement. Je n'ai pas eu par contre de rapports avec une autre partenaire.

Pendant que M. W. me racontait cela, je lui avais fait baisser son pantalon et son slip et lui demandai s'il avait pris la précaution de ne pas uriner au réveil. Sa réponse fut affirmative.

Les lèvres du méat urétral n'étaient plus enflammées comme elles l'étaient la première fois. La pression de la verge en remontant le long du canal urétral fit apparaître une petite goutte blanchâtre, au niveau du méat. Je prélevai cette secrétion filante et tout à fait différente de l'écoulement que j'avais observé la première fois avec des écouvillons stériles, puis je demandai à M. W. de s'allonger sur la table d'examen et de se décontracter en lui expliquant que pour les recherches de mycoplasmes et de chlamydiae, il me fallait pratiquer un prélèvement un peu plus profond, à l'intérieur du canal urétral, qui nécessitait un léger grattage de la paroi urétrale, en le prévenant que cette manœuvre, bien que peu douloureuse, pouvait être assez désagréable.

J'effectuai donc ces prélèvements pendant lesquels M. W. fit quelques petites grimaces, mais ceux-ci terminés, il me confirma que la « douleur » avait été en fait très supportable. M. W. se rhabilla et je lui promis les résultats sous huit jours.

Cette fois-ci le médecin traitant n'avait ordonné aucun traitement antibiotique en attendant les résultats du laboratoire, mais avait prescrit les mêmes recherches à la partenaire de M. W. et ce dernier me dit que son amie devait se présenter à mon laboratoire dans la journée.

En effet, en fin de matinée, une jeune femme de 25 ans se présenta comme l'amie de M. W. et son ordonnance indiquait :

prélèvement cervicovaginal et urétral avec recherche de gonocoques, de mycoplasmes et de chlamydiae.

Après l'avoir priée de se déshabiller, je la fis allonger sur la table gynécologique et introduisis un spéculum pour faire les prélèvements nécessaires. Le col utérin était enflammé, rouge, mais les leucorrhées étaients minimes, bien qu'elle me confirma qu'elle n'avait pas fait de toilette « intime » depuis la veille.

Je prélevai les quelques pertes blanchâtres avec des écouvillons stériles, puis fis d'autres prélèvements en grattant légèrement la paroi vaginale et le canal endocervical, reliant le vagin à l'utérus.

Après avoir retiré le spéculum, je fis un prélèvement au niveau de l'urètre et demandai à la jeune femme de se rhabiller.

Celle-ci me demanda si je pensais que leurs « problèmes » pouvaient être graves et si selon moi c'était elle qui avait contaminé son partenaire ou l'inverse, car elle ne se plaignait d'aucun symptômes.

— Chère Madame, lui expliquai-je, chez la femme surtout, la blennorragie à gonocoque peut très souvent passer inaperçue, ne donnant que des symptômes minimes et par conséquent vous pouvez être porteuse de ce gonocoque depuis un certain temps.

» Il peut en être de même pour les infections à mycoplasmes ou à chlamydiae. Mais, lui affirmai-je, quelque soit le germe en cause, un traitement bien adapté et bien suivi simultanément par les deux partenaires ou par tous les partenaires s'il y a lieu, permettra d'obtenir une guérison complète et définitive.

Les examens révélèrent la disparition du gonocoque sur le deuxième prélèvement pratiqué chez M. W. et l'absence de gonocoque chez sa partenaire. Par contre tous les deux présentaient des chlamydiae trachomatis. Et chez M. W. c'est le chlamydia trachomatis, vraisemblablement contracté en même temps que le gonocoque qui était responsable de l'écoulement apparu trois semaines plus tard, et que l'on aurait pu considérer à tort comme une récidive de la blennorragie à gonocoque, si un prélèvement avec recherche de chlamydiae n'avait pas été pratiqué. Il est très vraisemblable que sa partenaire était porteuse « saine » des deux germes, gonocoque et chlamydiae trachomatis, bien qu'elle disait ne présenter aucun symptôme.

A peu près un mois plus tard, je revis M. W. et sa partenaire qui venaient se soumettre à des prélèvements de contrôle après traitement du chlamydia trachomatis.

Chez M. W. l'écoulement avait disparu quelques jours après le début du traitement, mais sur l'insistance de son médecin il avait continué le traitement prescrit, ainsi que sa partenaire, pendant tout le temps recommandé par le médecin et nécessaire à une complète guérison, et l'écoulement n'était plus réapparu.

Les prélèvements confirmèrent la guérison des deux partenaires en montrant la disparition du chlamydia trachomatis chez M. W. et sa partenaire.

Mme Z. Martine est une femme jeune, de 26 ans, qui est adressée au laboratoire pour un prélèvement cervico-vaginal et urétral avec recherche de tous germes y compris mycoplasmes et chlamydiae et pour un sérodiagnostic des chlamydiae.

Je l'interrogeai sur ce qui l'amenait et elle me raconta son histoire. Mariée depuis deux ans, il y a plus d'un an, elle a arrêté la pilule car son mari et elle désiraient avoir un enfant. Or depuis plus d'un an à présent, aucune grossesse, aucun retard de règles. Son mari et elle sont donc allés consulter un gynécologue, qui a tout d'abord fait pratiquer un spermogramme chez le mari, lequel s'est révélé tout à fait normal.

Après un examen gynécologique minutieux, le gynécologue a demandé à Mme Z. de faire une hystérographie, c'est-à-dire une radiographie de l'utérus et celle-ci a révélé que Mme Z. avait les deux trompes « bouchées », alors qu'elle n'avait jamais présenté par le passé de signes quelconques de salpingite.

— C'est pour cela que mon gynécologue m'envoie vers vous, Docteur, dit-elle. Il désire que je fasse faire ces prélèvements avant de prévoir une date pour une coelioscopie.

Après avoir fait déshabiller Mme Z. et l'avoir fait allonger sur la table gynécologique, je l'interrogeai sur d'éventuels antécédents de M.S.T. mais il ne semblait en exister aucun.

Jamais de leucorrhées importantes, jamais de brûlures urinaires, ni de douleurs dans le bas ventre.

A l'examen clinique pas grand-chose non plus. Tout au plus un col utérin légèrement enflammé et des leucorrhées, blanchâtres mais minimes, d'aspect non évocateur.

J'effectuai les prélèvements gynécologiques nécessaires puis, une fois la patiente rhabillée, je fis la prise de sang pour le sérodiagnostic des chlamydiae et Mme Z. prit congé en me demandant si elle aurait bien ses résultats dans huit jours comme le lui avait dit son médecin ; je lui répondis par l'affirmative.

Les examens effectués chez Mme Z. montraient la présence de chlamydiae trachomatis au niveau du prélèvement gynécologique et le sérodiagnostic mit en évidence un taux d'anticorps antichlamydiae trachomatis très élevé.

Au vu des résulatst de Mme Z. le gynécologue m'adressa son mari pour les mêmes recherches.

M. Z. ne présentait actuellement aucune symptomatologie d'urétrite. Il n'avait aucun écoulement, pas la moindre tache sur son slip, pas de brûlures mictionnelles.

Cependant l'interrogatoire permit de révéler la notion d'une urétrite ancienne, remontant à quelques années et qui avait été traitée par des antibiotiques, lesquels avaient fait disparaître l'écoulement. Mais quelques semaines ou quelques mois plus tard, un écoulement minime était réapparu, sans brûlures mictionnelles et M. Z. avait repris par lui-même le même antibiotique que lui avait prescrit son médecin la première fois. Sous l'effet du traitement l'écoulement avait à nouveau disparu. Cependant dans les années qui suivirent, cet écoulement minime, blanchâtre, limité à une petite goutte matinale à la pression de la verge ou à quelques taches blanchâtres sur le slip, était réapparu à plusieurs reprises, disparaissant spontanément après quelques jours ou quelques semaines sans traitement pour réapparaître sans raison évidente. Si bien que M. Z. s'y était « habitué », semble-t-il. Mais depuis plus d'un an à présent il n'avait présenté aucun écoulement.

Je fis la prise de sang et le prélèvement urétral chez M. Z. qui s'y soumis avec beaucoup de bonne volonté, me confirmant qu'il s'agissait d'un prélèvement un peu désagréable mais pas douloureux.

Les examens montrèrent chez M. Z. la présence de chlamydiae trachomatis et un titre assez élevé des anticorps antichlamydiae trachomatis.

Mme et M. Z. furent traités en même temps pour leur infection à chlamydiae trachomatis et les prélèvements de contrôle effectués un mois plus tard montrèrent la disparition des chlamydiae trachomatis dans les prélèvements génitaux et une diminution du taux des anticorps antichlamydiae trachomatis dans le sang, confirmant la guérison de l'infection.

Pour Mme Z., une intervention visant à rétablir la perméabilité des trompes fut envisagée et vraisemblablement pratiquée dans les mois qui suivirent la guérison de son infection à chlamydiae trachomatis.

M. Y. Charles est un monsieur d'une soixantaine d'années, au demeurant fort sympathique, qui est envoyé au laboratoire par son médecin pour une sérologie de la syphilis, un sérodiagnostic des chlamydiae et un prélèvement urétral avec recherche de tous germes y compris mycoplasmes et chlamydiae.

M. Y. me raconte qu'il a présenté une urétrite il y a trois mois environ, avec un écoulement assez abondant et jaunâtre, me dit-il, accompagné d'une petite gêne à la miction, plutôt que de véritables brûlures mictionnelles.

M. Y. qui semble très pointilleux en ce qui concerne ce genre de problème est allé consulter son médecin dès le lendemain de l'apparition de ces troubles. Le médecin lui a alors prescrit un prélèvement urétral qui a été fait dans un autre laboratoire, et dans lequel il avait été mis en évidence du gonocoque associé à du trichomonas.

Au vu des résultats du laboratoire, son médecin lui ordonna un traitement qu'il suivit scrupuleusement.

Je lui demandai si sa partenaire avait, elle aussi, suivi le même traitement.

— Docteur, me dit-il, je suis célibataire et malgré mon âge j'ai une vie sexuelle encore assez active. J'ai en fait plusieurs partenaires, dont certaines sont mariées et, je vous l'avoue, je ne les ai pas encore toutes prévenues de mes problèmes, car, comprenez-vous, c'est un peu délicat.

» En fait une seule de mes partenaires a suivi le même traitement que moi et il s'agit, si je puis m'exprimer ainsi, de ma partenaire principale.

» Par contre les autres n'ont pas été traitées et d'ailleurs je ne pense pas qu'elles présentent des symptômes.

» Le traitement que j'ai suivi, poursuit-il, a fait disparaître tous les symptômes en quelques jours et pendant les trois mois qui ont suivi je n'ai plus eu aucun trouble.

» C'est pourquoi, 15 jours à 3 semaines après cet épisode, j'ai eu des rapports avec mes autres partenaires pensant être définitivement guéri.

» Depuis une semaine environ un écoulement urétral est à nouveau apparu, un peu moins abondant semble-t-il que la première fois, et sans aucune gêne ni brûlure à la miction.

» Je suis alors retourné chez mon médecin qui m'a conseillé un prélèvement plus complet que le premier, et qui me demande de faire effectuer les mêmes recherches chez toutes mes partenaires. D'ailleurs Docteur, en ce qui les concerne, je compte sur votre discrétion.

Je le rassurai à ce sujet et fis les prélèvements nécessaires auxquels M. Y. se soumit de bonne grâce.

Une fois les prélèvements terminés, M. Y. prit congé en me recommandant à nouveau une discrétion totale pour ses différentes partenaires.

Dans les jours qui suivirent je vis arriver plusieurs femmes, d'âge différent, venant de la part de M. Y. et qui toutes étaient au courant des problèmes de ce monsieur et se soumirent aux mêmes recherches ordonnées par le médecin.

Chez M. Y. les examens révélèrent à nouveau la présence de gonocoques, le trichomonas ayant disparu. Mais s'ajoutaient aux gonocoques des chlamydiae trachomatis, avec un taux d'anticorps antichlamydiae trachomatis assez élevé dans le sang.

Chez une des partenaires de M. Y., celle qui avait suivi le même traitement que lui, on trouva des chlamydiae trachomatis, mais pas de gonocoque, ni de trichomonas. Elle ne se plaignait d'aucun symptôme depuis la fin du traitement.

Chez la seconde, on mit en évidence du trichomonas vaginalis ainsi que des chlamydiae trachomatis, mais pas de gonocoque bien qu'elle n'avait pris aucun traitement antibiotique. Cette femme se plaignait de quelques brûlures vaginales légères et de leucorrhées modérées et malodorantes.

La troisième partenaire de M. Y ne présentait aucun germe ni parasite pathogène ; pas de gonocoque, pas de trichomonas, pas de chlamydiae trachomatis. On put isoler juste quelques colonies de mycoplasma hominis qui n'étaient vraisemblablement pas pathogènes chez cette femme, qui avouait n'avoir pas eu de

« véritable » rapport avec M. Y. depuis un temps relativement long et qui ne présentait aucun symptôme avec un vagin et un col utérin d'aspect normal.

Enfin la dernière partenaire de M. Y. que j'ai eu l'occasion de voir présentait comme ce dernier du gonocoque et un chlamydiae trachomatis. Elle avait remarqué depuis quelque temps, disait-elle, des leucorrhées un peu plus abondantes qu'à l'habitude, légèrement jaunâtres, avec de temps en temps des brûlures à la miction, brûlures qu'elle aurait attribué à une cystite plus ou moins chronique chez elle.

La sérologie de la syphilis qui a été effectuée uniquement chez M.Y., mais pas chez ses partenaires, pour lesquelles le médecin avait juste prescrit un prélèvement cytobactériologique gynécologique, était négative.

Je fus amené à revoir M.Y. un mois plus tard, pour un prélèvement de contrôle, mais aucune de ses partenaires.

Chez M.Y. l'écoulement avait complètement disparu, 8 jours après le début du traitement prescrit, mais suivant les recommandations de son médecin, il avait poursuivi le traitement pendant les 20 jours ordonnés par ce dernier, pour les chlamydiae. Et il se présentait au laboratoire pour un contrôle systématique après traitement, à la demande de son médecin.

Il m'expliqua que toutes ses partenaires avaient suivi le traitement prescrit en fonction des cas par le médecin et que, étant donné les circonstances un peu particulières, le médecin avait accepté qu'elles ne se soumettent pas à des prélèvements de contrôle.

M. Y. termina en concluant que tout semblait être rentré dans l'ordre pour tout le monde et me remercia pour la discrétion dont avait fait preuve toute l'équipe du laboratoire.

Les prélèvements de M. Y. se révélèrent cette fois-ci totalement négatifs, confirmant la guérison clinique.

Il s'agit là d'un cas typique de contamination et recontaminations en chaîne pour lequel seul un traitement synchronisé de tous les partenaires, a permis la guérison.

L'HERPÈS GÉNITAL

L'herpès génital est une M.S.T. qui fait l'objet d'une véritable psychose aux Etats-Unis, où 20 millions de personnes en sont atteintes, avec environ 1 million de nouveaux cas annuels.

Cependant le problème n'est pas encore aussi crucial en France, bien que le nombre de cas dans notre pays atteigne un taux relativement élevé.

Aux Etats-Unis, l'herpès génital représente environ 15 % du total des M.S.T., en France ce pourcentage atteint 10 %.

L'herpès génital est une M.S.T., en raison de sa fréquence accrue chez les sujets en période d'activité sexuelle, de sa très grande fréquence en cas de promiscuité sexuelle, de sa plus forte incidence chez les partenaires de sujets porteurs de l'infection.

I. — LE VIRUS HERPÉTIQUE

Cinq types d'herpès virus sont responsables d'infection chez l'homme :

L'herpès virus simplex : qui comprend 2 types de virus.

- L'herpès simplex virus de type 1 (HSV 1).

Il est surtout responsable des localisations cutanéo-muqueuses de la face, à savoir l'herpès du pourtour de la bouche et des lèvres (c'est le classique « bouton de fièvre ») et l'herpès oculaire (conjonctivite herpétique).

Le virus H.S.V. 1 contamine tôt dans l'enfance.

Cependant le virus H.S.V. 1 est responsable de 10 % d'herpès génital survenant surtout après contacts oro-génitaux ou par contamination à partir d'un doigt souillé par l'H.V.S. 1 par exemple.

- L'herpès simplex virus type 2 (H.S.V. 2)

Il est responsable de 90 % des cas d'herpès génital. Mais il peut être retrouvé au niveau de la bouche, surtout après rapports oro-génitaux. Il contamine surtout à partir de l'adolescence.

— Trois autres virus du groupe herpès que l'on ne fera que citer car ils ne concernent pas ce chapitre de l'herpès génital :

- L'herpès virus varicellae : responsable de la varicelle et du zona.
- Le cytomegalovirus.
- Le virus d'Epstein Barr (E.B.V.) que nous reverrons dans le paragraphe consacré à la mononucléose infectieuse.

La physiopathologie du virus herpétique type 2 (HSV 2)

Lorsque le virus herpétique pénètre dans l'organisme pour la première fois, il donne ce que l'on appelle des signes de primo-infection herpétique, traduisant le premier contact (primo) de l'organisme avec le virus infectant (infection).

Cependant cette primo-infection herpétique ne donne aucune symptomatologie clinique, dans 20 % des cas environ.

Il semble que par la suite 2/3 des sujets ayant fait une primo-infection herpétique éradiquent le virus et guérissent définitivement de l'infection, alors que 1/3 de ces patients, peut être en raison d'une réponse immunitaire déficiente ou incomplète, vont continuer à héberger le virus type 2. Ces sujets vont ensuite libérer de façon intermittente le virus, avec ou sans manifestations cliniques : ce sont les poussées récurrentes d'herpès, qui se feront en général à l'occasion de différents facteurs favorisants :

— traumatismes divers,
— stress psychologiques,
— prise de médicaments corticoïdes ou immunosuppresseurs, c'est-à-dire diminuant les défenses immunologiques de l'organisme, et certains antibiotiques,
— maladies infectieuses,
— fièvres d'origines diverses,

— émotions ou contrariété,
— rapports sexuels répétés,
— règles,
— grossesses,
— expositions aux rayons ultraviolets.

Lors de la première pénétration du virus herpétique dans l'organisme (c'est-à-dire lors de la primo-infection herpétique) celui-ci va fabriquer des anticorps contre le virus herpétique, et ces anticorps persistent pendant des années dans l'organisme, traduisant uniquement qu'il y a eu pénétration du virus dans cet organisme.

Le taux de ces anticorps antiherpétiques apparus après la primo-infection est relativement stable et variera très peu lors des récurrences de l'infection herpétique. Ceci explique que le sérodiagnostic herpétique n'aura surtout de valeur que pour objectiver une primo-infection herpétique.

Un pourcentage élevé de sujets d'âge adulte sont porteurs de ces anticorps antiherpès virus simplex de type 2.

II. — SYMPTOMATOLOGIE CLINIQUE DE L'HERPÈS GÉNITAL

L'herpès génital est donc une maladie très fréquente, presque aussi fréquente chez l'homme que chez la femme, transmise essentiellement mais pas uniquement par rapports sexuels, contagieuse, et volontiers récidivante, atteignant essentiellement l'adulte jeune entre 25 et 35 ans.

Il favorise la contamination par d'autres germes responsables d'autres M.S.T. comme la syphilis par exemple, les lésions herpétiques représentant une porte d'entrée particulièrement favorable à la pénétration dans l'organisme du tréponème pâle responsable de la syphilis.

La période d'incubation de l'herpès génital est difficile à préciser, mais elle est souvent courte, les premiers signes de l'infection apparaissant 4 ou 5 jours après le rapport contaminant.

A) La primo-infection herpétique

Dans près de 20 % des cas elle est totalement asymptomatique chez la femme comme chez l'homme. Mais habituellement ses lésions sont souvent larges et douloureuses.

1) **La primo-infection herpétique chez la femme :**

Les lésions de la primo-infection d'herpès génital chez la femme siègent le plus souvent sur les grandes et petites lèvres, dans le vagin, sur le col de l'utérus et dans la région anale.

Elle donne un tableau classique de grande vulvo-vaginite aiguë souvent très douloureuse accompagnée parfois de brûlures urinaires, de fièvre, et de faiblesse générale.

La muqueuse vulvo-vaginale ou cervicale est rouge, gonflée, œdématiée, parsemée de petits « bouquets » de vésicules (qui sont des petites élevures remplies de liquide transparent formant des sortes de petites cloques). Ces vésicules ensuite éclatent laissant bientôt la place à des érosions, de petites ulcérations ou des fissures souvent douloureuses. Ces lésions s'accompagnent fréquemment d'adénopathies inguinales sensibles. Puis elles cicatrisent en formant de petites croûtes qui vont tomber au bout d'une dizaine de jours, ne laissant en général aucune cicatrice. Mais en cas de surinfection de ces lésions avec ulcérations, la guérison peut être plus longue et peut laisser des cicatrices.

Cependant chez la femme la primo-infection peut souvent passer inaperçue, surtout lorsque les lésions siègent au niveau du col de l'utérus.

2) **La primo-infection herpétique chez l'homme :**

Chez l'homme les lésions de l'herpès génital siègent essentiellement sur le prépuce, le gland, le fourreau et dans la région anale, surtout chez les homosexuels.

En général la primo-infection herpétique chez l'homme donne des lésions identiques à celles survenant lors des récurrences de l'herpès génital, c'est-à-dire se traduisant par de petits « bouquets » de vésicules siègeant sur une plaque rouge peu visible. Là aussi les vésicules vont éclater laissant rapidement la place à de petites érosions ponctiformes qui vont s'assécher, se recouvrir de croûtelles brunâtres, lesquelles tombent au bout de 10 jours environ, sans laisser de trace en général, sauf en cas de surinfection des lésions par un germe quelconque.

Mais parfois les lésions sont plus étendues, réalisant une

balanite érosive douloureuse, accompagnée d'adénopathies inguinales sensibles.

La primo-infection herpétique peut aussi parfois se manifester par une urétrite herpétique avec un écoulement urétral discret.

3) **La sérologie herpétique au cours de la primo-infection :**

C'est surtout au cours de la primo-infection herpétique génitale que le sériagnostic de l'herpès virus type 2 est intéressant.

En effet d'une part il permettra de mettre en évidence des anticorps antiherpétiques particuliers, signant la primo-infection, à savoir les anticorps dits de type immunoglobuline M (IgM).

Ces anticorps (IgM) antiherpétiques sont les premiers anticorps à apparaître lors de la primo-infection, mais ils disparaissent rapidement en 2 à 6 mois.

D'autre part, sur deux prélèvements sanguins effectués à une quinzaine de jours d'intervalle, on observe lors de la primo-infection herpétique une nette augmentation du taux des anticorps antiherpès virus type 2 sur le deuxième prélèvement, permettant elle aussi d'affirmer la primo-infection herpétique.

B) L'herpès récurrent

Lors des récurrences, les lésions herpétiques se reproduisent en général exactement au même endroit ou dans le voisinage immédiat, donnant une symptomatologie habituellement moins bruyante que la primo-infection.

Dans sa forme typique la lésion de l'herpès récurrent est assez caractéristique. Elle est précédée par l'apparition sur le lieu de la future éruption d'une sensation de démangeaison parfois intense, voire de brûlures.

Dans les heures qui suivent apparaît sur cette zone de peau ou de muqueuse une maculo-papule (c'est-à-dire une élevure de la peau), rouge, légèrement bombée, sur laquelle vont apparaître de petites vésicules qui se groupent en amas, formant le classique bouquet d'herpès. L'évolution de ces lésions d'herpès récurrent est identique à celles de primo-infection

Chez l'homme les récurrences peuvent se manifester en plus par une urétrite subaiguë et discrète et toute urétrite récurrente devra faire envisager le diagnostic d'urétrite herpétique.

Le problème majeur de l'herpès génital en dehors de ses rares complications et des risques encourus lorsqu'il se manifeste chez une femme enceinte, réside dans la fréquence des récurrences. Le rythme de ces récurrences est extrêmement variable, pouvant aller de une récurrence tous les 5 à 10 ans, à une récurrence tous les 15 jours avec tous les intermédiaires possibles.

C) Les complications de l'infection herpétique

L'herpès génital est par lui-même une maladie sans gravité en dehors de la grossesse, bien que par la fréquence de ses récurrences, il puisse parfois occasionner des problèmes d'ordre psychologique.

En général les complications de l'herpès génital sont très rares. Il s'agit essentiellement de méningites et d'encéphalites herpétiques, de formes disséminées d'infection herpétique, pouvant survenir chez des sujets dont les défenses immunitaires sont déprimées soit par un traitement soit par certaines maladies.

Mais le risque majeur de l'herpès génital réside dans sa survenue chez la femme enceinte.

D) Herpès génital et grossesse

La grossesse favorise l'infection herpétique et l'herpès génital est donc plus fréquent chez la femme enceinte que chez la femme en dehors de la grossesse.

Lorsque une femme enceinte présente un herpès génital, l'atteinte du nouveau-né par le virus herpétique n'est pas obligatoire et l'enfant peut naître sain. La contamination de l'enfant se fait en général au moment de l'accouchement et rarement à travers le placenta.

Les risques d'infection du fœtus sont maxima lorsqu'il s'agit d'une primo-infection herpétique génitale survenant au terme de la grossesse, car la contamination du fœtus est dans ce cas massive.

Lorsqu'il s'agit d'un herpès récurrent, le risque d'infection de l'enfant est moindre et, si l'enfant est contaminé, en général il ne présentera que des infections bénignes, essentiellements cutanées, alors qu'en cas de primo-infection, le nouveau-né risque des infections herpétiques généralisées et graves, telles que des septicémies néo-natales et méningo-encéphalites souvent mortelles.

E) Herpès génital et cancer du col de l'utérus

Le virus herpétique semble favoriser le cancer du col utérin, mais ceci n'est pas prouvé formellement.

Cependant on a constaté que les anticorps antiherpès virus du groupe 2 sont indéniablement plus élevés chez les femmes atteintes d'un cancer du col utérin que chez un groupe témoin.

Un herpès génital récurrent nécessite donc une surveillance clinique et cytologique, par frottis de dépistage, régulière.

A signaler que le virus herpétique semble aussi favoriser le cancer de la prostate chez l'homme.

Les taux d'anticorps anti H.S.V. 2 sont plus élevés chez les sujets atteints de cancer de la prostate que chez le groupe témoin.

III. — DIAGNOSTIC ET CONDUITE À TENIR DEVANT UN HERPÈS GÉNITAL

Le diagnostic d'herpès génital est avant tout un diagnostic clinique. L'aspect souvent caractéristique des lésions herpétiques et leurs récidives presque toujours au même endroit permettent d'orienter le diagnostic vers un herpès.

La confirmation du diagnostic repose essentiellement sur le laboratoire :

— Mise en évidence de cellules caractéristiques au niveau de vésicules de moins de 48 heures.

— Mise en évidence du virus herpétique par inoculation sur cultures cellulaires, essentiellement à partir du produit de raclage du plancher d'une ou plusieurs vésicules.

— Enfin le sérodiagnostic herpétique, qui sera surtout utile dans la primo-infection herpétique, mais beaucoup moins au cours des récurrences pour lesquelles le taux des anticorps varient souvent très peu.

Devant toutes lésions de type herpétique, il faudra aller consulter. En effet seul le médecin pourra faire un diagnostic précis en s'aidant au besoin des examens de laboratoire mis à sa disposition.

De plus il ne faudra pas oublier que l'herpès est une maladie contagieuse, surtout lors des poussées, sexuellement transmissible et il faudra donc prévenir son (sa) ou ses partenaires et s'abstenir de rapports sexuels au moins jusqu'à la guérison et la disparition des lésions.

Si une femme enceinte présente de petites vésicules ou des lésions qui peuvent évoquer un herpès, il faut qu'elle aille consulter sans tardet son gynécologue ou son obstéricien, qui lui indiquera après avoir confirmé éventuellement le diagnostic d'herpès génital, la conduite à tenir.

Bien que le traitement de l'herpès soit actuellement en constante amélioration, il n'existe pas encore de traitement radicalement efficace. Certains traitements actuels peuvent raccourcir les poussées ou éventuellement les espacer.

En se souvenant que les lésions d'herpès génital représentent une porte d'entrée idéale pour les tréponèmes pâles, il convient toujours de vérifier la sérologie de la syphilis 6 semaines environ après un herpès génital.

LE CHANCRE MOU

Le chancre mou, encore appelé chancrelle ou chancroïde, a été individualisé en 1852 par Bassereau ; l'agent pathogène responsable a été isolé en 1889 par Ducrey, d'où son nom d'hémophilus Ducreyi ou bacille de Ducrey.

Cette infection sévit dans les régions tropicales surtout en Orient et en Afrique. Par contre elle avait pratiquement disparu en France depuis la Deuxième Guerre mondiale, sauf dans les ports où quelques cas étaient découverts. Le chancre mou a ensuite fait une réapparition dans notre pays depuis 1973 et connaît une recrudescence assez nette.

Depuis une dizaine d'années le chancre mou procède en France par plusieurs vagues épidémiques surtout dans les grandes villes et les villes portuaires. A Paris le chancre mou se voit dans certains quartiers, en particulier ceux où se trouvent les travailleurs immigrés, d'autant que les premiers chancres mous touchaient toujours les gens de couleur. Les sources de contamination se retrouvent dans les milieux les plus défavorisés de la prostitution.

Le chancre mou est 10 à 20 fois plus fréquent chez l'homme que chez la femme.

Clinique

La période d'incubation est très courte, de 1 à 5 jours, parfois plus longue allant jusqu'à 15 jours.

Dans sa forme typique le chancre mou est unique, donnant une ulcération (ou cratère) profonde, douloureuse, arrondie ou ovalaire, de 3 à 15 millimètres de diamètre, dont le fond est sale recouvert d'un enduit purulent, prêt à saigner à la moindre friction, à base non indurée, à l'inverse de chancre syphilitique. Ses bords sont nets, mais déchiquetés et irréguliers, parfois décollés et souvent surélevés, dessinant un liseré jaunâtre doublé extérieurement par un fin liseré rouge, hémorragique.

Mais souvent le chancre mou est multiple, avec des ulcérations plus ou moins profondes arrondies ou ovalaires, pouvant confluer entre elles, avec des tailles allant de quelques millimètres à quelques centimètres de diamètre, en particulier lorsqu'elles sont confluentes.

Le chancre mou s'accompagne dans 2/3 des cas environ d'une adénopathie beaucoup plus rarement retrouvée chez la femme que chez l'homme. Il s'agit d'une adénopathie inguinale unilatérale, en général du côté du chancre ou en cas de chancres multiples à prédominance gauche, apparaissant dans les 15 premiers jours du chancre, favorisée par la fatigue.

C'est une adénopathie nettement inflammatoire, douloureuse, qui en l'absence de traitement évolue vers la suppuration, réalisant ce que l'on appelle le bubon chancrelleux. Ce bubon peut se fistuliser, c'est-à-dire s'ouvrir à la peau, provoquant l'écoulement d'un pus rose-brun ou « chocolat ».

La durée du ou des chancres est variable. Autrefois, en l'absence de traitement elle pouvait atteindre plusieurs semaines voire plusieurs mois. Cependant en général vers le 15e jour le ou les chancres deviennent propres, s'indurent et cicatrisent même non traités en 4 à 6 semaines.

En l'absence de traitement le bubon pouvait être à l'origine de complications aujourd'hui disparues ; en dehors des surinfections du chancre qui sont fréquentes, on pouvait observer des phimosis et paraphimosis, des ulcérations extensives atteignant souvent l'abdomen et la partie haute et interne des cuisses, une inflammation du dos de la verge.

Le chancre mou est essentiellement à localisation génitale, siègeant chez la femme au niveau du vestibule, du méat urétral, sur la face interne des petites lèvres, la fourchette ou le clitoris.

Chez l'homme les lésions atteignent le prépuce, le sillon balano-préputial, le fourreau, le gland ou le méat urétral.

D'autres lésions peuvent se développer par auto-contamination sur la face interne des cuisses, sur le périnée et chez l'homme sur le scrotum.

Les localisations périanales se voient surtout chez les homosexuels.

Les formes extra-génitales sont exceptionnelles, cependant il peut y avoir des lésions siègeant autour de la bouche (lèvres) et sur la langue, en particulier chez les homosexuels, à la suite de contact oro-génitaux ou oro-anaux.

Classiquement ces chancres sont douloureux et empêchent souvent les rapports sexuels limitant par ce fait les contaminations. Cependant actuellement le chancre mou est souvent moins inflammatoire et moins douloureux, voire même non douloureux dans près de 1/3 des cas, et les sujets qui en sont atteints ont encore des rapports, ce qui contribue à augmenter le nombre de personnes contaminées.

Le chancre peut être mixte, dû à l'inoculation simultanée du bacille de Ducrey et du tréponème pâle. En raison des périodes d'incubation différentes des deux maladies la lésion prend d'abord l'aspect d'un chancre mou, qui vers le 15e jour s'indure, devient propre, lisse, régulier. Les adénopathies deviennent souvent bilatérales et prennent les caractères de l'adénopathie accompagnant le chancre syphilitique.

Diagnostic et conduite à tenir

Le diagnostic est suspecté devant l'aspect clinique et est confirmé par la mise en évidence du bacille de Ducrey au niveau du chancre, ou dans le pus provenant de la ponction ganglionnaire.

Etant donné que le chancre mou est une maladie très contagieuse, il convient de prévenir les différents partenaires, afin qu'ils se fassent examiner, prélever en laboratoire et éventuellement traiter.

Il faudra arrêter les rapports sexuels pendant toute la durée du chancre.

Le traitement consistera en une hygiène locale associé à la prise de sulfamides ou d'antibiotiques, et donne d'excellents résultats.

En se souvenant que l'on peut contracter en même temps un chancre mou et un chancre syphilitique, il faudra faire surveiller la sérologie de la syphilis en répétant éventuellement les examens à 3 reprises à un mois d'intervalle chacun.

LA DONOVANOSE

C'est une M.S.T., d'évolution chronique, encore appellée : granulome vénérien tropical, granulome ulcéreux génital, granulome inguinal, granulomatose de Donovan.

La première description clinique a été faite par Mac Léod en 1882, puis la bactérie responsable de l'infection fut mise en évidence par Donovan, médecin de l'armée des Indes en 1905.

La donovanose est une maladie observée essentiellement dans les régions tropicales chaudes et humides en particulier aux Indes, en Amérique du Sud, aux Antilles.

Les cas de donovanose, rares en Europe, se voient essentiellement chez les sujets de couleurs en particulier Antillais et Indiens ou chez les navigateurs.

La donovanose est due à une petite bactérie de 1 à 2 microns de longueur, appellée calymmatobactérium granulomatis ou Donovania granulomatis, plus connue sous le nom de corps de Donovan.

La transmission de la donovanose est habituellement sexuelle, mais elle peut être transmise aussi semble-t-il par des contacts intimes et semble être plus fréquente chez les homosexuels.

Cependant, il semble que la maladie soit assez peu contagieuse.

Elle est un peu plus fréquente chez l'homme que chez la femme, s'observant essentiellement entre 20 et 40 ans et surtout dans les classes sociales les plus pauvres.

Clinique

La période d'incubation est variable, allant de 1 à 4 semaines avec une moyenne de 3 semaines, mais parfois beaucoup plus longue, atteignant 3 ou 4 mois.

La lésion initiale est une papule rouge vif de quelques millimètres de diamètre, indolore, reposant sur une base non indurée. Cette lésion augmente lentement de volume et finit par s'ulcérer. Elle forme alors une lésion en « dragée » oblongue ou ovalaire, saillante et surélevée de un à quatre centimètres de diamètre, reposant sur une base non indurée, à contours réguliers, non décollés. Cette formation finit pas s'ulcérer, donnant une ulcération en plateau, à fond rougeâtre ou rouge jaunâtre, souvent recouverte d'un enduit blanchâtre et saignant facilement au contact.

Cette ulcération est indolore, parfois prurigineuse et elle ne s'accompagne en général d'aucune adénopathie satellite, sauf en cas de surinfection.

Cette lésion est localisée dans les 2/3 des cas sur la peau ou la muqueuse de l'appareill génital :

— gland, sillon balano-préputial chez l'homme,

— grandes lèvres et petites lèvres, vagin chez la femme,

— le début peut aussi être anal ou dans la région périanale, dans les 2 sexes, mais en particulier chez l'homosexuel homme, ce qui suggère le rôle de la sodomie dans la transmission de la maladie ; ces localisations anales représentent 30 % à 90 % des cas de la maladie selon certaines statistiques.

— le début peut être exceptionnellement extra-génital ; buccal par exemple après contacts oro-génitaux ou oro-anaux.

L'évolution, très lente, se fait souvent par extension progressive des ulcérations, pouvant alors couvrir de grandes surfaces (toute l'aire génitale, le vagin et le col de l'utérus chez la femme), et peut entraîner des destructions tissulaires importantes, aboutissant à des mutilations, des écoulement nauséabonds et une atteinte de l'état général.

Cette évolution ne se produit qu'en l'absence de traitement, en cas de traitement insuffisant ou inadapté.

Diagnostic et conduite à tenir

Le diagnostic de donovanose sera envisagé devant des lésions ulcéreuses survenant chez un sujet revenant des Indes, des Antilles ou d'Amérique centrale, sans adénopathie satellite.

Le diagnostic sera confirmé par la mise en évidence des corps de Donovan dans les lésions.

Une fois le diagnostic posé, il faudra que le patient prévienne son ou ses partenaires afin qu'ils aillent consulter et le traitement devra être entrepris, simultanément chez tous les partenaires.

Un traitement antibiotique bien adapté permet d'obtenir une guérison sans séquelles, s'il est instauré suffisamment tôt.

Dans le cas de traitement appliqué tardivement chez un malade porteur de lésions destructrices, des interventions de chirurgie plastique et réparatrice pourraient être indiquées.

En l'absence de traitement peuvent survenir des complications : rétrécissement urétral, cystite, fistule vésico-urétrale. Un œdème lymphatique peut là aussi, comme dans la maladie de Nicolas Favre, être à l'origine d'un œdème génital important pouvant aboutir à un « éléphantiasis ».

Les lésions peuvent masquer ou être associées à un chancre syphilitique, un herpès, une maladie de Nicolas Favre, un chancre mou.

Il convient donc de faire pratiquer une sérologie de la syphilis pour éliminer une syphilis associée.

LES VÉGÉTATIONS VÉNÉRIENNES

Ce sont des tumeurs épithéliales bénignes, encore appelées condylomes acuminés, crête de coq ou papillomes.

Elles sont dues à un virus, le virus papillomateux et font partie de la famille des verrues.

Bien que la transmission sexuelle ne soit pas leur seul mode de contamination, les végétations vénériennes peuvent être considérées comme des M.S.T.

En effet il existe des preuves de leur transmission par voie sexuelle.

— Plus de 2/3 des conjoints de patients présentant des végétations vénériennes en sont trouvés porteurs.

— Beaucoup de patients présentant des végétations vénériennes ont d'autres M.S.T.

Bien qu'aucune preuve formelle n'existe, permettant d'associer les végétations vénériennes et les verrues vulgaires de la peau, un petit nombre de sujets porteurs de verrues de la peau développe des végétations vénériennes génitales ou anales, ressemblant aux verrues vulgaires. Et probablement chez ces patients le virus aura été accidentellement transféré par les mains aux zones génito-anales.

Signes cliniques

Les végétations vénériennes atteignent en général l'homme ou la femme adulte essentiellement entre 20 et 45 ans, mais peuvent aussi se voir chez le nouveau-né et le nourrisson dont la mère est porteuse de végétations génitales, et exceptionnellement chez l'enfant.

La contamination se fait par contact direct avec les téguments ou les muqueuses infectées, après une période d'incubation variable, mais en général assez longue allant de 1 à 10 mois, avec une moyenne de 2 ou 3 mois.

Chez l'homme elles siègent surtout sur le sillon balano-préputial, sur la couronne du gland, sur le repli sous préputial, au niveau du méat urétral (les lésions du méat étant souvent associées à un écoulement urétral) beaucoup plus rarement sur le fourreau.

Chez la femme, les végétations vénériennes atteignent surtout la vulve, en particulier les petites lèvres, mais peuvent envahir les parois du vagin et remonter jusqu'au col de l'utérus.

Parfois elles s'étendent aux plis inguinaux et au pubis, à la région anale et périanale, cette dernière localisation chez l'homme étant le plus souvent retrouvée chez les homosexuels, avec parfois extension au canal anal. Les lésions périanales peuvent soit être associées à des lésions génitales, ce qui est le cas la plupart du temps chez la femme, soit être isolées, ce qui est le plus souvent observé chez les homosexuels masculins.

Au début il s'agit de petites excroissances de la peau ou des muqueuses de la taille d'une tête d'épingle à celle d'une tête d'allumette, rose-rouge ou de la couleur des téguments normaux, à surface irrégulière, dentelée, granitée, qui rapidement vont présenter un petit pédicule à leur base, dont l'aspect est très caractéristique.

Mais certaines lésions très minimes, à type de micropapules sont parfois de diagnostic difficile et peuvent souvent passer inaperçues.

Il existe habituellement plusieurs végétations qui à un stade un peu plus avancé deviennent exubérantes, multiples, se groupent entre elles, formant des amas mamelonnés, donnant un aspect en chou-fleur, ou en crête de coq, pédiculés, à surface toujours irrégulière, parsemée de saillies filiformes, dont la taille varie de quelques millimètres à quelques centimètres.

Ces lésions sont toujours indolores, de consistance molle, non indurées à leur base.

Lorsqu'elles siègent sur la peau, elles sont moins saillantes, souvent pigmentées en brun, mais avec une surface toujours très irrégulière et granitée.

Lorsqu'elles siègent autour de l'anus les végétations sont habituellement plus développées que sur les zones génitales.

Outre cette forme de condylome acuminé proliférant qui est la forme la plus fréquente, des verrues vulgaires peuvent aussi se développer au niveau des organes génitaux et de la région péri anale, souvent en association avec des verrues identiques apparaissant à un autre endroit du corps.

Spontanément l'évolution des végétations vénériennes est variable. En général les lésions se multiplient par auto-inoculation et peuvent envahir toute la région génitale et périanale. Néanmoins cette extension est très variable d'un individu à l'autre et malgré le temps ces lésions peuvent rester limitées en nombre et en taille. Une disparition spontanée est possible mais beaucoup plus rare qu'avec les verrues vulgaires.

Plusieurs facteurs peuvent favoriser cette extension qui est plus importante que celle des verrues vulgaires :

— Tous les états ou les traitements concourant à déprimer les défenses immunitaires de l'organisme favorisent cette extension. Et le terrain joue un rôle important ; ainsi certains sujets ayant eu des rapports réguliers avec une personne porteuse de végétations vénériennes n'en seront jamais atteints ; à l'inverse une insuffisance des défenses immunitaires pourrait être un facteur important à l'origine de récidives non expliquées par des recontaminations.

— La grossesse.

— La macération et le manque d'hygiène, ainsi que certaines infections génitales telle trichomonase, candidose, etc. pouvant créer un environnement favorable.

La transformation maligne des végétations vénériennes est très rare, mais peut être à présent considérée comme réelle : ainsi l'association du condylome acuminé de la vulve et du cancer de la vulve.

Diagnostic et conduite à tenir

Le diagnostic repose sur l'examen clinique. Dans la forme habituelle le diagnostic est très facile.

Par contre, les formes à type de micropapules sont de diagnostic plus difficile et devront être différenciées chez l'homme d'une hyperplasie banale des papilles de la couronne du gland.

Une forme rare mais grave est constituée par les papillomes géants, appellés tumeurs de Buschke-Loweinstein, dont la localisation la plus fréquente est le gland mais qui peut aussi siéger autour de l'anus et plus rarement sur la vulve.

Une fois le diagnostic de condylome acuminé posé, il faudra envisager un traitement. Plusieurs type de traitements existent :

— L'électrocoagulation, en général sous anesthésie locale, sauf dans les cas de lésions très étendues pouvant nécessiter l'anesthésie générale ou de lésions minimes pouvant être enlevées sans anesthésie.

— La cryothérapie à la neige carbonique ou mieux à l'azote liquide donne de bons résultats, mais souvent après plusieurs applications à 8 jours d'intervalle. La cicatrisation est rapide.

— L'application de produits caustiques : c'est une méthode simple mais qui est généralement longue (1 mois environ) le malade restant contagieux pendant cette période. Ces produits sont irritants et nécessitent un lavage soigneux après un temps limité d'application.

Le traitement quel qu'il soit nécessite une excellente hygiène locale et la guérison indispensable de toutes infections concomitantes, en particulier chez une femme d'une trichomonase ou d'une candidose vaginale éventuellement associée.

Les partenaires devront être examinés et éventuellement traités simultanément. Une sérologie de la syphilis devra être faite et éventuellement, en cas de négativité, répétée 3 mois après.

Les récidives après traitement constituent le problème majeur de la maladie, car elles sont fréquentes et parfois itératives. Elle sont dues, soit à une réinfection par un partenaire non traité, soit à la méconnaissance de petites lésions passées inaperçues et non traitées, soit plus rarement à un terrain particulier.

LES HÉPATITES VIRALES

L'hépatite virale est une des dernières-nées des maladies sexuellement transmissibles.

La transmission par voie sexuelle de l'hépatite virale, qui représente un des modes de transmission de la maladie, a été établie sur des données virologiques et épidémiologiques.

Il faut savoir qu'il existe plusieurs type d'hépatites :
— les hépatites A,
— les hépatites B,
— les hépatites dite non A non B.

Elles sont toutes trois dues à un virus, qui est différent pour chacune d'entre elle.

Et il existe aussi des hépatites dues à un virus encore différent, le cytomégalovirus.

I. — LES VIRUS DES HÉPATITES

A) Le virus de l'hépatite A

Dans la ville de San Francisco aux Etats-Unis l'incidence de l'hépatite non B chez l'homme entre 20 et 40 ans est 6 fois plus élevée que chez la femme du même âge. Cette différence a été attribuée à la transmission sexuelle de l'hépatite A chez les homosexuels hommes.

L'hépatite A peut être transmise par contact ano-buccal. Au cours de ces rapports c'est la personne qui a un contact oral qui s'infecte au contact de son partenaire.

On a remarqué dans d'autres études que les sujets consultant en vénérologie ont une prévalence plus élevée d'anticorps antivirus A par rapport à des témoins et cela pour les femmes aussi bien que pour les hommes homo ou hétérosexuels.

Une autre statistique a montré que la prévalence de l'anticorps antivirus A est corrélée au nombre de partenaires, indépendamment de l'âge, du sexe et du caractère homo ou hétérosexuel des rapports.

La contamination par le virus de l'hépatite A se fait, outre par contact oro-anal, par des aliments souillés, l'eau contaminée et par les selles des malades.

B) Le virus de l'hépatite B

La partie infectante du virus de l'hépatite B est appelée antigène Australia ou antigène Hbs.

L'antigène Hbs se voit chez les malades en période d'incubation ou en cours d'hépatite B, mais aussi chez les sujets sains, dits porteurs sains, qui font une hépatite sans aucun symptôme, et chez des malades guéris de leur hépatite B.

Les porteurs d'antigène Hbs sont très fréquemment rencontrés dans l'entourage des sujets atteints d'hépatite B, ce qui fait penser que beaucoup de ces sujets contacts font une hépatite asymptomatique.

Outre dans le sang, l'antigène Hbs est retrouvé dans la salive, le sperme, les sécrétions vaginales, le sang des règles et peut être même dans les urines et dans les selles, d'où de multiples possibilités de contamination.

Donc la transmission par voie sanguine n'est pas le seul mode de contamination pour le virus de l'hépatite B, comme on avait pu le penser jusque il y a quelques années. Lorsqu'elle fut identifiée en 1945, l'hépatite B fut appellée « hépatite de la seringue », car on avait remarqué qu'elle se transmettait à l'occasion de traitements par injections. Ce mode de transmission a disparu depuis que l'on utilise des aiguilles stériles à usage unique.

De même la transmission par transfusion sanguine est actuellement exceptionnelle, depuis que l'on recherche systématiquement l'antigène Hbs chez tous les éventuels donneurs de sang, et que tous les sujets porteurs de l'antigène Australia sont éliminés en tant que donneurs de sang.

Donc outre par voie sanguine, l'hépatite B pourra être transmise lors de rapports sexuels, voire même lors d'un baiser, peut-être lors d'un contact oro-anal ou à partir des selles des malades et une mère pourra même contaminer son nouveau-né au moment de l'accouchement.

On a constaté qu'un homme ou une femme marié(e) ayant une hépatite B pouvait transmettre l'infection à son (sa) conjoint(e) dans 20 % des cas environ, mais en général à aucun autre membre de la famille.

Par contre la transmission sexuelle de l'hépatite B à partir de porteurs sains du virus est beaucoup plus contreversée et semble aléatoire.

On a remarqué que la présence d'antigène Hbs et d'anticorps anti Hbs est fréquente dans les populations à vie sexuelle active (prostituées, homosexuels) et chez les sujets ayant d'autres M.S.T.

Le rôle respectif des différents modes de rapports sexuels et en particulier le rôle de la salive dans la transmission du virus B n'est pas clairement élucidé.

Il semblerait que les homosexuels ayant un rôle « passif anal » soient plus exposés au virus B que le reste de la population.

C) Le virus de l'hépatite non A, non B

Il s'agit d'une hépatite qui n'est due ni au virus A, ni au virus B.

Pour l'instant seule la transmission par transfusion semble établie pour ce virus. Mais les analogies de ce virus avec le virus de l'hépatite B rendent très vraisemblable l'hypothèse d'une transmission par voie sexuelle.

D) Le cytomégalovirus (C.M.V.)

Les infections à C.M.V. ont une incidence maximale chez le sujet jeune.

La transmission sexuelle du C.M.V. est possible, mais pas encore démontrée. On trouve le C.M.V. dans la salive, les selles, les sécrétions vaginales, le sperme et les urines.

La transmission par contacts buccaux est fortement suspectée. Les transmissions par promiscuité sont établies. En effet chez les lycéens pensionnaires on retrouve des anticorps anti-C.M.V. dans 80 % des cas contre 20 % chez des sujets du même âge, non pensionnaires.

Enfin le C.M.V. peut être transmis de la mère à l'enfant pendant l'accouchement ou après la naissance par le lait maternel.

II. — SYMPTOMATOLOGIE DES HÉPATITES

Quel que soit le virus en cause, la symptomatologie de l'hépatite comprend deux phases :

— Tout d'abord une période préictérique (c'est-à-dire précédant la jaunisse).

Elle dure de 1 à 3 semaines et se manifeste par un syndrome pseudo-grippal avec fièvre, fatigue, douleurs articulaires, associé à des signes digestifs plus évocateurs, à type de nausées, de vomissements.

Ces signes cliniques n'évoquent pas toujours l'hépatite et souvent le diagnostic n'est pas fait à ce stade.

Mais dès cette période, le diagnostic biologique est possible, montrant une élévation plus ou moins importante des transaminases (qui sont des enzymes essentiellement hépatiques).

— Puis l'ictère s'installe : c'est la période ictérique : la jaunisse débute par une coloration en brun foncé des urines associée à une décoloration des selles.

Puis apparaît une coloration jaune du blanc des yeux et éventuellement, si l'ictère est assez important, une coloration jaune de la peau.

A ces symptômes s'associe une fatigue souvent intense.

A ce stade le diagnostic devient évident mais il faudra le confirmer par des examens de laboratoire afin d'éliminer d'autres causes d'ictère, qui lorsque l'évolution est favorable, va disparaître en 2 à 6 semaines ; c'est la période de convalescence.

— L'hépatite virale A atteint surtout les adolescents et les adultes jeunes et sa fréquence est telle qu'à 50 ans 90 % des individus ont été contaminés par le virus A, avec ou sans symptômes.

La période d'incubation de l'hépatite A est relativement courte, 15 à 45 jours environ. Son évolution est pratiquement toujours bénigne, guérissant assez rapidement sans séquelles.

— L'hépatite à virus B quant à elle, a une période d'incubation en général plus longue, de 2 à 3 mois en moyenne, variant en fait de un mois et demi à 5 mois.

Elle peut dans certains cas évoluer vers l'hépatite chronique et peut aboutir dans 10 % des cas environ à une cirrhose du foie.

Il existe des formes graves voire foudroyantes d'hépatite B, mais qui heureusement restent rares.

— L'hépatite non A non B a une période d'incubation difficile à préciser. Pour elle, seule la transmission par transfusion a été démontrée.

L'ictère n'apparaît que dans 1/4 des cas de ces hépatites non A non B, et la tendance à la chronicité semble plus grande que pour les hépatites B.

— L'hépatite à cytomégalovirus peut se traduire par une fièvre, une fatigue générale, un syndrome mononucléosique atypique (c'est-à-dire des symptômes proches de la mononucléose infectieuse dont nous allons dire quelques mots dans le chapitre suivant), une hépatite avec des signes cliniques analogues à ceux décrits ci-dessus.

III. — DIAGNOSTIC ET CONDUITE À TENIR DEVANT UNE HÉPATITE

Le diagnostic d'hépatite virale se fera sur la durée de la période d'incubation, sur la notion du mode de contamination, la notion éventuelle de transfusions dans les mois qui précèdent, sur la clinique, en particulier l'ictère. Le diagnostic sera confirmé par les examens de laboratoire (en particulier dosage des transaminases et d'autres tests d'exploration hépatique).

Le diagnostic d'orientation vers une hépatite A, B, non A non B, ou à C.M.V. pourra être déjà envisagé sur ces notions.

Si le médecin désire confirmer le diagnostic de type de l'hépatite il faudra pratiquer une recherche d'antigène Hbs (pour l'hépatite B) une recherche d'anticorps antivirus A de type IgM essentiellement et éventuellement une recherche d'anticorps anti-C.M.V. essentiellement de type IgM là aussi.

En général il n'y a pas de traitement pour ces hépatites, mais on recommande le repos, et une surveillance médicale attentive, clinique et biologique, devra suivre l'évolution de la maladie.

On y associera des règles hygiéno-diététiques strictes (supression complète de l'alcool, des œufs, etc.)

Pour toutes les hépatites, comme pour toutes les maladies

infectieuses, les mesures préventives de contagion sont fonction de leur mode de transmission :

Ainsi il faudra :

— si possible isoler les malades au début de la maladie ;

— éviter le contact permanent avec les malades, le contact avec le sang, les plaies, les selles, les urines du malade, ceci en particulier pour le personnel infirmier et le personnel de laboratoire ;

— l'hygiène fécale devra être surveillée tout particulièrement dans le cadre des collectivités ;

— étant donné la possibilité d'une transmission par voie sexuelle, il est souhaitable de s'abstenir de tous rapports pendant la durée de l'hépatite ;

— un vaccin contre l'hépatite à virus B a été mis au point récemment et est actuellement commercialisé. Il est recommandé chez des personnes dites « à risques » et assurerait une protection d'environ 5 années.

LA MONONUCLÉOSE INFECTIEUSE

Il s'agit d'une maladie virale bénigne, que l'on peut classer dans le cadre des M.S.T., dans la mesure où sa transmission peut se faire par voie oro-orale (transmise par un baiser, elle a été appellée la « maladie des fiancés ») ou par voie oro-anale.

Due a un virus, appelée le virus d'Epstein-Barr, sa transmission peut être de nature tout autre que sexuelle.

Elle atteint essentiellement l'adolescent et l'adulte jeune.

I. — LA SYMPTOMATOLOGIE CLINIQUE

La mononucléose infectieuse débute en général par une angine, avec des adénopathies cervicales et sous-maxillaires essentiellement, parfois volumineuses, associées à de la fièvre et une fatigue souvent importante.

Dans 15 % des cas, elle peut être responsable d'une hépatite avec ictère.

Sa période d'incubation est longue, pouvant souvent dépasser deux mois.

Elle guérit habituellement sans séquelles et sans traitement avec une période de convalescence souvent relativement longue et fatiguante.

II. — LE DIAGNOSTIC ET LA CONDUITE À TENIR DEVANT UNE MONONUCLÉOSE INFECTIEUSE

Le diagnostic de la maladie repose sur la symptomatologie

clinique et il sera affirmé par des examens de laboratoire en particulier le M.N.I. test et la réaction de Paul Bunnell et Davidshon. Ce sont des tests pratiqués sur le sang et qui sont spécifiques de la maladie.

Il faudra isoler les patients, car c'est une maladie contagieuse, et éviter les rapports sexuels, les baisers et tous contacts intimes.

LES SALMONELLOSES ET SHIGELLOSES

Les salmonelles et les shigelles sont des bactéries responsables de syndromes dysentériques, dont la période d'incubation est relativement courte, moins de 72 heures habituellement.

Les dysenteries à shigelles surviennent en général chez des sujets ayant séjourné à l'étranger, dans un pays où ces germes sévissent fréquemment, ou chez les adultes qui ont dans leur entourage un enfant infecté, la transmission de l'infection se faisant alors par les selles contaminées.

Les entérites à salmonelles sont souvent dues à l'ingestion d'aliments contaminés, les salmonelles étant surtout responsables de toxi-infections alimentaires en particulier dans les collectivités. Elles peuvent, elles aussi, être transmises par les selles d'un enfant atteint.

Mais, outre ces modes de contamination, les entérites à salmonelles et à shigelles peuvent aussi être transmise par contact sexuel, et cette transmission sexuelle est particulièrement fréquente chez les homosexuels hommes, qui souvent font des formes asymptomatiques.

Les entérites à salmonelles et à shigelles font donc partie des M.S.T., la transmission se faisant très vraisemblablement par contact oro-anal. Et chez tout adulte présentant une salmonellose ou une shigellose non expliquée par un séjour à l'étranger, par une contamination alimentaire ou par la présence dans son entourage d'un enfant infecté, il faudra toujours envisager la possibilité d'une transmission par voie sexuelle.

Diagnostic et conduite à tenir

Le diagnostic repose sur le tableau clinique du syndrome dysentérique responsable de nausées et vomissements, de diarrhées faites de selles fréquentes, liquides, contenant des glaires, du sang ou du pus, souvent accompagnés de douleurs abdominales, de signes de déshydratation et de fièvre.

La notion d'un séjour à l'étranger (Afrique du Nord ou pays tropicaux), d'un enfant contaminé dans l'entourage ou d'un contact sexuel oriente le diagnostic.

Le diagnostic sera confirmé par la mise en évidence des germes en cause, salmonelles ou shigelles, dans les selles du malade.

Le traitement est simple à base de sulfamides ou d'antibiotiques et permet une guérison rapide. En cas de suspicion de transmission sexuelle il faudra que le ou les partenaires soient traités même si ils ne présentent aucun symptôme, car ils peuvent être des porteurs sains de germes et sont dans ce cas contagieux.

LES AMIBIASES ET LES GIARDIASES

L'amibiase

L'amibiase est une infection parasitaire responsable d'un syndrome dysentérique, dit dysenterie amibienne par opposition aux dysenteries bacillaires que nous avons vues précédemment.

La dysenterie amibienne est très répandue dans les pays chauds mais il en existe des foyers dans le monde entier. Elle est due à un parasite appelé entamoeba histolytica, qui est éliminé dans les selles, en général sous forme de kystes, par les sujets infectés.

La contamination par entamoeba histolytica se fait habituellement par l'ingestion d'eau souillée ou d'aliments contaminés consommés crus ou insuffisamment cuits.

Mais actuellement on sait que l'amibiase peut être transmise par voie sexuelle, essentiellement par voie ano-orale, mais aussi par contacts génito-oraux, si ceux-ci sont pratiqués après un rapport anal, le pénis souillé par les parasites du rectum pouvant les transporter dans la cavité buccale.

La transmission de l'amibiase pourrait même se faire par des rapports génito-anaux et des formes d'amibiases génitales et anales, très rares il est vrai, ont même été décrites, se voyant essentiellement chez des sujets très infectés et pouvant être responsables de vulvo-vaginites et d'urétrites amibiennes, voire même de chancre anal ou de chancre du pénis.

Dans sa forme habituelle de dysenterie amibienne, l'amibiase a une période d'incubation très variable allant de 1 semaine à 3 mois. Elle est responsable d'un syndrome dysentérique avec douleurs abdominales, envies fréquentes d'aller à la selle. Les selles sont glaireuses, contenant du sang ou du pus. Souvent il s'y associe des frissons et de la fièvre.

Cependant il n'est pas rare de voir des sujets présenter une amibiase chronique avec des symptômes discrets ou sans aucun symptôme.

Diagnostic et conduite à tenir

Le diagnostic sera envisagé devant la symptomatologie du syndrome dysentérique, la notion de séjour à l'étranger ou la notion de contacts sexuels dans les semaines précédant l'apparition des signes cliniques.

Le diagnostic sera confirmé par un examen parasitologique des selles qui mettra en évidence les kystes d'entamoeba histolytica qui représentent la forme infectante de l'amibe et qui sont éliminés dans les selles. Au besoin l'examen parasitologique des selles sera répété.

Une fois le diagnostic d'amibiase posé, il faudra que le patient soit traité et actuellement le traitement de l'amibiase a fait beaucoup de progrès et les amébicides utilisés permettent en général d'obtenir la guérison.

Il faudra toujours, mais surtout en cas de récidive et particulièrement chez les homosexuels, envisager la transmission sexuelle, et faire examiner et éventuellement faire traiter simultanément le ou les partenaires.

La giardiase

La giardiase, encore appelée lambliase, est une infection parasitaire due à giardia intestinalis (autrefois appelé lamblia), qui peut elle aussi être sexuellement transmissible, essentiellement par voie ano-orale. Le giardia intestinalis est responsable d'un syndrome abdominal douloureux, avec souvent des diarrhées faites de selles molles et grasses, et souvent accompagné d'une perte de poids. Par contre il n'y a pas habituellement de sang dans les selles.

L'infection à giardia intestinalis est plus souvent trouvée chez les homosexuels hommes que chez les hétérosexuels, et dans certains cas elle peut-être totalement asymptomatique.

C'est une infection qui peut se voir dans tous les pays et qui est largement répandue à travers le monde.

Il existe un traitement efficace pour cette parasitose, avec là aussi parfois la nécessité de traiter simultanément le ou les partenaires sexuels.

LA GALE

La gale humaine est une maladie contagieuse, fréquente, connue depuis des siècles et qui n'a jamais complètement disparu, due à un parasite appellé sarcoptes scabiei hominis

I. — LE PARASITE

La femelle du parasite, une fois fécondée, creuse un sillon dans la peau, sillon dans lequel elle dépose ses œufs, qu'elle pond dès le 4e jour de l'accouplement, au fur et à mesure de sa progression.

En 3 à 7 jours les œufs donnent naissance à des larves qui vont quitter le sillon pour se loger à la surface de la peau, dans de minuscules logettes. Après plusieurs mues, les larves se transforment en parasites adultes, qui s'accouplent. L'ensemble de ce cycle dure de 2 à 7 semaines.

Après plusieurs mois de reproduction continue, la prolifération des parasites tend à diminuer et une pseudo-guérison peut s'installer.

Le parasite ne pourrait pas vivre, semble-t-il, plus de 4 jours en dehors de son hôte humain.

II. — MODE DE TRANSMISSION

La gale est une maladie qui s'observe dans tous les pays et qui est favorisée par le manque d'hygiène, la misère, le surpeuplement, le déplacement des foules (pèlerinage, guerre...), la promiscuité. Ainsi le nombre de cas de gale augmente chaque année après la période des vacances qui favorisent la promiscuité (colonies de vacances par exemple).

Le plus souvent la transmission de la gale se fait par contact direct nocturne, par exemple lors de rapports sexuels, ou dans le cas de contagion familiale.

La contamination peut se faire aussi par contact direct, le jour cette fois, surtout lors de contacts étroits et lorsque la peau est en transpiration (danse, sport, jeux d'enfants etc.)

La transmission peut enfin être plus rarement indirecte. Cette contamination indirecte a surtout lieu la nuit, par l'intermédiaire de draps ou de couvertures souillés, mais peut être aussi avoir lieu le jour, par l'intermédiaire de vêtements par exemple.

Et dans tous les cas, les personnes partageant le même lit que le sujet atteint, ou même cohabitant avec lui ont de grands risques de contracter la maladie.

III. — SYMPTOMATOLOGIE

La période d'incubation de la gale varie de 2 jours à plusieurs semaines. Elle est fonction de l'hygiène et de la sensibilité du sujet, de la température extérieure (elle est écourtée par temps chaud).

• Le symptôme essentiel de la maladie est l'apparition d'un prurit à prédominance nocturne. Ce prurit est d'intensité variable suivant les individus. Parfois localisé au début, (problablement à l'endroit de la contamination) il se généralise rapidement, épargnant le visage, le cuir chevelu, le cou et habituellement le dos. Et le fait que plusieurs membres d'une même famille se grattent est hautement évocateur de gale. Cependant ce prurit peut manquer, mais ceci est exceptionnel.

• La gale est responsable habituellement de 2 types de lésions :

— Des lésions non spécifiques, dues au grattage à type d'eczéma ou d'excoriations cutanées.

— Des lésions spécifiques qui n'apparaissent pas d'emblée :

• Les sillons, qui sont caractéristiques de la maladie. Ce sont des traits fins, comme tracés par la pointe d'une aiguille, à trajet courbe et sinueux, de 3 à 15 mm de longeur. Le plus souvent ils sont gris noirâtre (poussières, excréments du parasites). Chez les sujets ayant une hygiène parfaite ils peuvent être blancs et difficiles alors à voir.

En général, les sillons sont peu nombreux et parfois ils peuvent être absents, rendant le diagnostic de gale incertain.

• Les vésicules perlées sont de petites vésicules transparentes et peu saillantes, isolées et peu nombreuses ; elles sont beaucoup moins caractéristiques et significatives que les sillons.

La localisation des lésions est très caractéristique et représente un élément majeur du diagnostic de gale.

Les lésions non spécifiques prédominent aux espaces interdigitaux, à la face antérieure des poignets, la face postérieure des coudes, la paroi antérieure des aisselles, les aréoles des seins, la ceinture, le pourtour de l'ombilic, les plis sous-fessiers, et chez l'homme sur le fourreau de la verge et le gland.

Les sillons, eux, siègent essentiellement aux espaces interdigitaux, aux doigts, aux poignets, à la verge chez l'homme, aux plantes des pieds chez le nourrisson.

Par contre signe important, le visage est toujours épargné et le dos généralement indemne

Au niveau de la verge et du gland, les sillons prennent souvent un aspect chancroïde, à type de papulo-pustules ou de grosses papules croûteuses, de 5 à 15 mm de diamètre, souvent allongées, prurigineuses, évocatrices de la gale, mais qui peuvent simuler un chancre syphilitique croûteux.

IV. — ÉVOLUTION

Non traitée, la gale persiste indéfiniment et se complique d'infections cutanées et d'eczéma.

Cependant à la longue les démangeaisons peuvent s'atténuer et les lésions disparaître en partie, mais il ne s'agit pas d'une guérison, seulement d'une phase de rémission pendant laquelle le sujet est contagieux.

Traitée, la maladie peut récidiver après 15 à 20 jours de guérison apparente. La reprise ou la persistance des démangeaisons et des lésions pose le délicat problème de savoir s'il s'agit d'une récidive ou d'une irritation cutanée due au traitement.

En l'absence de traitement la gale peut évoluer vers une forme particulière et compliquée de la maladie que l'on appelle la gale Norvégienne, atteignant surtout les sujets âgés et miséreux. Son aspect est très différent de celui de la gale normale. Elle est responsable d'amas croûteux, irréguliers, durs ou friables, saillants, grisâtres ou jaunâtres, siégeant essentiellement au niveau des mains, des pieds et des coudes, mais parfois disséminés sur toute la surface du corps, atteignant en particulier le visage et le cuir chevelu, avec un prurit d'intensité variable.

V. — DIAGNOSTIC ET CONDUITE À TENIR

Le diagnostic de la gale repose sur l'existence d'un prurit familial, ou d'un prurit atteignant les deux partenaires, sur la topographie des lésions avec intégrité du dos et du visage.

Le diagnostic est confirmé lorsque les sillons existent, sillons qui devront être distingués d'une écorchure ou de stries dues au grattage qui, elles, sont rectilignes, non sinueuses.

On peut aussi rechercher le parasite dans un sillon, il sera visible au microscope, dans le produit obtenu par grattage du sillon.

Une fois le diagnostic de gale posé, deux règles formelles : traiter le même jour tous les partenaires, et toutes les personnes cohabitant avec le malade, et désinfecter le linge, les draps et les vêtements.

Il existe plusieurs traitements efficaces de la gale, qui consistent à appliquer une poudre ou une lotion anti-parasite, 3 jours de suite sur toute la surface du corps et pas seulement au niveau des zones qui démangent.

Au traitement il faudra associer une désinfection du linge et des vêtements.

Le linge de toilette et les draps seront bouillis et lessivés. Tous les vêtements qui ne peuvent être bouillis seront désinfectés en les enfermant dans une grande malle, après avoir été largement poudrés de produit anti-parasite, pendant 24 ou 48 heures, sans oublier les chapeaux, les pantoufles, les chaussures et surtout les gants qui sont une des principales sources de récidive.

LE MOLLUSCUM CONTAGIOSUM

C'est une affection contagieuse, due à un virus de la famille des pox-virus et dont l'aspect est celui d'une petite tumeur de la peau.

Le molluscum contagiosum atteint surtout les sujets jeunes. Il peut se contracter lors de contacts étroits en particulier lors des rapports sexuels, mais aussi dans les piscines et les bains turcs.

La période d'incubation varie de 3 semaines à 3 mois en moyenne.

Disséminés en plus ou moins grand nombre sur une région du corps, les éléments sont de petites élevures hémisphériques très superficielles de la peau, du volume d'une tête d'épingle à celui d'un petit pois, en moyenne de 1 à 5 millimètres de diamètre, atteignant rarement 10 mm, blanchâtres ou légèrement rosées, cireuses et fermes.

Un des caractères principaux de ces petites tumeurs hémisphériques est d'être ombiliquées à leur sommet (c'est-à-dire que leur sommet est percé par un petit cratère).

Le contenu de ces petites tuméfactions est une matière blanchâtre, épaisse, graniteuse, riche en virus et très contagieuse que l'on peut extraire par l'orifice central lors de la pression forte, entre deux doigts, d'un élément évolué.

Dans des cas exceptionnels, le molluscum contagiosum peut atteindre une taille considérable, formant alors une véritable tumeur à surface lisse ou irrégulière.

En cas de transmission non sexuelle les lésions siègent souvent au tronc, aux membres et au visage ; lors d'une transmission sexuelle on trouve les lésions essentiellement dans les régions génitales, au niveau des cuisses et souvent sur les fesses chez les homosexuels.

Lors de ce dernier mode de contamination, on pourra aussi observer des lésions autour de la bouche et sur n'importe quelle autre partie du corps.

Ces lésions du molluscum contagiosum sont toujours indolores, tout au plus parfois peuvent-elles être source de démangeaisons.

Ces éléments soit isolés, soit groupés s'essaiment par auto-inoculation, c'est-à-dire qu'une zone saine du corps pourra être contaminée par exemple par un doigt souillé, à partir d'un élément situé dans une toute autre région.

Non traitées, les lésions se multiplient à un rythme plus ou moins rapide, pouvant persister des années, voire indéfiniment. Cependant certains éléments peuvent parfois guérir spontanément, d'autres peuvent se surinfecter, suppurer et s'évacuer en laissant une petite cicatrice.

Le diagnostic de molluscum contagiosum est en général facile lorsque les éléments sont ombiliqués en leur centre, par contre il peut être plus difficile si les éléments ne présentent pas de dépression à leur sommet ce qui peut être parfois le cas ou s'ils se développent anormalement.

Une fois le diagnostic posé, il faudra faire examiner les partenaires.

Le traitement consiste à détruire ou à extirper chaque lésion soit par l'azote liquide, soit par électrocoagulation, soit par extirpation à la curette suivie d'une cautérisation à la teinture d'iode.

Quel que soit le traitement, les récidives peuvent être assez fréquentes, soit par recontamination par un partenaire non traité, soit en raison de lésions minimes, invisibles ou passées inaperçues.

LA PHTIRIASE

La phtiriase du pubis est une M.S.T. fréquente, répandue dans le monde entier, due au pou du pubis ou « morpion ».

Trois types de poux peuvent infester l'homme : le pou de la tête ou pédiculus hominis capitis, le pou du corps ou pédiculus hominis corporis, et le pou du pubis ou pédiculus pubis encore appelé phtirus inguinale ou « morpion ».

Le pou du pubis n'infeste pas les animaux domestiques, mais seul l'homme peut être atteint.

Il se transmet habituellement lors des rapports sexuels ou de contacts étroits, mais la contamination peut aussi se faire indirectement :

— vêtements prêtés : caleçon de bain ou de sport,
— literie contaminée,
— linge de toilette souillé,
— siège de W.C. infecté.

Contrairement aux poux du corps, les poux du pubis vivent non pas dans les vêtements, mais dans le système pileux de la région génitale et parfois ils peuvent même gagner les régions poilues avoisinantes ou distantes : abdomen, cuisses, anus, aisselles et même barbe, moustache, cils et sourcils.

Le principal signe de la phtiriase du pubis est un prurit intense et permanent de la région pubienne, pouvant survenir parfois plusieurs semaines après la contamination. Peuvent s'y associer des lésions de la peau à type d'eczéma, conséquences du grattage.

Des taches bleu ardoisé, très pâles, ovalaires ou arrondies non prurigineuses parsèment parfois l'abdomen et les cuisses. Ces taches, lorsqu'elles existent, sont très caractéristiques de la phtiriase inguinale. Elles sont dues à la salive venimeuse des poux adultes.

Le diagnostic de phtiriase inguinale est habituellement facile, car l'examen attentif permet de retrouver de nombreux parasites et lentes. Les poux adultes, collés à la peau et immobiles, sont de la taille d'une tête d'épingle, en forme d'« écusson », de couleur grisâtre, avec des pattes à crochet leur permettant de s'accrocher à la peau à l'émergence des poils. Il faut utiliser une pince pour les arracher car ils sont fortement agrippés à la peau par leurs crochets.

Les adultes femelles pondent des œufs ou lentes contenus dans un sac qui adhère à la base du poil. Les lentes ont une forme lenticulaire, de quelques millimètres de longueur, gris pâle. L'éclosion des œufs se fait en moyenne une semaine plus tard.

Le diagnostic de phtiriase du pubis peut souvent être fait sur le simple examen du slip du patient. On y trouve de nombreuses petites taches noires ou rouille, de la taille d'une tête d'épingle, qui correspondent aux excrétas des poux.

Le diagnostic peut être plus difficile chez les personnes ayant une hygiène particulièrement soignée, les poux adultes étant généralement peu nombreux et se localisant plus volontiers dans la région anale.

Une fois le diagnostic de phtiriase du pubis posé, tous les partenaires devront être examinés et éventuellement traités.

Le traitement consiste à poudrer au DTT par exemple les zones atteintes pendant quelques jours, en prenant la précaution de faire traiter le ou les partenaires infectés.

Le linge de corps sera lessivé, et il est prudent de désinfecter les vêtements.

L'OXYUROSE

L'oxyurose est une maladie contagieuse, fréquente, que l'on rencontre dans tous les pays du monde, qui sévit surtout chez les enfants, mais peut assez fréquemment atteindre les adultes. Elle est due à un parasite appelé entérobius vermicularis ou oxyure, qui est un petit ver blanchâtre de 5 à 10 mm de long.

Les vers adultes vivent dans le gros intestin de l'homme ou de la femme infecté et sont éliminés dans les selles, sous la forme de petits éléments blanchâtres mobiles.

Les vers adultes femelles peuvent en outre sortir activement du rectum, en dehors des émissions de selles, en particulier le soir au moment du coucher et à la chaleur du lit, provoquant des chatouillements et des démangeaisons au niveau de l'anus.

Ces femelles adultes qui sortent activement du rectum vont pondre des œufs au niveau de l'anus, où les œufs vont s'accumuler et où la main, dans un réflexe de grattage vient les reprendre (surtout par les ongles) et assure ainsi une auto-infestation facile et importante.

C'est ainsi que les enfants, en particulier, subiront une infestation massive. Ces œufs sont de plus très résistants à l'air libre.

Ainsi la transmission de l'oxyurose pourra se faire, soit par des aliments souillés par des œufs présents dans l'air ou au niveau de mains contaminées, soit par des mains sales (auto-infestation en particulier) soit par contact avec des selles ou un anus infestés (par exemple lors d'un contact sexuel oro-anal).

Le symptôme essentiel de la maladie est le prurit anal, souvent intense et très gênant. En cas d'infestation massive le prurit peut s'accompagner de troubles intestinaux assez marqués.

Le diagnostic sera fait soit par la recherche des vers adultes dans les selles, soit mieux encore par la recherche des œufs au niveau de la marge de l'anus par un test simple, appellé test de Graham ou « scotch-test ». Ce test consiste à recueillir, sur la face adhésive appliquée sur l'anus d'une bande de cellophane adhésif (scotch), les œufs pondus par les femelles au niveau de la marge anale et à les rechercher à l'examen microscopique. En cas de négativité, ce test devra être répété quelques jours plus tard.

Une fois le diagnostic d'oxyurose posé, toutes les personnes vivant sous le même toit ou tous les partenaires sexuels devront être traités simultanément.

Le traitement, pour être parfaitement efficace, devra être associé à quelques mesures d'hygiène : couper ras les ongles des mains, brosser à l'eau savonneuse les mains et les ongles après les selles et avant chaque repas, éviter (surtout chez les enfants) de porter les mains à la bouche.

Le jour du traitement, il est nécessaire de changer le linge de corps et les draps.

LE S.I.D.A.

Ce sigle très « à la mode » actuellement en France, était en fait encore inconnu de la majorité des gens dans notre pays, il y a à peine un an. Cependant, aux Etats-Unis, ce syndrome est connu sous le nom de A.I.D.S. (acquired immuno deficiency syndrome) depuis déjà quelque trois ans.

Ces quatres lettres désignent un syndrome, c'est-à-dire un ensemble de symptômes, qui se développe actuellement sur un mode relativement « explosif », et signifient « Syndrome d'Immuno Déficit Acquis ». Il s'agit donc d'un syndrome caractérisé par un déficit immunitaire acquis, c'est-à-dire qui n'existait pas chez ces patients à la naissance. La notion de déficit immunitaire représentant l'élément essentiel de ce syndrome, il est logique et indispensable de commencer ce chapitre consacré au S.I.D.A. par un bref aperçu de l'immunité et de ses mécanismes pour une meilleure compréhension de ce syndrome.

I. — LES DÉFENSES IMMUNITAIRES

1) La réponse immunitaire

Chaque fois qu'une « substance étrangère » quelle qu'elle soit : agents infectieux (bactérie, virus, parasites, champignons) ou agents non infectieux (poussières, particules contenues dans l'air, cellules transfusées, etc.) pénètre dans l'organisme, celui-ci a la capacité de la reconnaître comme étrangère, différente de ses propres constituants, grâce à des cellules mobiles circulantes, les lymphocytes.

Les substances qui peuvent être perçues par ce système de reconnaissance de l'organisme, réprésenté par les lymphocytes, sont appelés antigènes.

L'organisme va alors réagir contre cet « intrus » par un ensemble de réactions, destinées en général à rejeter cet intrus, que l'on regroupe sous le terme de réponse immunitaire.

Cette réponse immunitaire à un antigène peut être en fait de deux types différents, lesquels sont d'ailleurs observés ensemble le plus souvent :

— Une réponse immunitaire dite à médiation cellulaire, c'est-à-dire faisant intervenir des cellules, mais sans production d'anticorps. Cette immunité à médiation cellulaire est assurée essentiellement par des lymphocytes, dits lymphocytes T, dont la multiplication et la différenciation en cellules effectrices, appelées cellules cytotoxiques (qui sont des cellules de rejet de l'antigène), résument la réponse immunitaire.

— Une réponse immunitaire à médiation humorale, assurée quant à elle par des lymphocytes B, qui vont se multiplier, subir une maturation aboutissant à des cellules, les plasmocytes, qui vont fabriquer et libérer dans la circulation des anticorps, qui sont des substances protéïques dirigées spécifiquement contre l'antigène en question, et pouvant se lier de manière spécifique avec cet antigène responsable de leur production.

Il existe deux types essentiels de lymphocytes T :

— Les lymphocytes T dits auxilliaires ou « helper » (T.H.), qui stimulent la réponse immunitaire. Ce lymphocyte T helper représente la cellule clef de la réponse immunitaire.

Ce sont les lymphocytes T helper qui entrent en contact avec l'antigène étranger et qui, stimulés par cet antigène, sont responsables des interactions cellulaires qui permettent la différenciation des lymphocytes T en cellules effectrices cytotoxiques, mais aussi la différenciation des lymphocytes B en cellules productrices d'anticorps. La cellule T helper est donc la cellule inductrice de la réponse immunitaire.

— Les lymphocytes T suppresseurs (T.S.) qui, eux, assurent un rôle régulateur de la réponse immunitaire et en limitent l'extension. Ce sont des cellules qui freinent la réponse immunitaire.

En général un équilibre s'instaure entre stimulation et freinage de la réponse immunitaire, de manière à avoir une réponse suffisante pour venir à bout de l'antigène, mais pas trop importante, pour ne pas voir apparaître, ou au moins pour limiter les effets nocifs pour l'organisme d'une réponse immunitaire exacerbée.

Après un contact avec un antigène, l'organisme, par l'intermédiaire de lymphocytes dits « à mémoire », conserve l'information de la première introduction de l'antigène, et à une nouvelle introduction de ce même antigène, la réponse immunitaire sera plus rapide et plus intense.

Donc la réponse immunitaire aboutit à une grande production de lymphocytes et/ou d'anticorps, reconnaissant l'antigène. Mais la simple liaison de ces éléments avec l'antigène n'est qu'exceptionnellement capable, à elle seule, d'entraîner un rejet de cet antigène.

Des mécanismes secondaires, amplificateurs, ont lieu, qui recrutent diverses cellules ou activent des médiateurs chimiques, et permettent l'élimination de l'antigène soit à bas bruit, soit au prix d'une réaction inflammatoire.

Les « effets favorables » et « défavorables » de l'immunité sont donc étroitement liés.

L'individu normalement en contact permanent avec des antigènes extérieurs reste cependant, dans un « état de santé » à la fois à l'abri de la pénétration massive de ces substances, et à l'abri des manifestations inflammatoires d'une réponse immunitaire exacerbée, grâce à une régulation extrêmement fine et complète.

Outre les lymphocytes, d'autres cellules (macrophages, polynucléaires, etc.) interviennent dans la réponse immunitaire et l'ensemble de ces cellules sont regroupées sous le nom de cellules lymphoïdes.

En effet les deux types de réponses immunitaires, cellulaire et humorale, sont étroitement intriqués, avec une coopération des lymphocytes T et B, et intervention d'autres cellules.

2) Rôle des différents types d'immunité

A) Rôle de l'immunité humorale :

Les anticorps ont un rôle protecteur en agissant dans le sens de la destruction des germes, parasites et virus. Cependant, leur rôle protecteur a des limites. Ainsi les anticorps peuvent empêcher les virus de pénétrer dans les cellules en favorisant leur agrégation, leur lyse ou leur phagocytose pendant leur passage dans le sang, mais ils sont inactifs sur les virus au stade de replication dans les cellules.

En cas de déficit de l'immunité humorale se développent essentiellement des infections dues à des bactéries extracellulaires, dites germes pyogènes, mais les infections virales sont en général à peine plus sévères que chez les sujets normaux.

B) **Rôle de l'immunité cellulaire :**

L'immunité cellulaire joue un rôle contre tous les agents infectieux : germes intracellulaires, virus intracellulaires, champignons, parasites intracellulaires, par plusieurs mécanismes :

— d'une part par la phagocytose, qui est la capacité, pour une cellule, essentiellement les macrophages, d'ingérer une particule étrangère (exemple : une bactérie) ;

— d'autre part, en tuant les cellules contaminées par la bactérie, le virus ou le parasite grâce aux lymphocytes T cytoxiques, permettant ainsi l'éradication des virus et bactéries intracellulaires.

Les lymphocytes T complètent leur action par la secrétion de substances appelées lymphokines, par la stimulation des macrophages qui vont alors produire de l'interféron β, et par la production d'interféron γ.

On appelle interféron des substances libérées par des cellules infectées par un virus (c'est l'interféron α) ou par des cellules du système immunitaire activées (interférons β et γ) qui sont capables d'inhiber la division cellulaire et la replication des virus dans les cellules, de stimuler certaines cellules immunitaires effectrices déjà différenciées (lymphocytes T cytotoxiques ou cellules B productrices d'anticorps) ou des cellules « tueuses » non spécifiques (cellules N.K. « natural killer »).

— Enfin, surtout en provoquant une réaction inflammatoire par les lymphokines, au voisinage de toutes cellules contaminées, entraînant une destruction des cellules contaminées, mais aussi des cellules saines avoisinantes.

Chaque fois qu'il y aura un déficit de l'immunité à médiation cellulaire, viroses graves, voire mortelles, et infections dites « opportunistes » sont beaucoup plus fréquentes. On verra alors se développer des infections à germes se comportant en parasites intracellulaires facultatifs tels que bacille de Koch (bacille de la tuberculose), toxoplasme, pneumocystis carinii, candida et de nombreux virus.

Dans le déficit de l'immunité cellulaire, la numération formule sanguine (qui est un examen qui consite à compter les globules rouges et les globules blancs du sang et à déterminer le pourcentage des différents types de globules blancs) fournit déjà un renseignement majeur, montrant une diminution du nombre des lymphocytes dans le sang, qui oriente vers un déficit de l'immunité cellulaire. Cependant, un taux normal de lymphocytes n'exclut pas un déficit de l'immunité cellulaire.

II. — LE S.I.D.A.

Dans le S.I.D.A., le déficit immunitaire porte essentiellement sur l'immunité à médiation cellulaire.

On va donc voir apparaître principalement des infections virales, des infections à bactéries intracellulaires, à champignons et à parasites, dites « opportunistes », c'est-à-dire profitant de ce terrain présentant une déficience de ses réponses immunitaires, pour se développer, ainsi que certains cancers « opportunistes », tel le sarcome de Kaposi (l'immunité à médiation cellulaire jouant un rôle dans la protection contre les cancers).

Ce syndrome a tout d'abord été observé aux Etats-Unis, essentiellement mais non exclusivement parmi la communauté homosexuelle masculine, mais cette étrange pathologie a ensuite fait des victimes à Haïti, dans la population haïtienne immigrée aux Etats-Unis, en Afrique centrale et en Europe.

L'origine de l'« épidémie » demeure obscure. En effet des cas de maladies identiques aux cas de S.I.D.A. observés aux Etats-Unis ont été rapportés chez des immigrants du Tchad et du Zaïre qui n'avaient jamais fait auparavant de visites aux Etats-Unis, et qui avaient vécu en Europe pendant les mois ou les années précédant le début clinique de l'affection.

Ainsi, en Belgique, une cinquantaine de cas, représentant la quasi-totalité des cas rapportés dans ce pays, ont été décrits chez des Zaïrois non homosexuels, hommes et femmes. Cette situation est similaire à celle des Haïtiens hétéroxexuels, qui développent un

S.I.D.A. après avoir résidé aux Etats-Unis pendant une période allant de 2 à 10 ans. Une telle constatation suggère que le S.I.D.A. serait peut-être apparu auparavant de façon sporadique dans certaines régions et que sa forme « épidémique » serait liée à une amplification de facteurs due en partie au mode de vie des homosexuels ayant, dans les grandes zones urbaines, une forte activité sexuelle.

Il semblerait que la source de la maladie soit l'Afrique. De l'Afrique, elle aurait atteint Haïti, et à partir d'Haïti les Etats-Unis ou inversement. Et le S.I.D.A. serait arrivé en Europe par les Etats-Unis, sauf le cas de la Belgique où il serait directement arrivé d'Afrique.

Cependant, tout ceci reste hypothétique, et la véritable source de l'« épidémie » reste encore obscure.

Les pays de l'Europe de l'Est semblent peu touchés pour l'instant par le S.I.D.A. : il y aurait un cas en U.R.S.S., mais dans ce pays l'homosexualité est « interdite » et il n'y a pas d'échanges de sang entre les pays de l'Est et les pays de l'Ouest. Deux cas auraient été observés en Tchécoslovaquie.

A) Transmission, contagiosité et sujets dits « à risques »

C'est un fait que le S.I.D.A. atteint beaucoup plus la population homosexuelle masculine, et en particulier les homosexuels ayant des partenaires multiples.

Une étude faite sur la répartition dans les différentes villes des Etats-Unis de tous les cas de S.I.D.A. observés jusqu'en mai 1983 (soit 1450 cas) permet de montrer qu'en général les villes avec les plus forts taux d'atteintes sont celles où il y a une importante et active population d'homosexuels masculins.

Cependant, dans certaines villes, qui ont une population homosexuelle relativement importante, peu de cas ont été observés ; mais dans ces villes des cas de lymphadénopathie prolongée et inexpliquée, qui serait un stade pré-S.I.D.A., sont actuellement observés avec une fréquence accrue.

Ce syndrome de lymphadénopathies est peut-être un état précédant le S.I.D.A. dans certains cas, et l'augmentation de son incidence dans les zones où le syndrome est inhabituel, peut être prémonitoire d'une progression plus tardive du S.I.D.A.

En octobre 1981, une étude faite sur les homosexuels atteints de S.I.D.A. comparés à un groupe témoin d'homosexuels sains a montré que le premier groupe, par rapport au groupe témoin :

— avait un nombre plus élevé de partenaires masculins par an ;

— était semble-t-il plus exposés aux fécès durant l'acte sexuel ;

— avait eu plus fréquemment certaines M.S.T. (syphilis, hépatite non B, entérites parasitaires) ;

— avait plus fréquemment utilisé des drogues.

Etant donné les nombres respectifs d'homosexuels et d'hétérosexuels dans la population générale, le fait d'avoir un pourcentage nettement supérieur à 50 % d'homosexuels masculins victimes du S.I.D.A. traduit de manière évidente que le risque de S.I.D.A. est de loin plus élevé pour les homosexuels masculins que pour les hétérosexuels, quel que soit leur sexe.

A l'apparition des premiers cas de S.I.D.A. aux Etats-Unis dans le premier semestre de l'année 1979, et pendant les mois qui suivirent, les homosexuels représentaient plus de 95 % des sujets atteints de S.I.D.A. Puis ce pourcentage a progressivement décru, et est actuellement de 71 %, et probablement décroîtra encore avec l'apparition de nouveaux groupes à risques.

De plus, il faut dire que les homosexuels vivant en couple stable ne présentent aucun risque accru de contracter la maladie, de même d'ailleurs que les hétérosexuels vivant en couple.

Au fur et à mesure de la progression de la maladie sont apparus d'autres groupes à risques pour le S.I.D.A. (voir tableau n° 2)

— A part les homosexuels, un autre groupe à risques est représenté par les sujets ayant des rapports sexuels avec des partenaires multiples, en particulier avec des partenaires appartenant à des groupes à risques.

TABLEAU 2. — *Distribution des facteurs de risques sur 1450 cas recensés aux Etats-Unis en mai 1983*

	HOMMES		FEMMES		TOTAL	
	Nombre absolu	% des hommes atteints	Nombre absolu	% des femmes atteintes	Nombre absolu	% du total des cas
Homo ou bisexuels	1 031	75,9 %	0	0	1 031	71,1 %
Utilisateur de drogues I.V. et pas d'histoire d'homosexualité	199	14,7 %	49	53,3 %	248	17,1 %
Haïtiens sans histoire d'homosexualité, sans utilisation de drogue I.V.	66	4,9 %	9	9,8 %	75	5,2 %
Hémophiles, non homosexuels, non Haïtiens pas de drogue I.V.	12	0,9 %	0	0	12	0,8 %
Pas d'appartenance à un groupe à risque connu	50	3,7 %	34	37 %	84	5,7 %
TOTAL	1 358	93,7 %	92	6,3 %	1 450	100 %

En effet le S.I.D.A. peut se transmettre non seulement d'homme à homme, c'est le cas des homoxesuels, mais aussi d'homme à femme, et moins sûrement de femme à homme ; (on ne sait pas encore de manière certaine si les femmes atteintes peuvent contaminer leurs partenaires masculins.)

Ce n'est que dans le cas de grande promiscuité sexuelle que le danger de contamination existe réellement. Plus le nombre de partenaires est élevé, plus le risque semble être grand. Il faut insister aussi sur le « type » de partenaires : s'il sagit de partenaires ayant eux-mêmes de multiples partenaires, le risque est bien entendu accru.

— Un troisième groupe à risque est constitué par les sujets recevant fréquemment des transfusions de sang ou de dérivés du sang, comme par exemple les hémophiles.

Récemment quelques cas de S.I.D.A. ont été observés chez des adultes et des enfants ne présentant aucun facteur de risque bien défini. Ils recevaient des transfusions sanguines dans les trois années précédant le début de la maladie.

Après enquête, on s'aperçut que certains donneurs de sang faisaient partie d'un groupe à risques pour le S.I.D.A., et que certains avaient présenté une lymphadénopathie généralisée inexpliquée ou un déséquilibre asymptomatmique des lymphocytes T.

Ces cas de survenue de S.I.D.A. chez des sujets ne présentant aucun facteur de risque pour la maladie, à la suite de transfusions sanguines, de même que la survenue de l'affection chez les hémophiles après transfusion de produits dérivés du sang, suggèrent que le S.I.D.A. peut être transmis par le sang ou ses dérivés. Le service de santé publique U.S. a donné des recommandations pour que les personnes à haut risque de S.I.D.A. et leurs partenaires sexuels s'abstiennent de donner leur sang. Le Conseil de l'Europe a lui aussi donné des consignes, allant dans ce sens. Beaucoup de centres d'hémophiles ont limité l'usage des concentrés de facteurs VIII, qui sont des dérivés du sang utilisés chez les hémophiles.

Bien que des tests soient à l'étude pour trier les produits des dérivés du sang, à l'heure actuelle, aucun test réellement valable n'existe pour éliminer les sujets porteurs de l'agent infectieux probable responsable du S.I.D.A., en tant que donneurs de sang.

Bien que de très rares cas (3 ou 4 cas) aient été rapportés parmi le personnel hospitalier américain, chez des sujets qui par ailleurs ne semblaient appartenir à aucun des groupes à risques, les données épidémiologiques concernant ces cas apparaissent un peu parcellaires et ne doivent pas soulever un vent de panique. Cependant, le personnel hospitalier doit respecter un minimun de précautions, comme pour l'hépatite B.

Parce que le vaccin de l'hépatite B est préparé à partir d'un pool du plasma de porteurs chroniques d'antigène Australia, on s'est demandé si ce plasma ne contenait pas l'agent éventuel du S.I.D.A.

Mais, bien que dérivé du plasma, le vaccin est un produit hautement purifié, préparé en trois étapes, chacune d'elles inactivant indépendamment les représentants des virus de toutes les familles connues, y compris les rétrovirus qui, comme nous allons le voir, représentent le suspect numéro un parmi les agents infectieux éventuels à l'origine du S.I.D.A.

Des rapports préliminaires n'indiquent aucun cas de S.I.D.A. chez les sujets vaccinés n'appartenant à aucun des groupes à risques et ne témoignent pas d'une incidence excessive du syndrome chez les sujets vaccinés appartenant à un des groupes à risques.

Donc les sujets à risques pour l'hépatite B devraient peser le risque sérieux actuel de l'hépatite B en face du risque théorique vraisemblablement minime ou inexistant de contracter le S.I.D.A. après vaccination.

— Un autre groupe à risques est représenté par les drogués utilisant des drogues par voie intraveineuse et pratiquant des échanges d'aiguilles souillées. Comme le montre le tableau n° 2, plus de la moitié des femmes atteintes par le S.I.D.A. sont des utilisatrices de drogues par voie intraveineuse.

— Les Haïtiens vivant aux Etats-Unis représentent un autre groupe à risque, représentant environ 5 % des cas de S.I.D.A. observés aux Etats-Unis ;

— Les prisonniers, représentent eux aussi un groupe à risque ;

— Enfin, les enfants nés de mères atteintes du S.I.D.A., ou vivant sous le même toit que les adultes atteints, entrent aussi dans ces groupes à risque.

Comme le montre le tableau N° 2, les hommes sont beaucoup plus touchés par le S.I.D.A. que les femmes : 93,7 % d'hommes contre 6,3 % de femmes, les homosexuels masculins représentant le groupe le plus important puisque 71,1 % du total des cas surviennent chez des homosexuels et que 75,9 % des hommes atteints sont homo ou bisexuels.

Cependant, environ 6 % des cas de S.I.D.A. rapportés n'appartiennent à aucun des groupes à risques.

Des statistiques encore plus récentes corroborent ces faits.

Aussi, parmi les quelques 2000 cas recensés dans le monde de juin 1981 à août 1983 :

71 % étaient des homo ou bisexuels,

17 % étaient des toxicomanes,

0,75 % étaient des hémophiles,

5,2 % étaient Haïtiens,

1 % étaient des partenaires hétérosexuels de sujets à risque, et

1 % étaient des adultes sans facteurs de risque connus, mais qui avaient reçu des produits sanguins dans les 5 années passées.

Aux Etats-Unis, sur 2259 cas recensés au 2 septembre 1983 :

71 % sont des homosexuels hommes, avec 14 fois plus d'hommes atteints que de femmes et une mortalité globale de 40,5 % des cas.

En France, en septembre 1983, au total 81 cas de S.I.D.A. ont été recensés, dont 62 % sont des homosexuels, 21 % des hétérosexuels hommes, 12 % des femmes et 5 % hors catégories avec une mortalité globale de 37,5 %.

De ces faits, il découle que le S.I.D.A. est une maladie transmissible par rapports sexuels ou par contact avec du sang ou des dérivés du sang, par l'utilisation d'aiguilles souillées, ou, pour les enfants, en vivant sous le même toit qu'une personne atteinte.

Cependant le S.I.D.A. ne semble pas être contagieux et on n'attrape pas la maladie dans le métro, dans l'autobus ou « en serrant la main d'une personne atteinte ». Aucun argument ne permet actuellement de faire suspecter une transmission autre que par contact étroit ou par contact sanguin, et on estime à 10 % la probabilité de développer un jour cette maladie pour une personne ayant eu des rapports sexuels avec un sujet atteint de S.I.D.A. Il est possible que ces groupes à risque s'élargissent, car, comme pour toutes nouvelles maladies, les populations affectées ainsi que les manifestations cliniques sont souvent en fait plus étendues que celles initialement perçues. Le nombre de cas de S.I.D.A., dont le premier a été découvert au cours du premier semestre 1979 aux Etats-Unis, a beaucoup augmenté depuis, mais le pourcentage des cas mortels a diminué, ce qui peut refléter une meilleur connaissance de la maladie par les médecins conduisant à des cas rapportés plus précocement au cours de leur évolution.

La mortalité globale entre 1979 et 1983 a été de 38,5 %.

B) Symptomatologie clinique et biologique :

La période d'incubation du S.I.D.A. est difficile à préciser, elle semble cependant être longue, de quelques mois à quelques années.

Il doit vraisemblablement y avoir des porteurs sains de la maladie, peut être même en grand nombre ; mais on ne peut encore avoir une idée de ce nombre tant qu'un test de diagnostic précoce et fiable n'aura pas été mis au point.

1) **Les symptômes cliniques et biologiques initiaux :**

En 1980, le « Center of Disease Control » (C.D.C.) des Etats-Unis commençait à recevoir des cas de maladies très graves, jusque-là très rares, d'une forme disséminée de sarcome de Kaposi et de pneumonie à pneumocystis carinii, et d'autres affections, normalement associées à un profond déficit immunitaire, survenant chez des homosexuels hommes, sains jusque-là.

De même ont été observées des candidose disséminées, des infections graves et disséminées à toxoplasme, à herpès virus simplex, à cytomegalovirus.

Beaucoup de ces patients déclaraient avoir présenté dans les mois ou les années précédant l'apparition de ces maladies des adénopathies plus ou moins généralisées.

Récemment a été individualisé un syndrome, appelé syndrome de lymphadénopathie, se traduisant par l'apparition disséminée de ganglions, et que l'on considère comme un premier stade du S.I.D.A.

Ce syndrome de lymphadénopathie a surtout été observé chez des homosexuels masculins à partenaires multiples.

On a constaté que 25 à 50 % des sujets atteints de S.I.D.A. ont eu auparavant un syndrome de lymphadénopathie ; cependant, il ne semble que pas le S.I.D.A. soit une suite obligatoire de ce syndrome.

Ainsi, dans certaines régions des Etats-Unis, sarcome de Kaposi et pneumonie à pneumocystis carinii n'ont pas été observés, alors que le syndrome de lymphadénopathie est néanmoins fréquent.

Dans le S.I.D.A., il y a souvent des signes annonciateurs, dits prodomiques, pouvant durer des mois ou des années avant l'installation de la maladie elle-même. Et actuellement on s'oriente vers un certain nombre de critères cliniques et biologiques, dont la coexistence chez un même sujet pourrait le définir comme « hautement suspect » de S.I.D.A.

— *Critère épidémiologique :* appartenance à un des groupes à risques connus pour la maladie.

— *Critère cliniques :*

• Fièvre modérée inexpliquée et prolongée, persistante depuis plus d'un mois ;

- Diarrhée prolongée, de plus de trois semaines ;
- Perte récente d'au moins 5 kilos ;
- Adénopathies dans au moins deux sites autres qu'inguinal ;
- Muguet buccal récidivant, rebelle aux traitements habituels.

— *Critères biologiques :*

- Diminution du nombre de lymphocytes sanguins;
- Diminution du rapport lymphocytes T helper/lymphocytes T suppresseurs, inférieur à 0,5. Cet indice n'est en rien spécifique du S.I.D.A., il est par exemple régulièrement diminué dans des infections comme la rougeole.
- Diminution du nombre de lymphocytes T helper inférieur à 500 par millimètre cube.
- Réaction cutanée à la tuberculine et à la candidine négative.

Il faut l'association, chez un sujet appartenant à un groupe à risque, d'au moins deux de ces critères cliniques et un critère biologique, contrôlés à trois mois d'intervalle, pour que le sujet entre dans la catégorie des cas « hautement suspects ».

On peut toutefois penser qu'un certain nombre de cas échappe à ce « dépistage » et qu'à l'inverse se retrouvent dans cette catégorie certains suspects qui ne sont pas atteints de S.I.D.A.

Cependant on attend la mise au point de marqueurs (c'est-à-dire des substances décelables dans le sang, les urines ou les autres sécrétions) fiables du S.I.D.A., car on ne peut envisager de traiter des sujets entrant dans cette catégorie des personnes « hautement suspectes » par des traitements qui ne sont encore qu'en expérimentation.

Ce stade avec dépérissement progressif est le premier stade du S.I.D.A. représentant le « bruit de fond » de la maladie, au cours duquel le sujet commence à perdre ses moyens de défense.

Puis, lorsque le déficit immunitaire s'est installé, profitant de cette déficience des défenses de l'organisme, surviennent les infections opportunistes et les cancers.

Sur un tel terrain, une maladie tout à fait bénigne comme la toxoplasmose peut avoir une évolution foudroyante, avec encéphalite.

Et chez beaucoup de ces malades, une infection est à peine guérie que d'autres s'installent ou que la première récidive, puis surviennent les cancers.

Le premier examen de dépistage est la numération formule

sanguine, qui, si elle montre une diminution du nombre des lymphocytes dans le sang, fournit un premier argument.

2) **Les maladies liées au S.I.D.A. :**

En raison des profondes perturbations de l'immunité cellulaire sous-jacente à ces différentes maladies (infections opportunistes, sarcome de Kaposi etc.), l'ensemble de ces maladies a été regroupé sous le nom de S.I.D.A.

Ce syndrome représente une « épidémie » sans précédent de déficit de l'immunité.

Au cours du S.I.D.A. plusieurs types d'infections peuvent survenir, comme le montre le tableau n° 3 : infections virales, bactériennes, parasitaires ou fongiques, et différents types de cancers (voir tableau n° 4). Des études statistiques ont permis de constater que :

— 51 % des sujets atteints de S.I.D.A. font une pneumonie à pneumocystis carinii ;

— 26 % font un sarcomme de Kaposi, sans infection à pneumocystis carinii ;

— 7,9 % des patients font un sarcome de Kaposi et une pneumonie à pneumocystis carinii ;

— 14,7 % des patients font une autre infection opportuniste.

La mortalité globale du S.I.D.A. est légèrement inférieure à 40 % avec un pourcentage de mortalité plus élevé chez les patients faisant un sarcome de Kaposi associé à une pneumonie à pneumocystis carinii (54 % de mortalité en cas d'association de ces deux affections).

Puis viennent les patients faisant une pneumonie à pneumocystis carinii sans sarcome de Kaposi : 43,8 % de mortalité.

Ensuite viennent les patients faisant une infection opportuniste autre : 42,3 % de mortalité.

TABLEAU 3. — *Les différents types d'infections pouvant être observées au cours du S.I.D.A.*

INFECTIONS VIRALES	INFECTIONS FONGIQUES	INFECTIONS PARASITAIRES	INFECTIONS BACTERIENNES	INFECTIONS AUTRES
1) CYTOMEGALO-VIRUS • Formes disséminées • Pneumonies • Rétinites • Encéphalites	1) CANDIDA ALBICANS • Atteintes buccales • Œsophagites • Formes disséminées	1) PNEUMOCYSTIS CARINII • Pneumonie • Infection rétinienne	1) MYCOBACTERIUM TUBERCULOSIS • Formes disséminées	1) NOCCARDIA
2) HERPES VIRUS SIMPLEX • Formes progressives	2) CRYPTOCOCCUS NEOFORMANS • Méningites • Formes disséminées	2) TOXOPLASMA GONDII • Encéphalite	2) MYCOBATERIUM AVIUM INTRACELLULARE • Formes disséminées	2) LEGIONELLA
3) HERPES VIRUS VARICCELLAE § ZONA • Zona cutané limité	3) HISTOPLASMA CAPSULATUM • Formes disséminées	3) CRYPTOSPORIDIUM • Entérite		
4) LEUCOENCE-PHALITE PROGRESSIVE MULTIFOCALE	4) PETRIELLIDIUM BOYDII • Pneumonie	4) ISOSPORA BELLI • Entérite		
	5) ASPERGILLUS • Atteinte pulmonaire			

Enfin chez les patients présentant un sarcome de Kaposi sans pneumonie à pneumocystis carinii, le taux de mortalité est de 21,4 %.

Nous allons à présent voir plus en détail certaines des affections les plus fréquemment observées au cours du S.I.D.A.

TABLEAU 4. — *Cancers pouvant être observés au cours du S.I.D.A.*

Types de CANCERS	VIRUS ASSOCIE
SARCOME de KAPOSI	CYTOMEGALOVIRUS
SARCOME de BURKITT	VIRUS D'EPSTEIN-BARR
CANCER du RECTUM	HERPES VIRUS SIMPLEX type II
CANCER de L'ANUS	HERPES VIRUS SIMPLEX type II
CANCER de la LANGUE	HERPES VIRUS SIMPLEX type II

a) *Le Sarcome de KAPOSI (SK) :*

Jusqu'à récemment, le S.K. était une tumeur rarement observée aux Etats-Unis et en Europe, où elle atteignait essentiellement des sujets âgés (en général de plus de 60 ans) le plus souvent d'origine juive ou méditerranéenne, avec une fréquence 3 à 10 fois plus élevée chez l'homme que chez la femme.

La forme classique de la maladie, décrite en 1872 par un médecin hongrois KAPOSI, montrait des tumeurs cutanées nodulaires localisées, allant du bleu au pourpre, et atteignant les membres inférieurs.

Son évolution est très lente, avec une moyenne de survie de 10 à 15 ans.

Une forme plus disséminée avec adénopathies, souvent rapidement fatale survient en Afrique équatoriale, chez les enfants et les jeunes hommes noirs, moins fréquemment chez les femmes..

En Afrique équatoriale, cette forme de S.K. sévit à l'état endémique et représente plus de 10 % de tous les cancers en Ouganda et au Kenya, et 9 % de l'ensemble des décès par cancer en Ouganda.

En Afrique, le S.K. a généralement une évolution aiguë, et les muqueuses et les viscères sont rapidement atteints.

Le S.K. a aussi été rapporté chez des sujets ayant un traitement immunosuppresseur ou corticoïde, comme par exemple chez les personnes ayant subi une transplantation rénale. Mais dans ces cas, le S.K. régresse à l'arrêt du traitement.

De 1979 à 1981, une « épidémie » de S.K. disséminés a été rapportée aux Etats-Unis, essentiellement chez des homosexuels hommes jeunes.

Les signes cliniques et la mortalité de ces cas de S.K. étaient similaires à ceux du S.K. observé en Afrique ou chez des sujets ayant subi un traitement immunosuppresseur ou une transplantation rénale.

Chez les sujets atteints de S.I.D.A., le S.K. est généralement agressif, avec développement précoce de nodules ganglionnaires et de nodules viscéraux.

Dans le S.K. au cours du S.I.D.A. :

— Les lésions de la peau représentent le symptôme le plus fréquent :

• macules ou papules de quelques millimètres à un centimètre de diamètre, roses à rouges.

• plaques légèrement surélevées ou nodules allant du bleu pourpre au rouge-brun et dont la taille varie de 4 millimètres à 2,5 centimètres de diamètre.

Ces lésions cutanées sont en nombre et de type variables, distribuées sur tout le corps.

Plus de la moitié des patients présentent des lésions de S.K. le long du tractus gastro intestinal. Chez certains patients, cette atteinte gastro-intestinale peut précéder les lésions cutanées. Des pertes de sang (hémorragies digestives) peuvent survenir, mais, habituellement, l'envahissement des viscères est silencieux.

— Certains patients présentent des adénopathies généralisées.

— Quelques patients ont des lésions muqueuses de couleur variant du rouge au pourpre, sur les gencives, le palais, la base de la langue ou le pharynx postérieur.

— Et en fait, au cours du S.I.D.A. le S.K. peut atteindre tous les organes : cerveau, poumons, testicules, pancréas, aorte, cœur, foie, rate, appareil gastro-intestinal, conjonctive, oropharynx et peau.

Dans la dernière décennie, beaucoup de travaux ont relié le

développement de S.K. à des infecions à cytomégalovirus ou à d'autres herpès virus et une prévalence importante de titres élevés d'anticorps anticytomégalovirus a été notée chez les Européens et Nord-Américains atteints de S.K.

D'autres virus ont été associés à des proliférations malignes pouvant peut-être être à l'origine du développement de certains cancers observés dans le S.I.D.A.

Ainsi semblerait-ce être le cas pour le virus d'Epstein-Barr, qui serait associé à une incidence plus élevée de sarcome de Burkitt dans le S.I.D.A. De même, la prévalence des cancers du rectum et de l'anus est augmentée chez les patients atteints de S.I.D.A. Ces deux cancers sont associés au virus herpès simplex type II.

Si l'on considère les cas de S.I.D.A. survenant chez des hétérosexuels stricts d'une part et chez des homo ou bisexuels d'autre part, on constate que 46 % des S.I.D.A. atteignant les homosexuels s'accompagnent d'un S.K. contre seulement 7,6 % des cas de S.I.D.A. chez les hétérosexuels qui s'accompagnent d'un S.K.

b) *Les pneumonies à pneumocystis carinii* (P.C.) :

Le pneumocystis carinii (P.C.) est un parasite largement répandu dans la nature, trouvé à la fois chez l'homme et les animaux, qui infecte essentiellement les voies respiratoires de l'homme.

Ces organismes sont relativement non virulents et sont rarement, sinon jamais, responsables de maladies chez les sujets ayant un système immunitaire normalement compétent.

C'est dire que les infections à P.C. sont très rares et s'observent habituellement chez des sujets immunodéprimés, comme les patients atteints de leucémies, ou de lymphome, les nouveau-nés ayant un déficit immunitaire congénital ou les sujets ayant un traitement immunodépresseur ou corticoïde au long cours, comme les transplantés rénaux. Et quelques cas seulement d'infection à P.C. avaient été rapportés jusque récemment.

La survenue de ces infections à P.C. chez des homosexuels jeunes apparemment sains jusque-là, sans aucun antécédent de maladies ou de traitements immuno-suppresseurs, a beaucoup étonné.

Le mode de transmission de P.C. n'est pas bien défini.

Dans la majorité des cas, l'infection à P.C. atteint le

parenchyme pulmonaire et est responsable d'une pneumonie avec :

— fièvre à 39-40° ;

— un syndrome respiratoire avec gêne à la respiration s'accentuant progressivement, une toux avec une expectoration blanchâtre.

Ces symptômes peuvent durer de 10 jours à 4 mois.

Le diagnostic est fait par la mise en évidence du parasite dans les sécrétions bronchiques.

La pneumonie à P.C. est l'infection opportuniste la plus fréquemment observée au cours du S.I.D.A., dans près de 59% des cas, et, elle est responsable du plus grand nombre de décès dans le S.I.D.A., plus que le S.K. ou les autres infections opportunistes réunies. Elle est d'ailleurs assez fréquemment associée au S.K. Elle représente plus de 85% des infections opportunistes associées au S.I.D.A.

Il existe des traitements antibiotiques relativement efficaces sur P.C., mais les rechutes sont fréquentes et souvent les traitements deviennent moins efficaces.

c) *Autres infections opportunistes observées au cours du S.I.D.A. :*

Seront envisagées, dans ce paragraphe, essentiellement les infections atteignant le tractus gastro-intestinal, qui est un « organe cible » majeur dans le S.I.D.A., en particulier pour le S.K. et les infections opportunistes.

La perte de poids progressive est le signe clinique le plus précoce chez les patients présentant une infection opportuniste.

La moyenne de cette perte de poids est de 13 kg ± 2 kg, et chez beaucoup de patients elle est hors de proportion avec une réduction de l'alimentation.

• *Candidoses buccales et œsophagiennes :*

Les candidoses buccales et œsophagiennes, responsables d'une gêne douloureuse à la déglutition, surviennent habituellement à la fin ou en cours de traitement des infections opportunistes.

La candidose buccale est en général bien contrôlée par les traitements antifongiques, lesquels sont moins actifs sur les candidoses œsophagiennes.

• *La cryptosporidiose :*

C'est une infestation gastro-intestinale par un parasite, le cryptosporidium, responsable d'une entérite.

Jusqu'à récemment la cryptosporidiose était considérée comme une affection rare, survenant essentiellement chez les sujets immunodéprimés.

Dans le S.I.D.A., la cryptosporidiose est responsable d'un syndrome diarrhéique, avec des diarrhées liquides, prolongées, persistantes malgré une diète absolue.

Par contre, lorsqu'elle survient chez les personnes ayant un système immunitaire normal, la cryptosporidiose entraîne une diarrhée qui disparaît rapidement.

De tous les agents pathogènes gastro-intestinaux identifiés jusqu'à présent dans le S.I.D.A., cryptosporidium est le plus agressif dans ses effets sur la mortalité et la morbidité.

Il existe actuellement des techniques de détection du cryptosporidium dans les selles, et une sérologie pour dépister les anticorps anticryptosporidium, dont les titres semblent rester positifs plus d'un an.

• *Autres infections :*

— Des infections à cytomégalovirus touchant le tractus gastro-intestinal peuvent survenir au cours du S.I.D.A.

— L'infection herpétique périanale est commune chez les homosexuels masculins. Chez les patients atteints de S.I.D.A., certains semblent spécialement prédisposés à des formes plus évolutives de l'infection.

— Des infections digestives variées, comme amibiase, giardiase, surviennent fréquemment chez les homosexuels hommes. Lorsque de telles infections se développent au cours d'un S.I.D.A., elles répondent en général aux traitements.

Donc les atteintes du tractus gastro-intestinal sont fréquentes lors du S.I.D.A., soit représentant les manifestations cliniques initiales du syndrome, soit survenant au cours de maladie.

3) **Le syndrome biologique et les troubles de l'immunité au cours du S.I.D.A. :**

Le trouble essentiel sous-jacent dans le S.I.D.A. semble être le déficit de l'immunité à médiation cellulaire, malgré l'absence d'antécédents de déficit immunitaire, de traitement immunosuppresseur ou de maladie comportant une atteinte du système immunitaire.

Dans le S.I.D.A., le déficit de l'immunité cellulaire observé est habituellement un déficit sévère et semble-t-il irréversible, qui se traduit par un signe biologique très simple à rechercher, à savoir une diminution du nombre absolu des lymphocytes dans le sang, accompagné ou non d'une diminution du nombre des globules blancs. Et beaucoup d'auteurs pensent que la numération formule sanguine est le moyen le plus simple de dépistage initial de ces patients.

Le chiffre normal de globules blancs dans le sang est en moyenne de 6 500 par mm^3, avec des variations allant de 4 500 à 8 500 par mm^3.

Le nombre normal de lymphocytes est en moyenne de 1 900 par mm^3 avec des écarts allant de 1 500 à 2 500 par mm^3.

Dans le S.I.D.A., le nombre de globules blancs sanguins est habituellement, mais pas toujours, un peu abaissé, variant de 2 000 à 4 000 globules blancs par mm^3. Le chiffre des lymphocytes, qui représentent avec les polynucléaires neutrophiles, éosinophiles et basophiles et les monocytes, l'ensemble des globules blancs, est le plus souvent inférieur à 1 500 par mm^3, souvent très abaissé, entre 100 et 1 000 par mm^3.

Cette diminution des lymphocytes au-dessous de 1 500 par mm^3 est constamment observée chez les sujets ayant un S.I.D.A. avec des infections opportunistes, mais seulement retrouvé chez 50% des patients présentant un S.I.D.A. avec sarcome de Kaposi.

Dans le S.I.D.A. le nombre des lymphocytes B, quant à lui, est normal.

Chez les sujets atteints de S.I.D.A., cette diminution des lymphocytes T touche essentiellement les lymphocytes T helper (ou auxiliaires TH). Les lymphocytes T suppresseurs (TS) sont souvent normaux ou augmentés en nombre absolu, parfois abaissés.

La principale anomalie biologique au cours du S.I.D.A. est la diminution des lymphocytes TH, avec une inversion du rapport T helper/T suppresseur.

Chez le sujet normal, le nombre de lymphocytes TH est de 1 000 à 1 650 par mm^3, et le nombre normal de lymphocytes TS est de 550 à 950 par mm^3, avec un rapport TH/TS normal allant de 1 à 3.

Au cours du S.I.D.A. :

— le nombre de lymphocytes TH est très abaissé, souvent inférieur à 100 par mm^3 ;

— le nombre de lymphocytes TS est variable, normal, augmenté ou parfois abaissé ;

— le rapport TH/TS est très diminué, souvent inférieur à 0,5 .

Récemment, une étude faite à Los Angeles sur 89 homosexuels hommes, actifs, a montré une diminution du rapport TH/TS chez 27% d'entre eux. Le nombre moyen des cellules TS était augmenté dans ce groupe, et cette élévation du nombre des cellules TS a pu être significativement correllée avec la pratique de rapports anaux.

Une augmentation du nombre de lymphocytes TS a aussi été rapportée chez les hémophiles recevant des dérivés du sang.

Cependant, on ne sait pas encore de manière claire si cette augmentation du nombre des lymphocytes TS dans ces populations reflète une réponse à des infections survenant plus fréquemment dans ces groupes, ou si elle représente une condition plus significativement liée au S.I.D.A.

En outre, un déficit asymptomatique des lymphocytes T est commun chez les homosexuels hommes vivant dans les zones urbaines et apparemment en bonne santé, et est retrouvé chez 20 à 30% des hémophiles recevant des dérivés du sang.

Certains homosexuels hommes présentent une combinaison variable de différents symptômes à types de lymphadénopathies, de fièvre discrète, de transpiration, de malaise général ou de diarrhée qui, dans certains cas, peuvent être des signes annonciateurs du S.I.D.A.

Chez ces sujets, le rapport TH/TS est souvent diminué, avec cependant des variations très différentes suivant les cas des chiffres de lymphocytes TH et TS.

Certains ont un chiffre abaissé de lymphocytes TH, comme cause principale de la diminution du rapport TH/TS, alors que d'autres ont un nombre normal de lymphocytes TH et un nombre élevé de lymphocytes TS. Ce dernier groupe est certainement hétérogène, incluant des sujets ayant un risque de faire un S.I.D.A., aussi bien que des sujets ne présentant pas ce risque.

Etant donné qu'une inversion similaire du rapport TH/TS, mais moins prononcée que celle observée au cours du S.I.D.A., a été trouvée chez des hémophiles et des homosexuels mâles en bonne santé, on peut penser que ces groupes peuvent présenter un risque accru de S.I.D.A.

Jusque récemment, on pensait que le trouble immunitaire observé dans le S.I.D.A. était résumé par ce déficit de l'immunité cellulaire, avec atteinte uniquement des lymphocytes T.

On pensait que l'immunité humorale était parfaitement conservée au cours du S.I.D.A., comme en témoignait le nombre normal des lymphocytes B, et l'absence de diminution des immunoglobulines dans le sang, dont les taux sont même souvent augmentés au cours du S.I.D.A. Les immunoglobulines sont des glycoprotéines douées d'activité anticorps, c'est-à-dire qu'elles représentent en fait l'ensemble des anticorps circulants.

En fait, il semble que dans le S.I.D.A. existe un trouble de la régulation générale du système immunitaire, touchant aussi bien les lymphocytes T que les lymphocytes B, producteurs d'anticorps, dont la sécrétion, si elle est conservée, paraît désordonnée.

Le tableau N° 5 résume les troubles biologiques immunitaires observés dans le S.I.D.A.

TABLEAU 6. — *Anomalies de l'immunité dans le S.I.D.A.*

IMMUNITE A MEDIATION CELLULAIRE	IMMUNITE A MEDIATION HUMORALE
1) Absence de réponse aux tests antigéniques cutanés 2) Nombre absolu de lymphocytes diminué 3) Lymphocytes T helper diminués en pourcentage et en nombre absolu 4) Lymphocytes T suppresseurs augmentés en pourcentage, variable en nombre absolu 5) Diminution du rapport TH/TS 6) Diminution des réponses prolifératrices des lymphocytes T aux antigènes	1)Lymphocytes B en nombre normal 2) Augmentation des immunoglobulines (Ig G et Ig A) 3) Absence de réponses des lymphocytes B aux mitogènes spécifiques 4) Absence de réserve des lymphocytes B ?

III. — Le s.i.d.a chez l'enfant

Plusieurs cas de déficit immunitaire analogue au S.I.D.A. de l'adulte ont été rapportés chez des enfants, soit nés d'une mère elle-même atteinte, ou appartenant à un groupe à risque, soit en contact dans leur foyer avec une ou plusieurs personnes atteintes du syndrome ou faisant partie d'un groupe à risque.

— Soit les mères de ces enfants atteints étaient des toxicomanes et avaient des partenaires multiples et la plupart des mères étudiées avaient une inversion du rapport TH/TS et une augmentation du taux des immunoglobulines.

De plus, plusieurs mères présentaient des signes prodromiques ou terminaux de S.I.D.A., ce qui suggère qu'il existe une relation entre l'affection de ces enfants et le S.I.D.A. de l'adulte.

— Soit les enfants, présentant un déficit immunitaire suspect de S.I.D.A., avaient en commun d'être en contact dans leur foyer avec une ou plusieurs personnes appartenant à un groupe à risque ; mais rien n'indique que ces enfants avaient fait l'objet de violences sexuelles ou avaient reçu des drogues. Il est donc plausible d'expliquer ces déficits immunitaires observés chez ces enfants par l'exposition à un facteur familial et par leur vie dans les communautés exposées au S.I.D.A.

C) Les hypothèses étiologiques du S.I.D.A.

La cause de ce syndrome pour le moins mystérieux n'est pas encore claire. Les chercheurs ont été amenés à penser à la possible responsabilité d'un ou de plusieurs agents sexuellement transmis. Mais le moins que l'on puisse dire c'est que l'accord des spécialistes n'est pas réalisé à l'heure actuelle.

La multiplication des informations toujours nouvelles parvenant tous les jours sur le S.I.D.A. ne doit pas faire oublier que le problème essentiel reste la découverte du ou des facteurs à l'origine du S.I.D.A.

Or, dans ce domaine, on ne dispose encore d'aucune certitude, même si certains virus font figure de suspect numéro un.

Du point de vue de la transmission, ce que l'on sait actuellement, c'est que cette transmission nécessite un contact intime ou un contact avec le sang, et qu'il s'agirait donc plutôt d'une transmission de cellules que de virus isolé, si c'est d'un virus qu'il s'agit.

Bien que l'on ne sache pas encore pourquoi survient chez ces patients un trouble de l'immunité, la plupart des chercheurs pensent que ce déficit immunitaire observé chez ces patients est primitif, causé par un ou des agents inconnus et transmissibles. Secondairement à cette dépression de l'immunité, les patients deviendraient réceptifs aux infections et cancers opportunistes.

Bien que l'on pense que le syndrome soit déjà survenu sporadiquement dans différents pays du monde et que quelques cas aient été rétrospectivement reconnus, c'est certainement un nouveau « phénomène épidémique » auquel on assiste actuellement.

Grossièrement, il existe deux hypothèses étiologiques du S.I.D.A. :

— Une, se veut rassurante, et circonscrit l'épidémie à une population à haut risque. Les personnes qui subissent des attaques répétées d'infections diverses malmènent leurs défenses immunitaires et, un jour, celles-ci s'effondrent. C'est le cas des homosexuels hommes à partenaires multiples, victimes de nombreuses M.S.T., des drogués par voie intraveineuse et des hémophiles qui ont subi de multiples injections intraveineuses.

La maladie profiterait de la déficience des défenses immunitaires pour s'installer.

— La deuxième hypothèse est en revanche plus inquiétante : ce serait un virus, donc un agent transmissible, qui serait à l'origine du déficit immunitaire, lequel ne se développerait que sur un terrain propice.

Actuellement, il ne fait plus aucun doute que le S.I.D.A. soit une maladie transmissible. En tant que telle, il est la conjonction d'un agent très probablement viral, d'un terrain génétique ou acquis particulier, et d'une histoire naturelle qui fait qu'à un moment donné l'organisme devient souvent réceptif à cet agent.

Comme dans toute pathologie infectieuse, le S.I.D.A. revêt des formes évolutives différentes selon les individus, asymptomatiques chez certains, bénignes ou graves chez d'autres.

1) **Première hypothèse étiologique : le cytomegalovirus (C.M.V.)**

A l'origine du S.I.D.A., on a d'abord suspecté le C.M.V., et ce pour plusieurs raisons.

Tout d'abord, le C.M.V. semble plus répandu dans la population homosexuelle masculine que dans la population hétérosexuelle, et en particulier chez les homosexuels ayant des contacts sexuels fréquents avec des partenaires différents.

Et le C.M.V. est vraisemblablement sexuellement transmissible chez les homosexuels hommes.

On sait en outre que le C.M.V. peut être responsable d'une immuno-dépression, avec inversion du rapport TH/TS, chez certains hôtes, et que l'on observe des infections graves à C.M.V. chez des sujets immunodéprimés. Et la fréquence des réexpositions et des réinfections à C.M.V. chez les sujets à haut risque de promiscuité sexuelle pourrait, de manière concevable, mener à un état d'immunodépression sévère, directement en rapport avec l'infection virale, contrairement au déficit immunitaire transitoire et de faible intensité habituellement observé en cas d'exposition unique au virus.

Par ailleurs, on a déjà incriminé l'association C.M.V. et sarcome de Kaposi, sans pour autant dire que le sarcome de Kaposi serait induit par le virus. En effet, les malades atteints de S.K. ont une haute prévalence d'anticorps anti-C.M.V. et le C.M.V. a été trouvé en microscopie électronique dans des cellules tumorales de S.K.

Enfin la majorité des homosexuels atteints de S.I.D.A. ont des titres élevés d'anticorps anti-C.M.V.

En fait, plusieurs contre-arguments sont apparus, allant à l'encontre du rôle étiologique du C.M.V. dans le S.I.D.A.

Tout d'abord, le C.M.V. est un virus aussi très répandu chez les hétérosexuels et on ne voit pas pourquoi les homosexuels seraient beaucoup plus atteints par le S.I.D.A.

D'autre part, l'infection à C.M.V. ne semble pas prévaloir chez les homosexuels atteints de S.I.D.A., plus que chez les homosexuels sains.

De plus, la transmission sexuelle du C.M.V. n'est probablement pas nouvelle, et il n'y a aucune preuve que le C.M.V. isolé chez les patients atteints de S.I.D.A. soit le seul virus présent.

Enfin, les patients ayant un déficit immunitaire, dû par exemple à un traitement immunosuppresseur, ont une haute incidence d'infections à C.M.V., et ne font pas de S.I.D.A.

Il est donc probable que l'immunodépression observée lors du S.I.D.A. soit en fait due à d'autres facteurs et que l'infection à

C.M.V. soit la conséquence d'un désordre immunologique, plutôt que la cause, au même titre que les autres infections opportunistes et les cancers opportunistes observés au cours du S.I.D.A.

2) **Seconde hypothèse étiologique : les drogues**

Après le C.M.V., l'abus de drogue a été incriminé comme cause du S.I.D.A.

Une hypothèse était de trouver dans l'environement un polluant pouvant être à l'origine de l'immunodépression observée dans le S.I.D.A., soit en association avec le C.M.V., soït seul.

C'est pourquoi on avait incriminé initialement des dérivés du nitrite d'amyle et d'isobutyle, drogues volatiles, connues aux Etats-Unis sous le nom de « poppers ». Leur utilisation a fortement augmenté ces dernières années, et ils ont la réputation d'engendrer un état euphorique et d'augmenter l'orgasme. Les « poppers » sont, semble-t-il, utilisés couramment dans le milieu homosexuel américain et au moins 60 % des patients atteints de S.I.D.A. en ont inhalé.

Certaines études ont montré une apparente corrélation entre le S.K. et l'usage du nitrite d'amyle, mais d'autres études sont venues contredire les premières.

Et actuellement, le rôle de ces « poppers » dans le S.I.D.A. a été remis en question, car d'une part le nitrite d'amyle n'affecte pas de manière aiguë les fonctions de l'immunité cellulaire, d'autre part, l'abus de ces drogues est certainement étroitement lié à l'activité sexuelle et au nombre de partenaires.

3) **Troisième hypothèse étiologique : un nouveau virus**

Les recherches s'orientent actuellement de plus en plus vers un virus apparu récemment, autre que le C.M.V. et qui serait à l'origine du déficit immunitaire observé dand le S.I.D.A.

Les virus sont des organismes qui ne peuvent se reproduire seuls, car il possèdent un seul acide nucléique (A.R.N. ou A.D.N.), et jamais les deux acides nucléiques à la fois.

Cet acide nucléique constitue le génome viral, renfermant l'information génétique du virus, c'est-à-dire l'information nécessaire à sa fabrication.

Ce caractère oppose les virus aux êtres vivants à structure cellulaire, chez lesquels coexistent à la fois l'A.D.N. porteur de l'information génétique de la cellule, et l'A.R.N. permettant l'expression de cette information génétique. Les virus donc, contrairement aux bactéries et aux cellules, ne se divisent pas par scission, mais se reproduisent uniquement à partir de leur matériel génétique, par réplication de leur acide nucléique (A.R.N. ou A.D.N.) et leur structure extrêmement simple ne leur permet de se reproduire qu'à l'intérieur d'une cellule, qu'ils infectent.

Toute particule virale est formée d'un acide nucléique entouré d'une coque ou capside, qui protège le génome viral pendant sa vie extracellulaire. Une fois que le virus a pénétré dans une cellule, il va détourner et utiliser à son profit certains éléments du métabolisme de la cellule qu'il parasite, pour se répliquer et assurer de façon efficace sa pérennisation.

Au cours de cette interaction virus-cellule hôte, la multiplication virale peut aboutir à la mort de la cellule, avec libération des particules virales fabriquées qui vont aller infecter d'autres cellules, ou bien le virus peut se répliquer dans la cellule, y entraînant des lésions qui n'induisent pas la mort de la cellule, et les particules virales vont sortir de la cellule parasitée par « bourgeonnement » de la membrane cellulaire et vont aller infecter d'autres cellules.

Les rétrovirus, qui comme nous allons le voir, font figure de suspects numéro un dans le S.I.D.A., sont encore plus « retors » dans le domaine de la production. En effet, les rétrovirus sont des virus A.R.N. qui possèdent une enzyme : la transcriptase reverse, capable de faire s'inverser le cours de la génétique.

Dès la pénétration du rétrovirus dans la cellule infectée (les rétrovirus infectent les lymphocytes T) la transcriptase reverse va transformer l'A.R.N. du virus en A.D.N. proviral, lequel va s'intégrer dans le génome de la cellule. Les cellules parasitées vont donc non seulement fabriquer le virus, mais vont aussi pouvoir se diviser en cellules filles, qui elles-mêmes seront porteuses dans leur génome de l'A.D.N. proviral : donc les cellules infectées et leur descendance vont produire des virus toute leur vie.

L'organisme se défend en produisant des anticorps et des cellules « tueuses » qui vont détruire les cellules infectées, mais pendant ce temps, les virus infectent d'autres lymphocytes.

Trois virus appartenant à la famille des rétrovirus, sont actuellement suspectés comme agent étiologique possible du S.I.D.A.

a) *Le H.T.L.V. (ou « virus américain ») :*

C'est en 1978 que le Dr R. Gallo a isolé la première fois le H.T.L.V. (Human T. Leukemia Virus), virus de la leucémie humaine à cellules T, qui appartient à la famille des rétrovirus.

Ce virus sévit à l'état endémique dans les Caraïbes et le sud du Japon (4 à 37 % de la population y présente des anticorps anti-H.T.L.V., alors que ce pourcentage est inférieur à 1 % aux Etats-Unis, en Europe et dans le nord du Japon).

Depuis, la présence du H.T.L.V. a été prouvée chez 25 % des patients américains atteints de S.I.D.A. et chez plus de 36 % des sujets encore sains, mais appartenant à un groupe à haut risque pour le S.I.D.A.

Plusieurs arguments plaident en faveur du rôle du H.T.L.V. ou d'un virus « H.T.L.V.-like » dans le S.I.D.A.

Tout d'abord, cette famille de virus est pratiquement nouvelle dans certains groupes ethniques, découverte il y a seulement 5 ans, et le S.I.D.A. est lui aussi une maladie nouvelle : c'est une première coïncidence.

Chez l'animal, on a montré que certains rétrovirus sont capables de provoquer des leucémies et des lymphomes, mais aussi une immunodépression sévère, laquelle existe dans le S.I.D.A.

De plus, ce virus est présent à l'état endémique dans les Caraïbes, et par ailleurs très commun en Afrique. Or, on sait qu'il existe un foyer de S.I.D.A. à Haïti et que la majorité des patients atteints de S.I.D.A. en Belgique sont des Africains (Zaïrois en particulier) et on sait que le S.K. est une particularité traditionnelle à l'Afrique.

Les rétrovirus ont un tropisme particulier pour les lymphocytes T, infectant en général les lymphocytes T helper et ces lymphocytes T.H. voient leur nombre diminuer dans la plupart des cas de S.I.D.A.

En outre, le H.T.L.V., contrairement à d'autres virus découverts chez des patients atteints de S.I.D.A. (par exemple le C.M.V.) n'est pas un virus très répandu et il est même très rare aux Etats-Unis, et dans les pays occidentaux. Donc, la découverte de H.T.L.V. chez les patients atteints de S.I.D.A. est troublante. Cependant, il est encore difficile, à l'heure actuelle, d'affirmer leur responsabilité causale.

Donc l'infection à H.T.L.V. semble plutôt être l'élément causal du S.I.D.A. qu'une infection opportuniste secondaire.

En effet ce virus est rare, et il n'est pas retrouvé chez les homosexuels hommes ayant des partenaires multiples.

Cependant, il faudrait expliquer pourquoi le S.I.D.A. n'existe pas dans le sud du Japon (deux cas seulement de S.I.D.A. décrits au Japon), alors que le H.T.L.V. y est présent à l'état endémique.

Une des raisons pourrait être que le S.I.D.A. n'est pas dû au H.T.L.V., mais d'autres explications sont possibles.

Ainsi, une variation raciale à la résistance au virus pourrait être une raison plausible, de même qu'une protection de ces populations contre le virus, due à une contamination précoce.

On peut aussi penser que la souche de H.T.L.V. du Japon est la souche « originelle » et qu'une souche un peu différente soit apparue en Afrique, et fut transportée aux Caraïbes et ailleurs et que cette souche variante n'existerait pas au Japon.

Pour que la transmission du H.T.L.V. soit possible, il semble qu'un contact intime soit nécessaire. Il semblerait s'agir d'une transmission de cellules infectées, plutôt que du virus isolé, ce qui semblerait être le même mécanisme de transmission que pour le S.I.D.A.

Toutes ces données sont intrigantes et laissent penser que le H.T.L.V. pourrait très bien être la cause du S.I.D.A., plutôt qu'une infection opportuniste secondaire au déficit immunitaire.

Mais pour l'instant, il ne s'agit que de présomptions et pas encore de preuves formelles.

b) *Le L.A.V. (ou « Virus Français ») :*

Le L.A.V. est un virus qui a été découvert au début de l'année 1983 par une équipe de chercheurs français, chez les homosexuels à partenaires multiples, souffrant d'un syndrome de polyadénopathies (c'est-à-dire d'adénopathies disséminées) appelé « lymphadénopathy syndrom » (ou L.A.S.), maladie que l'on considère comme un stade préliminaire du S.I.D.A. Le virus a été appelé lymphadénopathy virus ou L.A.V.

Les chercheurs français ont trouvé des anticorps anti-L.A.V. chez 63 % des patients atteints de ce « lymphadénopathy syndrom », alors que 17 % d'homosexuels masculins qui avaient plus de 50 partenaires par an et 1,85 % d'hétérosexuels sains constituant le groupe témoin avaient des anticorps anti-L.A.V.

D'autre part, sur un groupe de 40 patients atteints de S.I.D.A.,

1/3 avaient des anticorps anti-L.A.V. et le virus a été effectivement isolé chez deux de ces patients.

Le L.A.V. est, lui aussi, un rétrovirus, ayant des points communs avec le H.T.L.V., comme par exemple celui d'infecter sélectivement les lymphocytes TH, mais quelque peu différent du H.T.L.V.

Cependant, le fait pour un sujet d'avoir un de ces virus L.A.V. ou H.T.L.V. ne signifie pas qu'il va développer obligatoirement un S.I.D.A.

Le lymphadénopathy syndrom (L.A.S.) et le S.I.D.A. ont des incidences superposables, et, de plus, 25 à 50 % des sujets ayant un S.I.D.A. ont eu auparavant un L.A.S. Mais il ne semble pas que le S.I.D.A. soit une suite obligatoire du L.A.S., et actuellement on ne peut que suspecter un lien entre L.A.S. et S.I.D.A. Jusqu'à présent, seulement 10 % des sujets atteints de L.A.S. ont developpé un S.I.D.A.

Le L.A.V., bien qu'appartenant à la même famille de virus que le H.T.L.V., à savoir celle des rétrovirus, est différent du virus américain et ne ressemble d'ailleurs à aucun autre virus connu.

Pour l'équipe française, une des hypothèses possibles est que l'attaque virale initiale pourrait s'adresser à une faible population de lymphocytes T et donc ne pas conduire à des signes cliniques évidents.

Si un individu infecté appartient à un groupe à risque, de telle sorte qu'il se trouve exposé de façon répétée à ce virus normalement rare (par exemple homosexuels masculins, leurs partenaires, leurs enfants, ou même des personnes vivant sous le même toit, ainsi que les drogués échangeant les aiguilles ou les hémophiles), alors le virus pourrait envahir toute la population de lymphocytes T, et anéantir toutes les défenses de l'organisme.

L'envahissement pourrait être le résultat d'attaques répétées par le même virus ou d'infections par d'autres virus ou même des bactéries et des parasites. De telles attaques non spécifiques, antigéniques, pourraient stimuler les lymphocytes et l'on sait que les rétrovirus tels que le H.T.L.V. ou le L.A.V. ne peuvent se multiplier que dans un milieu très actif de cellules.

Au stade terminal du S.I.D.A., les défenses immunitaires seraient totalement anéanties.

Le L.A.V. a la même enzyme que le H.T.L.V., appelée

transcriptase reverse, mais il semble immunologiquement très différent du H.T.L.V.

c) *Le B.L.V. (ou « virus Belge ») :*

Il s'agit d'un virus dit « Africain », car les 50 malades atteints de S.I.D.A. en Belgique sont tous des Africains (essentiellement du Zaïre), dont la moitié sont des femmes, les autres des hommes hétérosexuels. Le virus n'a pas encore été isolé, mais il a été photographié en microscopie électronique à tous les stades de la maladie.

Ce virus a toutes les chances d'être lui aussi un rétrovirus, et semble être aussi le virus de la leucémie bovine d'où son nom de B.L.V.

Les chercheurs belges ont aussi détecté des anticorps anti-B.L.V. dans le sang de ces patients.

Ils ont détecté des particules virales chez une femme ne présentant aucun symptôme, porteuse saine, mais dont le mari a présenté un S.I.D.A. et qui a mis au monde un enfant malade, décédé à l'âge de quelques mois.

Le B.L.V. a des communautés antigéniques avec le H.T.L.V. et les chercheurs belges pensent que le virus du S.I.D.A. serait un virus dit « recombinant » de deux virus (H.T.L.V. et B.L.V.) ou peut-être de plusieurs rétrovirus.

Ainsi, il pourrait s'agir d'un rétrovirus qui aurait un peu de matériel génétique du H.T.L.V. et un peu du matériel génétique du B.L.V.

Cependant, le B.L.V. ne présente semble-t-il aucune communauté antigénique avec le L.A.V.

Actuellement, la majorité des auteurs s'accordent à penser que dans le S.I.D.A., l'événement initial est une infection due à un rétrovirus qui lèse de façon sélective un composant fondamental du système immunitaire. L'infection à rétrovirus ne serait donc pas une infection opportuniste au cours du S.I.D.A., mais l'élément causal.

Chez la plupart des individus, il faut probablement plusieurs infections avec le même rétrovirus pour pouvoir déprimer suffisamment les défenses immunitaires.

Ainsi un individu peut avoir au départ un système immunitaire tout à fait compétent ; lors de la première infection par le rétrovirus, sa résistance peut n'être que légèrement atteinte. Mais s'il demeure dans une situation où il y a un risque élevé d'exposition et s'il est infecté une seconde fois, l'atteinte du système immunitaire pourrait être plus rapide et plus importante que lors de la première infection, et pourrait suffire à détruire sa résistance, à moins que des réinfections ultérieures ne soient nécessaires.

4) **Autres constatations et autres hypothèses étiologiques du S.I.D.A. :**

Certains auteurs ont pensé que des contacts vénériens répétés avec la muqueuse rectale, lors de rapports anaux fréquents, pourraient entraîner une hyperstimulation du système immunitaire d'où le dérèglement de ce système immunitaire au cours du S.I.D.A.

Mais cette explication n'est pas tout à fait satisfaisante, car d'une part il n'y a pas que les homosexuels qui aient des relations sexuelles anales, et d'autre part, cette pratique des rapports anaux n'est pas nouvelle et n'expliquerait donc pas le caractère récent de l'épidémie.

Il est également possible que la pénétration de sperme dans le sang facilitée, au cours des rapports sexuels anaux, par l'érosion ou l'irritation de la muqueuse, perturbe le système immunitaire, car le sperme pourrait avoir une action immunosuppressive.

Différentes hypothèses faisant état d'une « paralysie immunologique », due à des infections répétées, en particulier à cytomégalovirus, à virus de l'hépatite B, à d'autres agents pathogènes et à l'exposition répétée à des sécrétions antigéniques comme le sperme par exemple, ne sont pas dénuées d'intérêt, mais n'expliquent pas tout, et elles se heurtent à deux observations :

— chez certains patients atteints de S.I.D.A., la recherche de marqueurs d'autres maladies s'est révélée négative ;

— de plus, tous les immunodéprimés ne développent pas un S.I.D.A.

Force est donc d'admettre qu'interviennent d'autres facteurs, par exemple des facteurs génétiques.

Le système H.L.A. (Human Leucocyte Antigène) est un système d'antigènes tissulaires, c'est-à-dire d'antigènes présents à la surface des cellules constituant les différents tissus de l'organisme humain. Il existe un grand nombre d'antigènes H.L.A., dont les différents types de combinaison permettent d'établir une « carte antigénique » propre à un individu.

Certains auteurs ont rapporté une augmentation significative de l'incidence de l'antigène H.L.A. D.R.5., chez les patients, homo ou hétérosexuels, présentant un sarcome de Kaposi. Et selon certains auteurs, 60 % des patients atteints d'une forme classique ou disséminée de sarcome de Kaposi sont porteurs de l'antigène H.L.A. D.R.5., alors que la fréquence de cet antigène dans la population générale varie entre 12 et 23 %.

Nous avons vu que, chez les homosexuels, 46 % des patients atteints de S.I.D.A. avaient un sarcome de Kaposi, alors que seulement 7,6 % des hétérosexuels atteints de S.I.D.A. développaient un S.K.

Ces faits soutiennent l'hypothèse d'une maladie en deux étapes, du S.I.D.A. et du S.K. Selon certains auteurs, un nouveau virus produit un immunodéficit chez tous les sujets infectés. Les homosexuels feraient plus souvent un S.K., vraisemblablement en raison d'une exposition plus importante à d'autres agents viraux. Un tel modèle postule une transformation maligne par un second virus, au cours de la déficience de l'immunité, due au premier virus.

Et le cytomégalovirus, selon ces auteurs, serait au moins un candidat pour cette seconde étape de transformation maligne, en raison de la haute prévalence de l'isolement du C.M.V. dans les secrétions des homosexuels hommes des zones urbaines et des associations probables entre C.M.V. et S.K.

D'autres auteurs pensent que le S.I.D.A. pourrait être lié à une activité sexuelle répétée avec des partenaires multiples, qui exposerait ces sujets, à l'effet immunosuppresseur répété du C.M.V. et du sperme.

Pour ces auteurs, il est probable que ce soient de multiples facteurs (parmi lesquels les infections récidivantes à C.M.V. et les réactions immunitaires dirigées contre des spermes différents représentent des facteurs étiologiques majeurs), plutôt qu'un « nouveau virus », qui seraient responsables du S.I.D.A., chez les homosexuels.

Ils pensent que le caractère récent du S.I.D.A. serait en rapport avec une libération sexuelle sans précédent observée ces dix dernières années, dans les grandes zones urbaines.

Donc des rapports sexuels répétés avec des partenaires multiples exposent de façon itérative à des infections à C.M.V. et à des spermes antigéniquement différents. Les réactions immunitaires dirigées contre ces agents sont nocives et conduisent à la phase initiale de l'immunodéficit.

Si l'exposition se prolonge, la maladie évolue et des infections opportunistes et des cancers induits par des virus vont pouvoir alors se développer.

Et pour ces auteurs, diminuer le plus possible le nombre de ses partenaires et utiliser des préservatifs sont les mesures les plus logiques pour prévenir le S.I.D.A.

5) **Conclusion sur les hypothèses étiologiques du S.I.D.A. :**

Le S.I.D.A. est une maladie très récente, puisque les premiers cas ont été décrits en 1979. Bien sûr, certains cas de S.I.D.A. ont été reconnus rétrospectivement, mais il est virtuellement impossible que plus d'un petit nombre de cas soit passé inaperçu auparavant. Il s'agit donc très vraisemblablement d'un phénomène récent.

Les homosexuels ont été, semble-t-il, les premiers atteints par cette maladie. Mais on constate qu'une grande majorité des cas aux Etats-Unis ont été rapportés dans les grandes villes comme New York, Los Angeles, San Francisco. Il semble donc que, même au sein de la population homosexuelle, le risque d'attraper le S.I.D.A. diffère en fonction des villes.

Est-ce en rapport avec le style de vie inhabituel des homosexuels dans ces villes, ou avec la présence dans ces villes de sources fréquentes de facteurs d'infection ? On ne peut répondre à ces questions !

D'autre part, les homosexuels hommes ne sont pas les seuls atteints par le S.I.D.A., loin de là, et tous les malades ne sont pas de sexe masculin.

Y a-t-il un nouveau virus ou un nouvel agent infectieux qui s'est exprimé d'abord dans la population homosexuelle mâle, en raison d'une exposition importante au sein de ce groupe ?

S'agit-il d'un état d'immuno-dépression dû à une exposition chronique à un virus reconnu ou à plusieurs virus ?

La maladie est-elle due à la synergie de plusieurs facteurs comme des agents infectieux, des drogues, des agents thérapeuthiques utilisés dans certaines maladies, qui sont particuliers à certaines catégories de personnes ?

Ou est-ce que le S.I.D.A. est dû à une combinaison de tous ces facteurs ?

A l'heure actuelle, la plupart des chercheurs et des cliniciens semblent s'orienter vers un nouveau virus, appartenant très probablement à la famille des rétrovirus, qui dans certaines conditions peut être lié au mode de vie (multiplicité des partenaires et mode des rapports sexuels favorisant l'infection massive ou des réinfections par le virus), au terrain, à des facteurs ethniques ou génétiques, entraînerait une déficience des défenses immunitaires de l'organisme laissant la « porte ouverte » à des infections et cancers opportunistes.

d) *Les marqueurs du S.I.D.A. :*

On appelle marqueur une substance quelle qu'elle soit, que l'on puisse déceler dans le sang, dans les urines, dans le sperme, la salive ou d'autres humeurs, dont l'apparition ou la modification du taux dans ces humeurs est retrouvée de manière constante, spécifique ou non, dans une maladie, permettant son dépistage.

1) **La néoptérine :**

Selon une équipe autrichienne, une substance, la « néoptérine », dosée dans les urines d'une vingtaine de patients atteints de S.I.D.A., s'est révélée très fortement augmentée et pourrait être un bon témoin de la maladie.

Cependant, ce témoin n'aurait rien de spécifique et la nétoptérine est augmentée dans différentes pathologies (certains cancers ou certaines affections virales comme l'hépatite B).

Reste à savoir si, dans le S.I.D.A., cette augmentation de la néoptérine est constante et précoce. Des recherches sont faites dans ce sens.

On imagine l'intérêt de ce test, si l'augmentation des taux de la néoptérine se révélait fiable, et interprétable précocement, déjà pour sélectionner les donneurs de sang.

2) **L'interféron alpha :**

Un autre marqueur possible est une forme particulière d'interféron alpha.

Selon une étude récente portant sur les homosexuels de New York, des taux élevés d'une forme inhabituelle, acide labile, d'interféron alpha ont été trouvés chez 63 % de patients atteints de S.I.D.A., et 29 % de sujets ayant des polyadénopathies les rendant suspects de S.I.D.A.

Par contre, on ne retrouvait des taux élevés de cet interféron alpha que chez deux homosexuels sains sur 25 étudiés, et un hétérosexuel sur 80 étudiés.

Les hémophiles traités par les dérivés du sang étant des sujets à risque pour le S.I.D.A., certains auteurs ont étudié cet interféron alpha chez les hémophiles. Chez 3 hémophiles atteints de S.I.D.A., le taux d'interféron alpha a été trouvé très élevé.

Par contre, les taux d'interféron alpha chez 46 hémophiles asymptomatiques, pris au hasard dans la population hémophile, ont été trouvés normaux.

Les auteurs suggèrent qu'il pourrait y avoir une relation entre l'élévation de cet interféron alpha et l'immunodéficit acquis dans le S.I.D.A.

Le dosage de cet interféron alpha pourrait, selon ces auteurs, aider au diagnostic précoce des sujets atteints de S.I.D.A., mais permettrait aussi de détecter indirectement la présence de l'agent responsable du S.I.D.A. dans les produits sanguins destinés à la transfusion.

Il est possible que, dans le S.I.DA., les lymphocytes et les autres cellules concernées dans la réponse immunitaire puissent libérer en grande quantité cette forme particulière d'interféron alpha présente habituellement en quantité infime.

3) **Autres marqueurs du S.I.D.A. :**

D'autres marqueurs potentiels du S.I.D.A. sont en cours d'évaluation pour tenter de détecter précocement la maladie ou de confirmer la suspicion de S.I.D.A., devant un tableau clinique et biologique « bâtard ».

Ce sont :

— le taux d'$^{\alpha\ 1}$ thymosine,

— le rapport TH/TS.

e) *Prévention et traitement dans le S.I.D.A. :*

Le meilleur moyen de prévention correspond probablement à l'éducation des personnes « à haut risque » pour ce syndrome.

La communauté homosexuelle a montré un exemple remarquable de centres de distribution d'informations sur le S.I.D.A.

Dans l'état des connaissances actuelles sur le S.I.D.A., comme moyen logique de prévention, on pourrait proposer de diminuer le nombre de partenaires sexuels, d'éviter les rapports génito-anaux répétés avec des partenaires multiples et anonymes, ou tout au moins d'avoir des rapports protégés (préservatifs), de limiter dans la mesure du possible les perfusions de dérivés du sang chez les hémophiles.

Du point de vue du traitement, il faut distinguer le traitement des infections opportunistes et celui du déficit immunitaire sous-jacent, bien que les deux problèmes soient étroitement liés.

Pour certaines infections opportunistes, comme la pneumonie à pneumocystis carinii, il existe des antibiotiques qui peuvent parfois être efficaces, si l'infection est prise à temps, mais souvent, les patients sont arrivés à un stade trop avancé de la maladie et malgré le traitement, de nouvelles infections surviennent inéluctablement.

En ce qui concerne le traitement de fond du S.I.D.A., les protocoles thérapeutiques font appel à deux grandes catégories de médicaments, à savoir les antiviraux et les immuno-stimulants.

Un antiviral peut prétendre à une certaine efficacité dans le S.I.D.A. ; c'est un inhibiteur compétitif de la transcriptase reverse, qui est l'enzyme caractéristique des rétrovirus.

Il est le seul, semle-t-il, à avoir donné des résultats positifs dans la lutte contre les rétrovirus.

Des protocoles faisant intervenir l'interféron alpha annoncent grossièrement :

— 20 à 25 % de régression totale des lésions ;
— 20 à 25 % de régression partielle ;
— 20 à 25 % de stabilisation.

D'autres immuno-stimulants ont été essayés, sans résultat très convaincant.

Un protocole utilisant des extraits d'hormone du thymus (la thymosine) sera vraisemblablement mis en place prochainement, car c'est un produit immuno-stimulant.

Il n'y a pas encore de résultat disponible.

Certaines équipes, partant du principe que le S.I.D.A. est analogue à une leucémie, ont recours à des greffes de moelle osseuse ; les résultats de ces essais ne sont pas encore connus.

Au congrès international d'immunologie de Kyoto, il a été fait état de résultats encourageants obtenus dans le traitement du S.I.D.A. par un produit recommandé dans les affections virales, en particulier sur terrain immuno-supprimé.

Cependant il ne s'agirait que d'une « observation très préliminaire », et on est encore loin de pouvoir parler d'un véritable traitement.

Quoi qu'il en soit, bien que tous les problèmes ne soient pas résolus, loin de là, la survie des malades atteints de formes graves de S.I.D.A. est prolongée et s'effectue dans de meilleures conditions, certes grâce aux traitements immuno-stimulants et antiviraux, mais aussi grâce à un meilleur contrôle des maladies opportunistes diagnostiquées très précocement.

En conclusion, on peut dire que certes le S.I.D.A. soulève un problème sérieux, qu'il ne faut pas mésestimer, de par l'augmentation rapide du nombre des sujets atteints et la mortalité qui demeure encore élevée.

Cependant, il ne faut pas dramatiser, et il faut répéter que si le S.I.D.A. avec une maladie transmissible par contact étroit ou par contact avec le sang ou ses dérivés, c'est une maladie peu ou non contagieuse.

Un nombre important de virologistes, d'immunologistes, de biologistes moléculaires, d'épidémiologistes et de cliniciens de par le monde investissent leur énergie sur ce problème.

Il est très vraisemblable que tous ces efforts conjugués aboutiront, à plus ou moins court terme, à des résultats positifs quant à l'étiologie, la prévention et le traitement du S.I.D.A., et que de ces recherches surgiront des données nouvelles et très enrichissantes sur la fonction immunitaire et l'origine des proliférations malignes, qui seront directement bénéfiques à tout le monde.

Deuxième partie

M.S.T. ET GROSSESSE : les risques encourus par le fœtus ou le nouveau-né, conduite à tenir

M.S.T. ET GROSSESSE

Dans ce chapitre, nous envisagerons les M.S.T. qui pourraient avoir une importance toute particulière lorqu'elles surviennent chez la femme enceinte, soit par les effets éventuellement néfastes que la grossesse pourrait avoir sur la maladie en question, soit essentiellement par les répercussions que pourraient avoir certaines de ces maladies sur la grossesse, sur le fœtus ou sur le nouveau-né.

Pour une symptomatologie plus détaillée de chacune des maladies qui seront envisagées, je vous renvoie au chapitre consacré à la description des M.S.T. et de leurs complications.

Il faut savoir que certaines M.S.T. peuvent avoir des conséquences parfois graves pour le fœtus ou le nouveau-né, et que le simple fait de les détecter et de les traiter correctement en cours de grossesse permet dans la majorité des cas de supprimer les risques encourus par le fœtus ou le nouveau-né.

C'est dire que la femme enceinte devra se montrer tout particulièrement vigilante et accepter les décisions thérapeutiques envisagées par son médecin.

Syphilis et grossesse

La syphilis n'est pas une maladie héréditaire, mais elle peut être congénitale, et être transmise au fœtus à travers le placenta, par une mère atteinte de syphilis récente évolutive.

En effet, pour que le fœtus soit infecté, la présence du

tréponème pâle dans le sang de la mère est indispensable ainsi l'infection du fœtus ne survient que si la grossesse et une syphilis précoce coïncident.

Chez une femme enceinte, plus la syphilis est récente, plus le risque de syphilis congénitale est grand.

Si la mère est contaminée depuis plus de deux ans, le risque d'infection du fœtus sera beaucoup plus faible.

Et il est très rare qu'une femme atteinte elle-même de syphilis congénitale non traitée contamine son propre enfant.

Enfin, lorsqu'une femme atteinte de syphilis est correctement traitée, elle ne contaminera en général plus les fœtus ultérieurs.

Classiquement limitée à la deuxième moitié de la grossesse, on sait actuellement que l'infection du fœtus est possible même dès les premiers mois de la grossesse et peut alors conduire à des avortements.

Les résultats d'une infection syphilitique de la mère plus tardive au cours de la grossesse dépendront de l'importance de la spirochétemie (c'est-à-dire de la quantité de tréponèmes pâles dans le sang) de la mère et du stade de la grossesse.

Dans les pays médicalement développés, la syphilis de nos jours est une cause rare d'infection périnatale, de par le fait que la sérologie de la syphilis est obligatoire lors du premier examen de grossesse, pratiqué en général au cours du premier trimestre de la gestation.

Cependant, cet examen peut se révéler insuffisant, car du 4ᵉ au 9ᵉ mois de la grossesse, la femme n'est soumise à aucun contrôle sérologique et peut parfaitement avoir été contaminée au cours de la seconde moitié de la grossesse. Il serait donc souhaitable de refaire une sérologie de la syphilis au 6ᵉ-7ᵉ mois de la grossesse, et même une autre à la naissance, pour éliminer les syphilis récemment acquises et qui sont les plus dangereuses pour le fœtus.

Dans les pays sous-développés cependant, la syphilis demeure une importante cause de mortalité périnatale, en raison de l'absence de surveillance sérologique de la femme enceinte dans beaucoup de pays.

1) **Les risques encourus par le fœtus ou le nouveau-né :**

Bien que la grossesse n'ait pas d'effet néfaste sur l'infection maternelle, mais au contraire lui donne un bon pronostic, la syphilis, si elle n'est pas traitée, peut donner un mauvais pronostic à la grossesse.

Lorsqu'une femme enceinte est atteinte de syphilis récente évolutive et non traitée, environ un tiers des grossesses aboutira à un avortement tardif ou à la naissance d'un enfant mort-né, un second tiers donnera naissance à des bébés atteints de syphilis congénitale et enfin le dernier tiers donnera naissance à des enfants sains.

Par contre, lorsqu'on dépiste chez une femme enceinte une syphilis, même récente et évolutive, et qu'elle est précocement et correctement traitée, dans l'immense majorité des cas, la grossesse aboutit à la naissance d'enfants parfaitements sains.

C'est dire l'intérêt majeur du dépistage systématique, obligatoire d'ailleurs, de la syphilis chez toute femme enceinte, éventuellement répété en cours et en fin de grossesse, et l'intérêt pour une femme enceinte d'aller consulter son médecin le plus rapidement possible devant tous symptômes suspects de syphilis, primaire ou secondaire.

Un enfant atteint de syphilis congénitale pourra présenter différents symptômes, que je ne ferai que citer, vous renvoyant pour plus de détails au chapitre concernant la syphilis.

Le nouveau-né pourra présenter une jaunisse, une anémie, une augmentation de volume du foie et de la rate, un retard de croissance, un rhume avec écoulement nasal.

De nombreuses lésions de la peau peuvent se développer, en particulier localisées autour de la bouche, du nez et de l'anus.

L'enfant peut naître apparemment sain, mais rapidement se développent des éruptions bulleuses, atteignant essentiellement les paumes des mains et les plantes des pieds. Des ulcérations et des croûtes peuvent apparaître autour des narines, le cri de l'enfant est parfois rauque et enroué. Des pseudo-paralysies dues à une atteinte des os longs peuvent apparaître à la naissance ou plus tard.

Parfois, le bébé peut être tout à fait normal et la maladie pourra se développer plus tardivement dans l'enfance : c'est la syphilis congénitale tardive, avec ses différentes manifestations, détaillées dans le chapitre concernant la syphilis, et auquel je vous renvoie.

2) **Conduite à tenir en cas de syphilis associée à une grossesse :**

Le plus souvent, la syphilis sera découverte lors de la sérologie systématique pratiquée au cours du premier examen prénatal, dans le premier trimestre de la grossesse.

Devant une sérologie, comprenant Kline ou V.D.R.L. et T.P.H.A. Positifs, il faudra qu'il existe ou non des signes cliniques de syphilis primo-secondaire, refaire des réactions sérologiques en les complétant par un F.T.A., ou au besoin par un test de Nelson. Lors de ce contrôle, en cas de négativité de toutes les réactions, il faudra envisager une erreur grossière de laboratoire, exceptionnelle mais toujours possible (erreur d'identification d'un tube, erreur dans la transmission des résultats, etc.). Cependant, il faudra toujours faire un nouveau contrôle 15 jours plus tard.

En dehors de ce cas, deux types de situations peuvent se présenter :

- Soit le V.D.R.L. (ou le Kline) est seul positif ; le test de Nelson, le T.P.H.A. et le F.T.A. étant négatifs, même au 2e examen de contrôle pratiqué systématiquement. Il s'agit alors d'un sérologie faussement positive, ne traduisant pas une infection syphilitique, et dont nous avons vu les causes possibles dans la première partie de l'ouvrage. On a en général dans ce cas des taux d'anticorps modérés.
- Soit le V.D.R.L., le T.P.H.A., le F.T.A. et le test de Nelson éventuellement pratiqué sont positifs. Il s'agit alors d'une tréponématose.

La recherche de signes cliniques d'une syphilis primo-secondaire s'impose avec un examen complet : le plus souvent les investigations seront négatives, et il s'agit d'une syphilis sérologique.

Des antécédents de syphilis seront recherchés, parfois bien connus de la patiente, permettant ainsi éventuellement de situer l'ancienneté de la maladie, et de savoir si la syphilis a été correctement traitée ou non. Mais bien souvent, aucun épisode précis n'est retrouvé, la maladie étant passée inaperçue ou ayant été décapitée par un traitement antibiotique prescrit pour une infection autre.

3) **Les indications du traitement de la mère :**

Une fois la syphilis affirmée chez une femme enceinte, le traitement est impératif et urgent en raison des risques encourus par le fœtus. L'antibiotique utilisé devra être à la fois actif sur le tréponème pâle, mais aussi traverser la barrière placentaire pour pouvoir atteindre les tréponèmes passés dans la circulation du fœtus, et n'être pas toxique pour le fœtus.

Le traitement chez la femme enceinte sera mise en œuvre :

— bien sûr en cas de syphilis primo-secondaire ;

— mais aussi en cas de syphilis sérologique ;

— par précaution en cas de syphilis ancienne connue, même correctement traitée, dont la sérologie est restée positive et pour certains même si la sérologie est négative ;

— enfin, certains traitent également les femmes enceintes dont le partenaire présente une sérologie positive.

Ce traitement sera renouvellé à chaque grossesse, par mesure de sécurité. Dans tous les cas, il sera nécessaire, bien sûr, de faire examiner le ou les partenaires, et de les soumettre à un sérodiagnostic de la syphilis.

4) **Surveillance et indication du traitement du nouveau-né :**

Un traitement adéquat de la mère prévient, dans l'immense majorité des cas, la syphilis congénitale.

Cependant, la surveillance de l'enfant est impérative, sur le plan clinique et sérologique.

Si le diagnostic de syphilis congénitale n'est pas difficile pour le médecin, lorsque les signes cliniques sont présents, notamment si l'écoulement nasal ou les lésions de la peau montrent la présence de tréponème à l'examen microscopique à fond noir, le diagnostic peut être difficile quand un nouveau-né apparemment normal a une sérologie de la syphilis positive.

En effet, en l'absence de signes évoquant une syphilis congénitale, deux situations peuvent se voir :

- Soit la sérologie du nouveau-né est négative : c'est le cas le plus fréquent, car le traitement de la mère met l'enfant à l'abri de l'infection syphilitique.

Cependant si la contamination de la mère a eu lieu en fin de grossesse après le 8e mois, l'enfant peut naître avec une sérologie encore négative, mais qui pourra se positiver ultérieurement.

Il est donc indispensable de surveiller le nourrisson cliniquement, mais surtout sérologiquement pendant trois mois, afin de le traiter sans retard si nécessaire.

- Soit la sérologie du nouveau-né est positive.

Si la mère a été correctement traitée pendant la grossesse, c'est qu'il s'agit vraisemblablement d'un transfert passif à travers le placenta d'anticorps de la mère dans la circulation du fœtus. Ces anticorps diminueront alors progressivement pour disparaître complètement en deux ou trois mois. Si ce n'est pas le cas, le médecin s'aidera d'un F.T.A. avec recherche d'Ig M spécifiques dans le sang du nouveau-né, qui, si il est positif permettra alors d'affirmer la syphilis congénitale. En effet, les Ig M sont des anticorps qui ne traversent pas la barrière qu'est le placenta, et la présence chez le nouveau-né d'anticorps de type Ig M anti-tréponèmes signe l'infection tréponémique.

A noter que ce test peut être négatif à la naissance et ne se positiver que vers le 2e-3e mois de la vie.

En cas de sérologie positive chez le nouveau-né, traduisant une infection tréponémique chez celui-ci, un traitement lui sera administré.

En conclusion, on pourra dire que la syphilis congénitale, lorsqu'elle survient, n'est due, de nos jours, qu'à la négligence des mères qui ne se rendent pas aux consultations prénatales. En effet, la syphilis congénitale ne survient que lorsqu'une femme enceinte présente une syphilis, qui n'est ni diagnostiquée, ni traitée, pendant la grossesse.

Blennorragie gonococcique et grossesse

L'infection génitale à gonocoque est d'une grande importance au cours de la grossesse, d'une part en raison du risque de contamination du nouveau-né lors de l'accouchement par les voies naturelles, d'autre part parce que la grossesse peut favoriser l'apparition d'une salpingite chez une femme porteuse d'une infection génitale à gonocoque.

Il a été démontré que la présence d'une gonococcie génitale chez la mère est associée à une augmentation du risque de rupture des membranes avant le début du travail et du risque d'accouchement prématuré. Le gonocoque peut occasionnellement être responsable de salpingites aiguës puerpérales.

Les femmes enceintes, atteintes d'une gonococcie génitale ont, semble-t-il un risque particulier de développer une infection gonococcique disséminée, mais cependant, cette gonococcie disséminée reste une maladie très rare.

1) **Les risques encourus par le nouveau-né :**

Si la mère présente une gonococcie génitale qui n'est ni diagnostiquée, ni traitée pendant la grosesse, il n'y en général pas de risque d'infection du fœtus, pendant la vie intra-utérine, mais il y aura un risque majeur d'infection du nouveau-né lors de l'accouchement, le nouveau-né étant contaminé par les sécrétions cervico-vaginales infectées de la mère.

Cette infection gonoccique du nouveau-né se traduit par une atteinte oculaire appelée l'ophtalmie gonococcique du nouveau-né.

Elle se manifeste précocement, entre le 2e et le 4e jour de la naissance, par une atteinte des deux yeux en général, plus rarement d'un œil, qui deviennent rouges, larmoyants, avec un écoulement purulent collant les paupières entre elles. Les paupières et les conjonctives peuvent être œdématiées. Rapidement la conjonctivite et l'œdème s'aggravent, l'écoulement devient nettement plus abondant, et on aboutit au chalazion (petite tumeur bénigne de la paupière).

Cette ophtalmie est douloureuse, et s'accompagne d'une gêne à la lumière, et de ganglions qui augmentent de volume et deviennent sensibles, autour des oreilles.

Sans traitement, elle évolue vers une kératite superficielle, c'est-à-dire une atteinte de la cornée, avec apparition tardive d'ulcérations cornéennes, laissant après guérison soit des cicatrices sur la cornée, responsables d'une diminution de la vision, soit une perforation aboutissant à la cécité.

Cependant, des tableaux moins dramatiques peuvent s'observer.

Heureusement actuellement, on arrive à éviter cette ophtalmie du nouveau-né.

2) **Conduite à tenir en cas de gonococcie chez une femme enceinte :**

Etant donné que, contrairement à la syphilis, pour le gonocoque il n'existe pas de sérologie de dépistage, il faut, chaque fois qu'une femme enceinte présente des pertes vaginales, qu'elle aille consulter son médecin et qu'elle se soumette à des prélèvements de laboratoire à la recherche, entre autres germes, du gonocoque.

Si le gonocoque est isolé, il faudra que la femme soit traitée et que la guérison soit confirmée par un nouveau prélèvement bactériologique de contrôle à la fin du traitement.

Malheureusement, la gonococcie génitale est très souvent asymptomatique chez la femme. D'où l'intérêt d'un prélèvement bactériologique systématique de l'urètre, du col et de l'anus en fin de grossesse, à partir du 8e mois.

On devrait ainsi pouvoir éviter l'infection du nouveau-né.

Il existe d'autres méthodes de prévention de l'ophtalmie gonococcique du nouveau-né, recommandées en prophylaxie de routine dans les régions ou pays où la gonococcie est très fréquente.

- La Méthode de Crédé, qui fut proposée avant l'apparation des antibiotiques, consiste à instiller systématiquement chez tous les nouveau-nés à la naissance 2 gouttes de nitrate d'argent à 1 % dans chaque œil.
- Depuis l'avènement des antibiotiques, on lui préfère une autre méthode de prévention qui consiste à instiller un collyre antibiotique dans chaque œil du nouveau-né à la naissance.
- Cependant ces méthodes de prévention systématique n'ont plus de raison d'être dans les pays développés, car si l'infection oculaire gonococcique du nouveau-né est diagnostiquée et traitée rapidement, elle guérit sans séquelles, alors que l'utilisation préventive systématique de nitrate d'argent ou d'antibiotique en collyre ne guérissent pas dans 100 % des cas l'ophtalmie gonococcique du nouveau-né, si elle existe.

Si la prévention n'est pas effectuée, on recommande à la mère de prévenir le médecin si les paupières du nouveau-né sont collées ou dès le moindre signe d'infection oculaire de l'enfant. Dans ce dernier cas, un prélèvement des sécrétions sera effectué au niveau oculaire chez le nouveau-né, et éventuellement au niveau génital chez la mère, à la recherche du gonocoque entre autres germes.

Mais l'ophtalmie gonococcique du nouveau-né représentant une urgence, le traitement de l'enfant sera entrepris avant même les résultats du laboratoire, en raison des risques d'ulcération de la cornée.

Ce traitement du nouveau-né consistera en l'injection d'un antibiotique associé le plus souvent à un traitement local par un collyre antibiotique. Bien sûr, si les examens de laboratoire confirment la présence de gonocoques chez l'enfant ou chez la mère, il faudra aussi traiter la mère, et faire examiner le ou les partenaires de la femme en question, à la recherche de gonocoques.

Cette attitude consistant à ne pas utiliser de prévention systématique, mais à traiter rapidement le nouveau-né dès l'apparition des premiers signes d'atteinte oculaire a l'avantage d'aboutir à une guérison sans séquelle de l'infection oculaire du nouveau-né, tout en ne laissant pas passer inaperçue une gonococcie génitale maternelle.

Trichomonase et grossesse

La trichomonase semble être favorisée par la grossesse, puisque des statistiques ont montré des taux allant jusqu'à 60 % de femmes enceintes atteintes par cette infection.

Cependant, l'infection génitale de la mère à trichomonas vaginalis ne semble pas poser de problèmes particuliers pour l'enfant pendant la grossesse ou à l'accouchement.

En effet, la trichomonase n'entraîne pas de mort fœtale dans l'utérus maternel, elle ne semble pas responsable de travail débutant avec le terme, ni d'accouchement prématuré et ne semble pas être à l'origine d'avortements.

Cependant, la présence de trichomonas vaginalis dans le vagin modifie le pH vaginal et par ce fait, le parasite pourra être responsable d'une diminution des mécanismes de défense au niveau du vagin à l'encontre d'autres infections.

On considère qu'environ 5 % des enfants nés de mères porteuses de trichomonas vaginalis seront infectés, lors de l'accouchement, au contact des sécrétions vaginales infectées de la mère. Cette infection concerne essentiellement les filles, chez qui on pourra retrouver le trichomonas vaginalis au niveau génital.

La conduite adoptée en face d'une infection génitale à trichomonas vaginalis chez la femme enceinte varie en fonction des médecins.

Certains ne traitent la patiente que si celle-ci présente des symptômes cliniques, mais ne traitent pas les trichomonases asymptomatiques, à moins d'une preuve existante d'un effet nocif de l'infection sur le fœtus, preuve qui, dans la majorité des cas, est absente. Ils tablent sur le fait que beaucoup d'infections vaginales à trichimonas vaginalis semblent disparaître spontanément.

D'autres traitent systématiquement toutes les trichomonases de la femme enceinte, qu'elles soient asymptomatiques ou non, en prescrivant un traitement par voie orale associé à un traitement local, car un traitement utilisé par la seule voie locale est moins efficace.

Cependant, étant donné que les produits utilisés contre le trichomonas vaginalis pénètrent dans la circulation du fœtus, certains médecins sont contre leur utilisation pendant la grossesse. Mais 20 années d'utilisation n'ont montré aucun effet nocif de ces produits sur le fœtus. Il semble pourtant préférable de les éviter en début de grossesse lors de la formation des principaux organes du fœtus.

Bien entendu, pendant le traitement, la femme devra s'abstenir de tous rapports.

Le ou les partenaires devront eux aussi être examinés et éventuellement traités s'ils sont porteurs de trichomonas vaginalis.

Certains médecins ne jugent indispensable d'examiner et de traiter le partenaire que si une récidive survient après traitement chez la femme.

Candidoses vaginales et grossesse

La grossesse représente une des causes favorisant le développement des candidoses vaginales et de nombreuses études ont confirmé que plus de 30 % des femmes enceintes peuvent présenter cette infection, qui souvent reste asymptomatique.

La présence d'une candidose chez une femme enceinte pourra poser des problèmes, essentiellement au nouveau-né, qui se contaminera lors de l'accouchement. Des infections du fœtus pendans sa vie intra-utérine ont été décrites, mais restent extrêmement rares.

1) **Conduite à tenir en cas de candidose génitale chez la mère :**

En raison du risque encouru par l'enfant à la naissance, une femme enceinte présentant des symptômes pouvant évoquer une candidose vaginale devra aller consulter son médecin, et éventuellement se soumettre à des prélèvements de laboratoire.

Une fois le diagnostic de candidose vaginale affirmé chez une femme enceinte, celle-ci devra être traitée pour éviter la contamination du nouveau-né qui pourra se faire lors de l'accouchement. Certains traitent systématiquement le ou les partenaires.

D'autres conseillent simplement au partenaire une hygiène intime rigoureuse et ne traitent ce dernier qu'en cas d'infection persistante ou récidivante chez la femme malgré le traitement.

Dans tous les cas d'infection résistante au traitement, il faudra faire rechercher un diabète.

2) **Les risques encourus par le nouveau-né :**

En l'absence de traitement de la candidose vaginale de la mère, le nouveau-né risque une contamination lors de l'accouchement.

Le tableau habituel chez le nouveau-né en cas de contamination consiste initialement en l'apparition de tâches blanches ou crème sur la langue, sur les replis muqueux entre la mâchoire et les joues, ou la mâchoire et les lèvres.

Un prélèvement local permettra de confirmer le diagnostic.

Une négligence de ce stade initial peut conduire à une rapide extension de l'infection, et à la formation de larges plaques blanchâtres dans toute la cavité buccale et atteignant les lèvres. Ces enfants auront alors des problèmes pour se nourrir.

Une candidose cutanée pourra survenir, fréquemment localisée au niveau des fesses et des endroits recouverts par les couches du bébé. L'infection est précédée d'une macération, résultant en général d'un manque de soins hygiéniques du bébé. Des zones érosives, rouge vif, entourées d'une collerette blanchâtre apparaissent sur les fesses.

Des candidoses congénitales graves peuvent survenir dans certains cas, en particulier chez les enfants nés prématurément.

Une extension de la candidose peut être déclenchée par l'administration à l'enfant d'un traitement antibiotique ou à base de cortisone.

Le passage de candidas par aspiration dans les bronches du nouveau-né, lors de l'accouchement, peut être responsable d'une mycose broncho-pulmonaire, alors que l'ingestion de candidas par l'enfant lors de l'accouchement peut entraîner une atteinte de l'appareil digestif du nouveau-né, avec difficulté à avaler, vomissements, diarrhée, et envahissement de la circulation sanguine de l'enfant par le candida, pouvant aboutir à une maladie grave avec atteinte possible du cerveau, de l'endocarde (tunique interne tapissant le cœur) ou du rein.

3) **Conduite à tenir en cas de candidose congénitale :**

Donc, devant l'apparition chez le nouveau-né de lésions buccales telles qu'elles ont été décrites, la mère devra prévenir le médecin, qui pourra faire le diagnostic simplement devant l'aspect des lésions, ou en ayant recours au laboratoire pour la recherche de candida au niveau des lésions cutanéo-muqueuses.

Une fois le diagnostic de candidose congénitale posé, l'enfant sera traité d'une part par l'utilisation d'une solution antifongique, d'autre part en nettoyant la bouche du bébé et en enlevant les plaques blanchâtres présentes dans la cavité buccale.

La prévention de ces candidoses congénitales consiste, chaque fois qu'une femme enceinte présente des pertes vaginales, à faire pratiquer un prélèvement génital à la recherche de candida, ou même à faire pratiquer un prélèvement bactériologique vaginal systématique à la fin de la grossesse, avant l'accouchement, et, en cas de candidose, traiter la femme enceinte et éventuellement son partenaire.

Une prophylaxie par un traitement antifongique systématique peut être envisagé chez les prématurés ou chez les nouveau-nés recevant un traitement antibiotique.

Infections génitales à germes pyogènes et grossesse

Essentiellement deux germes peuvent être responsables d'infections sérieuses du nouveau-né ; ce sont le streptocoque du groupe B et le listéria monocytogènes.

LE STREPTOCOQUE DU GROUPE B

Le streptocoque du groupe B est un germe assez souvent retrouvé dans les sécrétions vaginales de la femme.

Chez la femme enceinte, des taux d'isolement du streptocoque B allant de 5 à 25 % ont été rapportés par différents auteurs.

Bien que très souvent asymptomatique chez la femme, l'infection à streptocoque B peut avoir des conséquences parfois graves chez le nouveau-né d'une mère infectée.

La flore bactérienne intestinale est un réservoir de streptocoques B, et le vagin peut être contaminé à partir de l'anus, mais le germe peut aussi être transmis par voie sexuelle.

Chez la mère, le streptocoque du groupe B est occasionnellement impliqué dans des infections urinaires, dans les fièvres après avortements provoqués, ou dans des infections génitales.

1) **Les risques encourus par le fœtus ou le nouveau-né :**

On constate que beaucoup d'enfants à la naissance sont colonisés par le streptocoque B, mais ne présentent pas de symptômes.

Le taux d'enfants atteints par l'infection à streptocoque B a été estimé entre 1 à 4 pour 1 000 naissances.

Le streptocoque B peut être responsable chez l'enfant d'infections respiratoires, de méningites et de septicémies.

2) **Conduite à tenir :**

Il est possible de réduire le taux d'infection de l'enfant par le streptocoque B, soit par des prélèvements bactériologiques systématiques chez toutes les femmes enceintes, suivi d'un traitement de la mère en cas d'isolement du streptocoque B, soit par une administration systématique d'un antibiotique efficace sur le streptocoque B, chez le nouveau-né à la naissance, en particulier chez les nouveau-nés ayant un faible poids de naissance.

En l'absence de prévention, et si le streptocoque B se développe chez le nouveau-né, une antibiothérapie intensive est nécessaire afin d'obtenir la guérison ; en l'absence de traitement, le taux de mortalité de l'enfant peut avoisiner les 50 %.

LISTERIA MONOCYTOGÈNES

L'infection à listeria est une infection qui touche essentiellement le nouveau-né, mais les formes de l'adulte ne sont pas rares.

L'infection chez une femme enceinte peut se traduire par de la fièvre, un tableau pseudo-grippal, une infection urinaire, ou une infection génitale.

Cette dernière est très souvent asymptomatique ou parfois peut être responsable de leucorrhées banales.

L'infection à listeria, chez la femme enceinte, peut aussi être totalement silencieuse, sans aucune manifestation clinique.

Cependant, dans tous les cas, il y a risque d'infection du fœtus.

La contamination de l'enfant par listeria monocytogènes peut se faire par voie transplacentaire, avec risque d'avortement ou d'accouchement prématuré, ou lors de l'accouchement, au passage de la filière génitale, avec risque chez le nouveau-né de méningites, de méningo-encéphalites et de septicémies.

Chlamydia trachomatis et grossesse

Dans ce chapitre, nous parlerons uniquement des infections génitales à C.T. de la femme, en laissant de côté la lymphogranulomatose vénérienne qui ne présente pas d'intérêt particulier chez la femme enceinte.

Des études faites chez les femmes enceintes ont montré une incidence de plus de 12,7 % du C.T. au niveau des voies génitales et cette incidence du C.T. est plus importante chez les femmes issues des couches sociales les plus élevées. Et lorsque la mère présente une infection génitale à C.T., elle peut contaminer l'enfant lors de l'accouchement et le taux d'infection à C.T. chez les enfants nés de mères infectées peut atteindre les 50 %.

1) **Les risques encourus par le nouveau-né :**

Si l'infection génitale maternelle à C.T. n'est pas traitée, le nouveau-né risque de se contaminer lors de l'accouchement, et il pourra développer soit une conjonctivite dite « à inclusions », soit une pneumonie sans fièvre, soit éventuellement une rhinopharyngite ou une otite.

• *La conjonctivite à C.T., dite conjonctivite « à inclusions »* du nouveau-né est habituellement contractée lors du travail, mais des infections transplacentaires ont été décrites.

Il s'agit d'une conjonctivite aiguë purulente, se développant habituellement entre le 5e et le 14e jour après la naissance, mais parfois plus précocement ou plus tardivement. La conjonctive est rouge, gonflée et il existe un écoulement assez abondant purulent et jaunâtre.

Cette conjonctivite est souvent bilatérale, parfois unilatérale.

Même non traitée, cette conjonctivite guérit pratiquement toujours spontanément après quelques semaines ou mois, en moyenne 30 jours.

A noter que 40 à 50 % des enfants nés de mères infectées et non traitées feront cette conjonctivite.

• *La pneumonie de l'enfant,* associée à C.T., débute en général 15 à 90 jours après la naissance.

Dans la moitié des cas, une conjonctivite à inclusions est associée ou précède l'atteinte pulmonaire.

Cette pneumonie se manifeste par une toux sèche, quinteuse, rebelle, associée à une accélération du rythme respiratoire. Mais le nouveau-né n'a pas de fièvre et ne présente pas de signes d'altération de l'état général.

Le sérodiagnostic des C.T. pratiqué chez le nouveau-né permettra de confirmer le diagnostic en montrant un taux d'anticorps de type IgM, anti-C.T. élevé.

Même non traitée, cette pneumonie à C.T. évolue vers la guérison spontanément, guérison qui sera cependant accélérée par le traitement.

• *Enfin des rhinopharyngites et des otites à C.T.* peuvent survenir chez les nouveau-nés de mères infectées.

2) **Conduite à tenir en cas d'infection à C.T. chez la mère ou chez l'enfant :**

La mise en route de cultures sytématiques à la recherche de C.T. au niveau des prélèvements génitaux de la femme enceinte n'est pas très aisée, du fait de la « sophistication » relative des techniques d'isolement requises pour C.T. Cependant si cette culture est pratiquée chez une femme enceinte, et qu'elle met en évidence C.T., la femme devra être traitée ainsi que son partenaire.

En cas de conjonctivite à inclusions, chez un nouveau-né de mère porteuse d'une infection génitale à C.T. passée inaperçue, un traitement utilisant un collyre antibiotique aidera à la guérison, qui de toute façon se fera, même sans traitement.

En cas de pneumonie à C.T. chez le nouveau-né, un traitement antibiotique par voie générale accélèrera la guérison.

Mycoplasmes et grossesse

Des études statistiques ont montré que 42 % des femmes enceintes saines étaient porteuses d'uréaplasma uréalyticum dans leurs voies génitales, 9 % étaient porteuses de mycoplasma hominis.

1) **Risques encourus par le fœtus ou le nouveau-né :**

• L'infection génitale à mycoplasme chez une femme enceinte peut être responsable d'avortements spontanés, ou d'accouchements prématurés.

• Les mycoplasmes pourraient aussi être responsables semble-t-il d'un faible poids de l'enfant à la naissance.

• Enfin, les infections génitales à mycoplasmes chez la femme enceinte peuvent être responsables, chez l'enfant, de méningites néonatales, d'infection des ganglions sous-maxillaires et d'abcès sous-cutanés, mais ces infections du nouveau-né demeurent très rares.

• On peut aussi retrouver des mycoplasmes dans la gorge des enfants nés à terme, ou plus souvent nés prématurément, de mères infectées, mais ne se traduisant habituellement par aucune symptomatologie.

2) **Conduite à tenir :**

Le traitement des infections génitales à mycoplasma hominis et à ureaplasma urealyticum apparaît indiqué chez les femmes infectées pendant la grossesse, chez les femmes enceintes dont le partenaire présente une urétrite non gonococcique à mycoplasme, en cas d'infection du post-partum et d'infection du nouveau-né.

Herpès génital et grossesse

La grossesse représente un facteur favorisant les récurrences de l'herpès génital et le taux d'herpès génital pendant la grossesse varie de 0,2 à 1 %, les couches socio-économiques les plus basses étant les plus touchées, semble-t-il.

1) **Les risques encourus par le fœtus et le nouveau-né :**

La survenue d'une infection à herpès virus type 2 pendant la grossesse peut être responsable d'avortement. Certains auteurs ont rapporté des taux d'avortements atteignant 30 à 50 % chez les femmes enceintes chez qui une infection herpétique génitale avait été établie avant la conception. Les infections survenant plus tardivement, au cours de la grossesse, peuvent conduire à un accouchement prématuré, et si l'enfant est infecté, à un fort taux de mortalité périnatale et à une atteinte du système nerveux central chez environ la moitié des enfants survivants infectés ; 50 % des nouveau-nés infectés présenteront des vésicules et des lésions bulleuses.

Mais, heureusement, lorsqu'une femme enceinte présente un herpès génital, l'atteinte du nouveau-né n'est pas obligatoire et l'enfant peut naître sain. La contamination de l'enfant se fait en général lors du travail et de l'accouchement, rarement pendant la grossesse elle-même, à travers le placenta.

Lorsque l'on considère les femmes enceintes ayant présenté des lésions d'herpès génital, à un quelconque moment de leur grossesse, environ 3,5 % des enfants présenteront une infection herpétique à la naissance.

Cependant, s'il existe, chez la mère, un herpès génital actif, avec des lésions herpétiques au moment de l'accouchement, le risque d'infection herpétique du nouveau-né peut atteindre 40 %, et la moitié de ces enfants infectés présenteront une infection herpétique néonatale sévère ou fatale.

Donc les risques d'infection de l'enfant sont maxima lorsque la mère présente une primo-infection herpétique au terme de la grossesse, car la contamination de l'enfant sera alors massive.

S'il s'agit d'un herpès récurrent, le risque d'infection de l'enfant sera moindre, et même si l'enfant est contaminé, il ne présentera en général que des infections bénignes, essentiellement cutanées, alors qu'en cas de primo-infection herpétique chez la mère, le nouveau-né risque des infections généralisées et graves à type de septicémies et de méningo-encéphalites souvent mortelles.

Il a été établi une incidence de l'infection herpétique chez le nouveau-né variant de 1 pour 7 500 grossesses à 1 pour 50 000 grossesses.

2) **Conduite à tenir :**

La grossesse favorise l'herpès génital qui est donc plus fréquent chez la femme enceinte qu'en dehors de la grossesse.

Dans l'idéal, il faudrait rechercher systématiquement l'herpès virus au niveau de l'appareil génital des femmes enceintes à haut risque d'herpès génital, par exemple chez les femmes ayant un passé d'herpès génital ou une histoire de contact récent avec un partenaire infecté.

De toute façon la règle est de rechercher systématiquement un herpès génital chez toute femme enceinte, par un examen gynécologique complet, mais l'herpès étant souvent asymptomatique, il est souhaitable chez les femmes enceintes exposées de faire pratiquer des frottis de dépistage systématique pendant la grossesse, à la recherche de cellules évoquant une infection herpétique.

En général, une césarienne est proposée à toute femme enceinte présentant des vésicules d'herpès de primo-infection et même de récurrence au moment du travail, lorsque la poche des eaux est intacte ou rompue depuis moins de quatre heures, car, passé ce délai la contamination de l'enfant par voie ascendante est déjà très importante.

Si les membranes ont été rompues depuis plus de quatre heures, la césarienne aura moins de valeur dans la prévention de l'infection de l'enfant pendant l'accouchement.

La date prévue pour la césarienne peut être parfois difficile à fixer, les grossesses infectées semblant représenter un grand risque d'accouchement avant terme.

Malheureusement, même une césarienne faite à temps n'éliminera pas les risques d'infection du nouveau-né, car :

— l'enfant peut avoir été infecté avant le travail ;

— la majorité des mères infectées par l'herpès virus type 2 ne présentent pas de symptômes et donc elles n'ont pas de raison de savoir qu'une césarienne est requise ;

— l'infection du nouveau-né peut survenir après la naissance au contact de la mère infectée ;

On peut donc retenir :

— L'intérêt de détecter les anticorps anti HSV2 au même titre que pour la syphilis, la rubéole et la toxoplasmose, chez la femme enceinte afin, si le sérodiagnostic herpétique est négatif, d'essayer de protéger la mère contre une éventuelle primo-infection pendant la grossesse.

— En cas d'antécédent d'herpès génital chez une femme enceinte, il est conseillé de faire pratiquer des frottis de dépistage systématique à la recherche de cellules herpétiques tout au long de la grossesse.

— Si le partenaire d'une femme enceinte présente un herpès génital, on préconise :

• au mieux l'abstinence sexuelle totale pendant toute la grossesse ;

• au moins des rapports protégés (préservatifs masculins), avec abstinence complète deux mois avant le terme et une surveillance par des frottis de dépistage.

— Si la femme enceinte présente un herpès génital au cours de la grossesse :

• si l'infection survient dans les sept premiers mois de la grossesse, il faudra au minimum une surveillance cytologique par des frottis de dépistage ;

• si l'herpès génital survient à terme, la césarienne sera sytématique dans tous les cas quatre heures au plus après la rupture des membranes.

— La mère, ayant présenté un herpès génital ou étant suspectée d'une telle infection à terme, devra être placée en chambre privée et ne pourra prendre son bébé que sous réserve de certaines précautions : port de gants, de masque, etc... L'enfant suspecté d'herpès devra être isolé des autres nouveau-nés.

— Lorsqu'un nouveau-né est atteint d'herpès néonatal, certains antiviraux, s'ils sont utilisés précocement, peuvent être efficaces dans le traitement de l'infection herpétique localisée à la peau ou aux muqueuses, mais ils seront moins efficaces dans les formes disséminées ou avec atteinte du système nerveux central.

Cependant, chez certains enfants présentant des lésions herpétiques de la peau malgré le traitement, l'infection peut se généraliser.

Infection génitale à cytomégalovirus (C.M.V.) et grossesse

Le C.M.V. est un virus très répandu à travers le monde.

Les taux d'infection à C.M.V. semblent varier en fonction des conditions socio-économiques, avec des taux d'infection plus élevés et survenant plus précocement dans les couches sociales les plus basses.

Cependant, avec l'âge, la majorité des adultes aura été infectée par le C.M.V.

Il a été estimé que l'infection congénitale à C.M.V. survient dans 1 % des naissances et que 5 à 10 % des femmes enceintes ont un col utérin infecté par le virus, mais la plupart des infections de l'enfant resteront asymptomatiques.

Certaines études ont montré une fréquence 4 à 5 fois plus élevée d'infections congénitales à C.M.V., chez les nouveau-nés de mères célibataires que chez ceux des mères mariées.

1) **Signes cliniques de l'infection génitale à C.M.V. chez la femme enceinte :**

Bien qu'une grande variété de manifestations cliniques puissent se voir au cours des infections à C.M.V., la plupart des infections de l'enfant et de l'adulte sont asymptomatiques.

En général les infections génitales à C.M.V. chez les femmes ne donnent aucune symptomatologie spécifique, responsables parfois d'une vulvo-vaginite subaiguë, avec des leucorrhées banales, mais le plus souvent d'une forme d'infection totalement asymptomatique.

2) **Risques encourus par le fœtus et le nouveau-né :**

Lorsqu'une femme enceinte présente une infection génitale à C.M.V., l'enfant pourra être contaminé soit à l'accouchement soit après la naissance, par exemple par l'intermédiaire du lait maternel, qui renferme le virus, chez l'enfant nourri au sein. Dans ces cas, l'infection de l'enfant reste en général asymptomatique, vraisemblablement parce que, la mère ayant probablement fabriqué des anticorps contre le C.M.V., va transférer ces anticorps à travers le placenta au fœtus, anticorps qui protègeront ce dernier.

Mais le fœtus peut aussi être contaminé pendant sa vie intra-utérine et les conséquences de cette infection intra-utérine vont de l'infection bénigne à des formes beaucoup plus graves.

Ainsi des lésions diffuses peuvent apparaître au niveau des organes du fœtus, aboutissant à l'avortement ou à la mort aux alentours de la naissance.

Si l'enfant naît, il pourra présenter un retard de croissance, avec une jaunisse, une microcéphalie (c'est-à-dire un cerveau diminué de volume), un foie et une rate augmentés de volume, ou des lésions pouvant aboutir à une surdité. Mais un enfant infecté pourra être apparemment sain et devenir un adulte sain.

Certains auteurs ont estimé qu'environ 10 % des enfants contaminés par le C.M.V. pendant leur vie intra-utérine présentaient une maladie sévère, et que 10 % autres développaient des anomalies apparaissant plus tardivement, comme par exemple une surdité.

Il n'existe pas de traitement pour prévenir l'infection à C.M.V. ou pour modifier son évolution.

Végétations vénériennes et grossesse

Les végétations vénériennes sont relativement fréquentes chez la femme enceinte, chez qui des modifications de pH de la vulve et du vagin représentent un environnement favorable à leur développement.

Elles peuvent avoir une certaine importance pendant la grossesse, car il a été rapporté des cas d'enfants nés de mères infectées et développant des papillomes au niveau du larynx ou de la trachée. De même on a associé le développement de condylomes acuminés vulvaires chez le nouveau-né fille ou chez le nourrisson avec la présence de végétations vénériennes chez la mère.

En cas de végétations vénériennes découvertes chez une femme enceinte, il faudra examiner tous les partenaires et éventuellement les traiter en même temps que la femme.

Le traitement de ces végétations nécessite une excellente hygiène et la guérison indispensable de toutes infections génitales concomitantes, particulièrement chez la femme, d'une trichomonase, d'une candidose éventuellement associée.

Les végétations elles-mêmes seront traitées par l'application locale d'un produit qui pourra être utilisé sans problème chez la femme enceinte, bien que si les lésions sont étendues il vaille mieux éviter l'application du produit sur une trop grande surface en même temps.

Le traitement pourra aussi consister en l'application d'azote liquide ou en une cautérisation des lésions.

Il est habituel de constater une régression spontanée des lésions après l'accouchement.

Hépatite à virus B et grossesse

Le virus de l'hépatite B (H.B.V.) est reconnu actuellement comme l'agent le plus fréquent des hépatites virales.

La survenue d'une hépatite chez une femme pendant la grossesse a une importance, car il existe des risques de contamination de l'enfant, importance qui est toute particulière chez les femmes enceintes dans les communautés vivant dans de mauvaises conditions socio-économiques où l'hépatite pourra alors être assez souvent fatale.

1) **Risques encourus par le fœtus ou le nouveau-né :**

En fonction de l'intensité de l'hépatite maternelle, on pourra observer des avortements, un déclenchement du travail avant terme, ou simplement une infection de l'enfant qui peut naître sain et développer plus tard une maladie chronique du foie, par exemple une cirrhose.

Les enfants nés de mères porteuses du virus H.B.V. ne présentent en général aucun symptôme et c'est seulement en cas d'une surveillance de routine et de la mise en évidence de l'antigène Hbs que la transmission du virus H.B.V. pourra être détectée.

Il existe un assez grand nombre de porteurs chroniques de virus H.B.V. et dans certains pays d'Asie et d'Afrique, ce taux peut dépasser 10 % de l'ensemble de la population.

Lorsque l'on considère les enfants infectés au moment de l'accouchement, il semblerait que le taux de porteurs de virus

H.B.V. soit le même chez les enfants accouchés par les voies naturelles ou chez les enfants mis au monde par césarienne.

2) **Conduite à tenir :**

Pour l'hépatite virale, il n'existe pas de traitement et les mesures à prendre chez la femme enceinte sont des mesures préventives uniquement.

Le vaccin contre l'hépatite B est contre-indiqué chez la femme enceinte. Comme mesures préventives à envisager chez la femme enceinte :

— Eviter un travail à haut risque ou du moins prendre un maximum de précautions pour éviter la contamination (infirmières, laborantines, personnel médical et paramédical, etc.)

— S'abstenir de tous rapports avec un partenaire présentant une hépatite virale B, en se rappelant que l'hépatite B peut être transmise lors de rapports génito-génitaux, mais aussi de contacts oro-génitaux, oro-anaux, voire même par des baisers pendant la durée de la maladie.

— Chez les femmes enceintes exposées à l'infection, l'injection de gamma globulines présentant un titre élevé d'anticorps antivirus B est recommandé.

— En cas d'hépatite B chez une femme enceinte, on recommande le repos sous surveillance attentive, clinique et biologique, de l'évolution de la maladie. On y associera des règles hygiéno-diététiques (suppression complète de l'alcool, des œufs, etc.)

— Le rôle de la prévention par les gamma globulines chez le nouveau-né de mère infectée est encore à l'étude.

Gale et grossesse

La grossesse n'a pas d'incidence sur la fréquence ou sur l'aspect clinique de l'infection, mais les femmes doivent savoir qu'une mère atteinte de la gale représente un risque de contamination pour le nouveau-né.

1) **La gale chez le nouveau-né :**

Il faudra toujours envisager la possibilité d'une gale lorsqu'un nouveau-né présente une éruption généralisée consistant en des papules rougeâtres, des croûtes et des pustules. Le nouveau-né, contrairement aux enfants plus âgés et aux adultes, peut présenter des lésions sur la face, le cuir chevelu, le haut du dos, les paumes des mains et les plantes des pieds. Ces papules chez le nouveau-né peuvent être présentes sur le périnée, qu'elles peuvent envahir, celui-ci devenant alors d'un rouge diffus, suintant et desquamant.

2) **Conduite à tenir en cas de gale chez la femme enceinte ou chez le nouveau-né :**

Il faudra, lorsque le diagnostic de gale est posé chez une femme enceinte, faire examiner tous les membres de la famille et les partenaires sexuels.

La femme enceinte atteinte de gale devra être traitée, en même temps éventuellement que les autres membres de la famille et les partenaires sexuels, par l'application d'un produit actif sur le parasite, qui sera en général appliqué trois soirs de suite sur tout le corps et pas seulement sur les zones qui démangent.

Lorsqu'un nouveau-né est contaminé, il devra bien entendu lui aussi être traité par application d'une crème ou d'une solution antiparasite trois jours de suite, et en général, il conviendra de traiter, en même temps que le nouveau-né, la mère et tous les membres de la famille.

S.I.D.A. et grossesse

Plusieurs cas de déficits immunitaires analogues au S.I.D.A. (syndrome d'immuno-déficit acquis) de l'adulte ont été rapportés chez des enfants, soit nés d'une mère elle-même atteinte par ce syndrome ou appartenant à un groupe à risque, soit vivant au contact dans leur foyer avec une ou plusieurs personnes atteintes de S.I.D.A., ou faisant partie d'un groupe à risque.

Pour plus de détails, je vous renvoie au chapitre consacré au S.I.D.A.

Troisième partie

M.S.T. ET HOMOSEXUALITÉ : localisations particulières et conduite à tenir

M.S.T.
ET HOMOSEXUALITÉ MASCULINE

Les M.S.T. sont en constante recrudescence et l'homosexualité y participe pour une bonne part.

Mais alors que la prévalence de la plupart des M.S.T. est très augmentée chez les homosexuels hommes, cette prévalence est paradoxalement abaissée chez les homosexuelles femmes.

Cette discordance entre les homosexuels masculins et les lesbiennes vis-à-vis du risque de contracter des M.S.T. implique que c'est le genre masculin ou féminin de l'homosexualité, plutôt que l'homosexualité en elle-même qui contribue aux risques de M.S.T.

Bien qu'il ne soit pas évident que plus d'hommes soient homosexuels à notre époque qu'auparavant, on a observé une augmentation évidente de la proportion de M.S.T. acquises par contact homosexuel masculin. De plus une meilleure approche de la population homosexuelle a permis ces dernières années de rapporter à cette origine un grand nombre d'infections bactériennes, parasitaires et virales pour lesquelles la transmission sexuelle était encore ignorée.

Contrairement au vagin, le sexe de l'homme facilite effectivement la transmission des infections. Différents germes ou virus pathogènes peuvent être présents dans le sperme ou l'urètre de l'homme et sont facilement inoculés par voie orale ou par voie rectale durant les rapports homosexuels.

Et la probabilité de transmission des M.S.T. chez les homosexuels hommes est donc augmentée par le fait que les deux partenaires ont un sexe masculin.

Très remarquable est la nette augmentation ces dernières

années de l'incidence des infections entériques ordinaires comme les amibiases, les infections à shigelles et salmonelles, les hépatites virales. Plus de 70 %, de ces infections ont été observées chez les hommes de 29 à 39 ans, dont beaucoup sinon la plupart étaient homosexuels.

La fréquence de l'homosexualité

Aux Etats-Unis, Gebhard chiffre à 30 millions le nombre des homosexuels permanents ou occasionnels.

En Grande-Bretagne, Wilcox évalue de 2 à 2,5 millions au minimum le nombre de sujets hommes ou femmes à sexualité rectale.

En France aucune statistique de ce genre n'existe, mais il n'y a aucune raison de penser que l'homosexualité soit inférieure.

L'homosexualité est vieille comme le monde, mais à de nombreuses époques elle a été occultée et elle a donc été sous évaluée.

Cependant actuellement, la libéralisation des mœurs tolère mieux les « différences », qui se dissimulent moins, aboutissant à une recrudescence apparente de l'homosexualité.

Fréquence des M.S.T. chez les homosexuels

La population homosexuelle masculine représente une population à haut risque vis à vis des M.S.T.

Plusieurs facteurs contribuent à cette grande fréquence des M.S.T. chez les homosexuels hommes :

— Tout d'abord une activité sexuelle plus grande en général chez les homosexuels que chez les hétérosexuels, avec des changements plus fréquents de partenaires ; et plus le nombre de partenaires augmente plus les risques de M.S.T. augmentent.

Certains auteurs ont évalué à une moyenne de 100 partenaires par an les contacts d'un homosexuel « modérément actif ».

En fait il faut vraisemblablement émettre des réserves quant à ces dernières données qui ne doivent concerner qu'un petit nombre de sujets.

Cependant les homosexuels se fixant et vivant en ménage semblent ne représenter qu'une minorité.

— Une relative clandestinité des rapports homosexuels dus à la contrainte sociale persiste encore en dépit de la libéralisation des mœurs.

• Tantôt les contacts sont restreints à un petit groupe soumis alors aux rapides contagions tournantes.

• Tantôt au contraire les contacts sont étendus à de nombreux partenaires anonymes, souvent jamais revus. La contamination est alors le plus souvent due à des porteurs de germes qui s'ignorent ou qui sont apparemment sains.

— La diversité des pratiques sexuelles chez les homosexuels. L'homosexuel homme est sûrement plus varié dans ses pratiques sexuelles que l'hétérosexuel.

C'est essentiellement les rapports génito-anaux, les contacts oro-anaux et oro-génitaux qui représentent le risque de transmission de M.S.T. le plus élevé.

La masturbation mutuelle en général ne représente pratiquement aucun danger de transmission de M.S.T., le baiser, spécialement lorsqu'il est prolongé et utilise la langue, présente un léger risque de transmission des M.S.T.

Dans ce chapitre nous aborderons différentes M.S.T. qui par la fréquence de certaines de leurs localisations ou par leur prévalence plus élevée chez les homosexuels prennent une importance particulière chez ces derniers.

Syphilis et homosexualité

On estime que 10 à 30 % des syphilis primo-secondaires sont d'origine homosexuelle.

Les localisations de la syphilis primo-secondaire sont directement en rapport avec les habitudes sexuelles, et chez l'homosexuel, elles seront essentiellement ano-rectales et buccales.

A) *La syphilis ano-rectale :*

1) **La syphilis primaire ano-rectale :**

• La syphilis primaire anale : la mieux connue et pourtant pas la plus fréquente des maladies vénériennes anales, représente 10 à 30 % des syphilis primo-secondaires.

— Chez l'homosexuel masculin, la syphilis primaire anale peut se manifester sous l'aspect d'un chancre de la marge anale présentant les caractéristiques du chancre syphilitique, à savoir une érosion non douloureuse, à base indurée.

— Souvent elle se traduit par un chancre du canal anal en général douloureux, avec constipation, écoulement rectal, démangeaisons, douleur à la défécation. Ce chancre est parfois responsable de saignements. Cependant le chancre du canal anal peut parfois être latent et découvert seulement lors d'un toucher rectal partiqué par le médecin devant la présence d'une adénopathie inguinale caractéristique.

— Parfois elle se manifeste par un chancre fissuraire qui se différencie de la fissure anale banale, surtout par la présence d'une adénopathie inguinale, toujours absente dans la fissure anale banale.

• La syphilis primaire rectale :

Le chancre rectal est très rare ; souvent très inflammatoire, il peut prendre une allure tumorale et expose à des erreurs de diagnostic.

Mais il faut savoir que devant toute ulcération située dans la zone ano-rectale, le diagnostic de syphilis devra toujours être envisagé. Si un chancre anal visible existe, l'examen au microscope à fond noir du liquide de suintement est utile, à la recherche du tréponème pâle. Si celui-ci est mis en évidence, le diagnostic de syphilis est certain.

Il sera de toute façon confirmé par les réactions sérologiques. Mais il faut savoir qu'au début du chancre les réactions sérologiques de la syphilis peuvent être négatives. En outre un seul sérodiagnostic négatif n'est pas suffisant pour éliminer une syphilis. Il faudra répéter l'examen un mois après et en cas de nouvelle négativité, un troisième test un mois plus tard.

Seuls trois sérodiagnostics effectués chacun à un mois d'intervalle permettront, s'ils sont négatifs, d'éliminer avec certitude une syphilis.

Assez souvent, la lésion primaire anale, fugace, passe inaperçue, et le diagnostic ne sera fait qu'à la période secondaire de la syphilis.

En effet, le chancre, s'il n'est pas reconnu et pas traité, va tout de même disparaître en 15 jours ou 3 semaines.

2) **La syphilis secondaire ano-rectale :**
Au bout de 2 à 6 mois, en l'absence de traitement à la période primaire, se développent les lésions secondaires de la syphilis, qui peuvent parfois avoir une localisation anale, à type de syphillides érosives siégeant dans les plis de l'anus, ou plus tardivement de syphillides papulo-érosives parfois confluentes en condylomes plats ou en syphillides végétantes autour de l'anus, et qui font souvent penser à des végétations vénériennes de la marge anale.

B) *La syphilis buccale :*

La lésion primaire de la syphilis peut aussi apparaître assez fréquemment chez les homosexuels au niveau de la cavité buccale, siégeant alors sur les lèvres, les gencives, le palais ou le plancher de la bouche, la langue ou le pharynx.
Les chancres des lèvres sont les plus fréquentes des lésions syphilitiques primaires extragénitales, avec en seconde position les chancres de la langue. Les chancres syphilitiques de la cavité buccale sont dues à un contact le plus souvent oro-génital avec un partenaire infecté.
Les lésions syphilitiques primaires de la bouche peuvent simuler des lésions herpétiques ou des aphtes ulcérés.
Donc le diagnostic sera confirmé par l'examen au microscope à fond noir de la sérosité que laisse sourdre la lésion, mettant en évidence le tréponème pâle.
De plus, un sérodiagnostic de la syphilis sera effectué, mais parfois le sérodiagnostic est négatif dans les premiers jours du chancre ; il faudra le répéter à trois reprises, à un mois d'intervalle chacun, afin d'éliminer le diagnostic de syphilis.

3) **Conduite à tenir :**
Le traitement de ces localisations de la syphilis, plus fréquentes chez l'homosexuel, n'a rien de particulier.
Mais devant des lésions orales ou anales suspectes, s'il est encore trop tôt pour que les réactions sérologiques soient positives et même si l'examen au microscope à fond noir est négatif, un traitement d'assez courte durée pourra être entrepris sur une

histoire de contact oral ou anal avec un sujet suspect de syphilis.

Il ne faut pas oublier qu'un sujet peut faire plusieurs fois une syphilis, car l'infection n'est pas immunisante, et chez les sujets à haut risque que sont les homosexuels, une sérologie de la syphilis pratiquée systématiquement tous les 3 à 6 mois serait souhaitable.

Blennorragie à gonocoques et homosexualité

La gonococcie est une M.S.T. fréquente chez les homosexuels. En effet, un peu plus de 20 % des gonococcies masculines concernent les homosexuels. Plus de 50 % des gonococcies chez l'homosexuel masculin sont à localisation ano-rectale, alors que 5 à 25 % sont à localisation pharyngée.

A) *La gonococcie ano-rectale :*

La gonococcie ano-rectale est la plus méconnue des maladies vénériennes, parce qu'elle est souvent cliniquement latente. A l'absence de signes fonctionnels, s'ajoute souvent l'absence de lésion visible.

Il faut donc admettre la fréquence des porteurs sains de germes, et contaminateurs. La plupart du temps la période d'incubation est impossible à préciser du fait de la discrétion des signes cliniques de cette atteinte, qui souvent, chez ces patients, fait penser à une congestion hémorroïdaire banale.

Chez l'homme, la contamination est essentiellement le fait de rapports anaux.

A la rigueur, on peut considérer qu'un doigt souillé par une verge contagieuse et introduit profondément dans l'anus puisse être un mode de contamination possible.

1) **Les différentes formes cliniques de la gonococcie ano-rectale :**

• Dans sa forme symptomatique aiguë, la gonococcie ano-rectale se manifeste par un écoulement anal avec des glaires sanglantes dans les selles, accompagnées de sensations de pesanteur rectale et de douleur à la défécation. Particulièrement caractéristiques sont le suintement très purulent ou des filaments de pus enrobant les selles.

• Dans la forme subaiguë, l'infection est responsable de

démangeaisons anales et périanales avec des glaires dans les selles.

Il arrive assez fréquemment que les sous-vêtement soient souillés de pus et de matières fécales.

Souvent les signes fonctionnels sont d'une grande banalité, et se résument à une simple moiteur anale.

• Malheureusement, les gonococcies anales asymptomatiques sont plutôt la règle que l'exception et surviennent dans plus de 50 % des gonococcies ano-rectales des homosexuels masculins.

Des études ont montré que 15 % des patients atteints d'une ano-rectite gonococcique avaient une syphilis sérologique associée, 27 % avaient ou avaient eu des végétations vénériennes au niveau anal, représentant peut-être d'ailleurs un facteur d'entretien ou de récidive de la gonococcie.

Le diagnostic d'ano-rectite gonococcique, lorsqu'il est envisagé, sera confirmé par les examens de laboratoire qui consisteront à prélever le pus anal ou rectal à la recherche de gonocoques. Mais il faut savoir qu'il est plus difficile de mettre en évidence le gonocoque dans un rectum que dans une urètre, en raison de la présence d'autres germes normalement présents (dits commensaux) au niveau du rectum.

2) **Conduite à tenir devant une gonococcie ano-rectale :**

Une fois le diagnostic d'ano-rectite gonococcique posé, il faudra faire examiner le ou les partenaires et les faire soumettre à des prélèvements de laboratoire, à la recherche du gonocoque, même s'ils ne présentent aucun symptôme, les porteurs sains de gonocoques étant nombreux.

Ainsi, un sujet dont le partenaire présente une urétrite gonococcique devra consulter, s'il a des rapports génito-anaux avec ce partenaire, même s'il ne présente aucun signe, l'ano-rectite gonococcique étant le plus souvent asymptomatique.

En outre, le sujet présentant une ano-rectite gonococcique, de même que son ou ses partenaires, devront se soumettre à un sérodiagnostic de la syphilis, répété au besoin à trois reprises à un mois d'intervalle chacun en cas de négativité, en raison du risque existant de contracter une syphilis en même temps qu'une gonococcie.

Ces ano-rectites gonococciques, comme toutes les autres localisations de la gonococcie, devront être traitées par un antibiotique actif sur le gonocoque, avec un examen de laboratoire de contrôle en fin de traitement, pour s'assurer de la disparition du gonocoque et confirmer la guérison. Ce traitement sera parfois un peu plus difficile et un peu plus long que celui d'une urétrite gonococcique, et bien entendu, le ou les partenaires devront être traités simultanément.

B) *La gonococcie bucco-pharyngée :*

La seconde localisation fréquente de la gonococcie chez l'homosexuel est la localisation buccopharyngée.

Cette localisation a une incidence de 5 à 25 % chez les homosexuels masculins. Elle est mise en évidence dans près de 40 % des infections gonococciques chez l'homosexuel. De plus, 20 % des homosexuels atteints d'une ano-rectite gonococcique ont aussi une localisation pharyngée de la gonococcie. Le risque de contracter une gonococcie bucco-pharyngée, par contact oro-génital avec une personne présentant une gonococcie génitale, est élevé.

Bien que la fellation représente le principal mode de transmission du gonocoque dans la cavité buccale, la cunnilinction et même le baiser sur la bouche peuvent être aussi un mode de contamination possible.

Il est donc possible qu'une femme homosexuelle infectée puisse transmettre le gonocoque au pharynx de sa partenaire.

1) **Les formes cliniques de la gonococcie bucco-pharyngée :**

Dans la majorité des cas (70 % à 80 % des cas), la gonococcie bucco-pharyngée est asymptomatique, sinon elle peut se manifester par des symptômes variables allant d'une gorge douloureuse avec inflammation des amygdales (dans 10 à 15 % des cas) accompagnée parfois de ganglions à la partie antérieure du cou, à une angine aiguë fébrile (dans 5 % des cas).

On pourra même parfois observer :

— des ulcérations des lèvres ;

— des gencives rouges et sèches, parfois ulcéreuses, parfois œdémateuses ;

— une muqueuse buccale, un palais et une luette inflammatoires et œdématiées.

Le diagnostic de la gonococcie bucco-pharyngée sera fait sur les examens de laboratoire, qui consistent à rechercher le gonocoque, par mise en culture des prélèvements pratiqués à l'écouvillon sur les amygdales, ou éventuellement sur d'autres lésions de la cavité buccale.

Cependant, le diagnostic de la gonococcie bucco-pharyngée est rendu assez difficile par la présence des germes commensaux de la cavité buccale, et un résultat de laboratoire négatif n'est pas suffisant pour éliminer le diagnostic, surtout chez les patients ayant une histoire de rapports oro-génitaux. Il faudra assez souvent répéter les prélèvements.

2) **Conduite à tenir devant une gonococcie bucco-pharyngée :**

Une fois le diagnostic posé, le patient devra être traité, et son ou ses partenaires devront se faire eux aussi examiner, et devront le cas échéant être traités simultanément.

On confirmera la guérison par un nouveau prélèvement de laboratoire, en fin de traitement, afin de confirmer la dispariton du gonocoque.

En l'absence de traitement, la gonococcie bucco-pharyngée peut persister pendant longtemps, comme le montre l'isolement de gonocoques dans la gorge des mois après un contact oro-génital.

Les conséquences de cette localisation gonococcique traînante peuvent être parfois graves. En effet, une étude a montré que plus de 15 % des sujets présentant une infection gonococcique disséminée étaient porteurs d'une gonococcie pharyngée pré-existante, et que chez la moitié d'entre eux, la localisation pharyngée était la seule localisation de la gonococcie. On pense donc que la gonococcie pharyngée joue un rôle majeur dans le développement des infections gonococciques disséminées.

Germes pyogènes et homosexualité

Certaines bactéries, dites pyogènes, éventuellement mais pas uniquement sexuellement transmissibles, sont plus fréquemment observées dans la population homosexuelle que dans la population hétérosexuelle.

1) **Neisseria meningitidis ou méningocoque :**

C'est un germe qui normalement colonise le naso-pharynx. Cependant, les localisations anales et génitales de ce germe sont possibles, et on a constaté que le germe est significativement plus fréquent chez les homosexuels hommes. Cette prévalence semble être en rapport avec des contacts oro-anaux.

Les patients porteurs de méningocoques au niveau du canal anal peuvent être totalement asymptomatiques ou présenter parfois des signes d'ano-rectite, nécessitant un traitement antibiotique.

2) **Le streptocoque du groupe B :**

C'est aussi un germe plus fréquent chez les homosexuels, qui est éventuellement sexuellement transmissible, et qui peut entraîner des ano-rectites par contacts oro-anaux ou génito-anaux, et aussi des manifestations hépatiques allant de l'hépatite non spécifique aux abcès du foie.

Chlamydia trachomatis (C.T.) et homosexualité

Les principales localisations de l'infection à C.T. chez l'homosexuel sont les localisations ano-rectales et pharyngées.

A) *Localisation rectale :*

En fonction de certains de leurs caractères immunologiques, on a pu objectiver 15 immunotypes de chlamydiae trachomatis.

On estime que la localisation anale de C.T. avec ou sans risque de rectites ou d'anorectites, se voit dans 10 % des cas des infections à C.T. chez l'homosexuel, moins souvent chez la femme.

Si l'on considère les homosexuels présentant des signes de rectite, certains travaux ont montré que C.T. était retouvé chez près de 15 % d'entre eux. Dans plus de 3/4 des cas, les signes de rectite étaient discrets avec présence de C.T. d'immunotypes autres que ceux responsables de la L.G.V. et dans moins de 1/4 des cas, il existait des signes d'atteinte plus importante de la muqueuse rectale, en rapport avec des immunotypes propres à la L.G.V.

Donc la rectite à C.T. n'est pas exceptionnelle, avec des formes légères, voire asymptomatiques, dues à des immunotypes non lymphogranulomateux de C.T., et des formes plus sévères lorsqu'elle est due à des immunotypes de C.T. responsables de la L.G.V.

On peut avoir dans ce dernier cas une rectite ulcéreuse avec un écoulement rectal purulent et sanglant. Et la rectorragie (écoulement de sang par le rectum) est souvent l'un des signes précoces de l'infection.

En l'absence de traitement, les lésions deviennent chroniques et peuvent se compliquer d'abcès péri-rectaux et péri-anaux ou de rétrécissement du rectum.

Bien que cette forme soit encore fréquente dans certains pays d'Asie, d'Amérique du Sud et d'Afrique, elle a presque complètement disparu en Europe, limitée à une rectite moins intense, peut-être stoppée par les multiples antibiothérapies administrées pour autres motifs...

Le diagnostic des localisations ano-rectales à C.T. repose sur l'isolement du C.T. et sur le sérodiagnostic des chlamydiae.

Leur traitement sera le même en général que celui des autres localisations de l'infection ; le ou les partenaires devront être eux aussi examinés, prélevés en laboratoire et se soumettre éventuellement à un traitement.

En général, l'efficacité du traitement sera confirmée par la disparition du C.T. sur un prélèvement de contrôle.

B) *Localisation pharyngée de l'infection à C.T. :*

Une autre localisation de plus en plus signalée, est la localisation pharyngée de l'infection à C.T., s'observant essentiellement après contacts oro-génitaux ou oro-anaux, chez les partenaires d'hommes ou de femmes infectés. Cette localisation est plus fréquente chez les hommes homosexuels qu'hétérosexuels.

• Le plus souvent cette localisation pharyngée est totalement asymptomatique, objectivée par la découverte de certaines souches de C.T. dans la gorge des partenaires de personnes infectées, et ayant eu des rapports oro-génitaux.

• De même, lors de la L.G.V., les lésions primaires buccales peuvent se voir, essentiellement chez les homosexuels masculins, avec alors des adénopathies apparaissant au niveau du cou, ou sous la mâchoire.

• Ces localisations bucco-pharyngées des infections à C.T., lorsqu'elles sont diagnostiquées, devront être traitées comme les autres localisations et nécessitent aussi un examen clinique et des prélèvements bactériologiques chez le ou les partenaires, et éventuellement un traitement concommitant de ces derniers.

Mycoplasmes et homosexualité

Je signalerai seulement deux points particuliers dans ce chapitre consacré à l'homosexualité :

— Mycoplasma hominis a été isolé dans le pharynx et dans le canal anal de sujets bien portants. On peut le considérer comme saprophyte, pathogène occasionnel, et de faible virulence, colonisant les tissus lorsque les circonstances lui sont favorables.

— Mycoplasma T ou ureaplasma urealyticum est parfois retrouvé dans les rectites et ano-rectites, mais souvent en association avec d'autres germes et sa responsabilité pathogène est discutable.

Aucune particularité clinique ne le caractérise.

Lorsqu'un mycoplasme, en particulier ureaplasma urealyticum, est isolé au niveau anal, il convient en général de le traiter, de faire examiner le ou les partenaires et de les traiter éventuellement simultanément.

Herpès virus simplex et homosexualité

La transmission des herpès virus simplex types 1 et 2, peut se faire par voies génito-génitale, génito-orale, génito-anale, ou oro-orale. Une auto-inoculation du virus herpétique peut aussi s'observer, avec transmission du virus d'un endroit infecté du corps à un autre endroit.

Chez les homosexuels masculins, les lésions herpétiques à localisation rectales sont relativement fréquentes.

1) **Les formes cliniques de l'herpès ano-rectal :**

• L'herpès cutané de la marge de l'anus et du pourtour de l'anus ne présente aucun caractère particulier par rapport aux lésions herpétiques génitales. Je vous renvoie donc à la description des lésions herpétiques de primo-infection ou de récurrence que vous trouverez dans le chapitre consacré à l'herpès génital.

• Mais l'herpès virus simplex-type 2 essentiellement, peut être responsable d'ano-rectites, qui sont surtout fréquentes chez les homosexuels. Comme toutes infections herpétiques, cette ano-rectite aiguë est contagieuse et récidivante. Elle se voit essentiellement après des rapports génito-anaux, avec un partenaire porteur d'un herpès génital.

— En cas d'anite herpétique, associée à la rectite, il existe en général des vésicules herpétiques et des petites ulcérations de l'anus, avec un prurit anal.

— En cas de rectite herpétique sans anite, la symptomatologie comporte des douleurs du rectum, associées à un écoulement rectal et de la constipation. Ces signes sont quasi constants, et peuvent être accompagnés par de la fièvre et des adénopathies. Dans les 2/3 des cas, il s'y associe la présence de sang dans les selles. Dans la moitié des cas, on trouve un prurit anal et des troubles urinaires, à type de dysurie, avec difficulté mictionnelle initiale, ou de rétention d'urines (impossibilité d'uriner).

La rectite herpétique est la seule rectite vénérienne à présenter des troubles urinaires de ce type.

L'herpès rectal devra toujours être envisagé chez les homosexuels hommes présentant des lésions herpétiques anales.

2) **Diagnostic et conduite à tenir en cas d'herpès ano-rectal :**

Le diagnostic se fera par la mise en évidence des cellules herpétiques par raclage de la paroi rectale, ou mieux par mise en évidence du virus herpétique par une technique utilisant les cultures cellulaires.

Le sérodiagnostic herpétique est surtout intéressant en cas de primo-infection herpétique.

Une fois le diagnostic d'ano-rectite herpétique posé, il convient de prévenir son ou ses partenaires et de s'abstenir de rapports, au moins jusqu'à la guérison et la disparition des lésions, ou de tous symptômes, si les lésions ne sont pas extériorisées.

Bien que le traitement de l'herpès soit en constante amélioration, il n'existe pas encore de traitement radicalement efficace.

Enfin, en se souvenant que les lésions d'herpès génital ou anal représentent une porte d'entrée pour le tréponème pâle, agent de la syphilis, il convient de faire un sérodiagnostic de la syphilis un mois après un herpès génital ou anal, et, en cas de négativité, ne pas hésiter à répéter l'examen un mois plus tard, et si nécessaire une troisième fois à un mois d'intervalle.

Chancre mou et homosexualité

Le chancre mou se singularise chez les homosexuels, non pas par une plus grande fréquence, mais par des localisations particulières pouvant faire égarer le diagnostic, à savoir la localisation anale, appelée chancrelle anale, due à une contamination après rapports anaux et la localisation du pourtour de la bouche, et beaucoup plus rarement de la cavité buccale, suite à des contacts oro-génitaux ou oro-anaux avec des sujets infectés.

1) **La symptomatologie clinique :**

Le chancre mou, quelle que soit sa localisation, garde en général les mêmes caractères. Après une période d'incubation de 3 à 5 jours, mais parfois plus longue, le chancre se développe au point d'inoculation du germe.

Dans 2/3 des cas environ, le chancre mou s'accompagne d'une adénopathie satellite unilatérale, du côté du chancre, siégeant au niveau de l'aine pour les chancres anaux, au niveau du cou ou sous le maxillaire inférieur pour les chancres du pourtour de la bouche, apparaissant 10 à 15 jours après le début du chancre.

2) **Diagnostic et conduite à tenir :**

Le diagnostic des chancres mous anaux ou péribuccaux est identique à celui des chancres génitaux avec recherche et mise en évidence du bacille de Ducrey.

Une fois le diagnostic posé, il faudra faire pratiquer systématiquement une sérologie de la syphilis à répéter en cas de négativité à trois reprises à un mois d'intervalle chacune, car un chancre mixte est fréquent.

Il faudra prévenir son ou ses partenaires qui devront aller consulter, et arrêter les rapports pendant toute la durée du chancre.

Le traitement consiste à une bonne hygiène locale et en la prise de sulfamides ou d'antibiotiques qui permettent une guérison rapide et définitive. Il faudra traiter le ou les partenaires simultanément.

Donovanose et homosexualité

La donovanose est plus fréquente chez les homosexuels, et dans certaines études, elle serait d'origine sodomique dans 90 % des cas.

Cependant, il semble que la maladie soit en fait assez peut contagieuse.

1) **Symptomatologie clinique :**

Chez les homosexuels hommes, la lésion initiale est le plus souvent anale ou périanale, beaucoup plus rarement buccale, consécutive alors à un contact oro-génital ou oro-anal, et présente les mêmes caractéristiques et la même évolution qu'en cas de localisation génitale.

Le diagnostic de donovanose est envisagé devant l'aspect des lésions ulcéro-végétantes, sans adénopathie satellite, associé à la notion de séjour dans certains pays (Indes, Antilles ou Amérique centrale) ou de rapports sexuels avec des personnes ayant séjourné dans ces pays.

Le diagnostic sera confirmé par la mise en évidence des corps de Donovan au niveau des lésions.

2) **Conduite à tenir :**

Une fois le diagnostic posé, le ou les partenaires devront être prévenus et devront aller consulter.

Un traitement antibiotique bien adapté, en traitant éventuellement simultanément les différents partenaires, permet d'obtenir une guérison sans séquelles, lorsqu'il est entrepris suffisamment tôt. Le traitement devra être cependant prolongé largement au-delà de la guérison clinique.

Il convient de faire pratiquer un sérodiagnostic de la syphilis, à répéter en cas de négativité, au bout de trois mois, pour éliminer une syphilis associée.

Végétations vénériennes et homosexualité

Chez les homosexuels, la particularité de la maladie repose essentiellement sur la fréquence des papillomes anaux.

Connus depuis la plus haute antiquité, ils étaient déjà rapportés à une contamination homosexuelle, et ils constituent actuellement la plus fréquente des maladies vénériennes anales, souvent associés d'ailleurs à d'autres M.S.T.

Alors que la transmission sexuelle est un des modes de contamination certain pour les condylomes acuminés siégeant sur les organes génitaux, en dépit de l'extrême fréquence des papillomes anaux chez l'homosexuel passif, l'origine vénérienne est encore discutée pour les localisations anales. Accompagnant souvent des végétations génitales, chez la femme, les papillomes anaux sont souvent isolés, sans lésions génitales chez l'homosexuel masculin et sont en général retrouvés chez les homosexuels pratiquant le coït anal. Cependant, aucune preuve n'est venue en fait confirmer que les papillomes anaux, éventuellement sexuellement transmissibles entre homosexuels hommes, soient le pendant des papillomes génitaux des hétérosexuels. Des études ont montré la faible « infectiosité » sexuelle des condylomes acuminés anaux. De plus, chez les homosexuels hommes, les papillomes anaux sont 6 à 7 fois plus fréquents que les papillomes génitaux, et la plupart du temps on ne retrouve pas de contaminateur actif.

Les papillomes du pénis sont moins fréquents chez l'homosexuel que chez l'hétérosexuel et d'aucuns suggèrent la présence préalable du virus qui serait réactivé par le traumatisme du coït anal.

On en vient à réduire le caractère vénérien à un simple facteur de modifications locales favorisant la maladie chez un sujet antérieurement porteur du virus.

1) **Signes cliniques des papillomes anaux :**

En général, au niveau de l'anus, les végétations sont plus developpées que sur les zones génitales.

Souvent, outre les végétations de la marge anale, existent aussi des végétations se développant dans le canal anal, et qui souvent passent inaperçues. L'importance de la prolifération des végétations anales contraste souvent avec une bonne tolérance sur le plan fonctionnel. Parfois certaines lésions très minimes même externes, à type de micropapules, sont de diagnostic difficile et peuvent elles aussi passer inaperçues, pouvant alors être à l'origine de récidives.

Outre cette forme de condylome acuminé proliférant qui est la forme habituelle, des verrues vulgaires peuvent aussi se développer au niveau de la région anale, souvent en association avec des verrues identiques siègeant à un autre endroit du corps.

L'évolution des papillomes anaux est superposable à celle des condylomes génitaux.

2) **Conduite à tenir :**

Une fois le diagnostic de papillomes anaux posé, il faudra faire examiner le ou les partenaires et envisager un traitement. Trois types de traitement sont proposés : l'application de caustiques locaux, la destruction par électro-coagulation ou à l'azote liquide.

Il faudra toujours pratiquer une sérologie de la syphilis, à répéter en cas de négativité à trois reprises à un mois d'intervalle chacune.

Hépatites virales et homosexualité

Les homosexuels masculins représentent une population dite à haut risque pour les hépatites virales.

La transmission par voie sexuelle est évidente pour l'hépatite à virus A et à virus B, est fortement suspectée pour l'hépatite à cytomégalovirus, et n'est pas encore démontrée pour les hépatites non-A non-B.

Le virus de l'hépatite A :

Pour l'hépatite A, le mode de transmission sexuelle est plus discuté que pour l'hépatite B.

Cependant, dans la ville de San Francisco aux Etats-Unis, l'incidence de l'hépatite non-B chez l'homme entre 20 et 40 ans est six fois plus élevée que chez la femme du même âge. Cette différence a été attribuée à la transmission sexuelle de l'hépatite A chez les homosexuels hommes. Certaines études ont montré que l'incidence des anticorps antivirus A (anti H.V.A.) était de 30 % chez les homosexuels contre 12 % chez les hétérosexuels hommes.

Ces mêmes études ont permis aussi de montrer que l'incidence annuelle de l'hépatite A était environ de 20 % chez les homosexuels masculins, alors qu'elle était nulle dans le groupe d'hommes hétérosexuels témoins.

Et l'étude des habitudes sexuelles indiquait que le fait de contracter un hépatite A était directement lié à la fréquence des contacts oro-anaux.

Une étude faite sur 33 cas d'hépatite aiguë chez les homosexuels a montré que 70 % étaient des hépatites A et 30 % des hépatites B. Les homosexuels masculins qui ont des anticorps anti-H.V.A., c'est-à-dire qui ont été en contact avec le virus A, sont homosexuels depuis assez longtemps (plus de 10 ans), sont en général plus âgés que ceux qui n'ont pas ces mêmes anticorps, changent plus souvent que ces derniers de partenaires, et pratiquent des rapports oro-anaux.

Au cours de ces rapports, c'est celui qui a le rôle oral qui s'infecte au contact de son partenaire.

Une autre étude a montré que la prévalence de l'anticorps anti-H.V.A. est correlée directement au nombre de partenaires, indépendamment de l'âge, du sexe, et du caractère homo ou hétérosexuel des rapports.

Enfin, une étude récente insiste sur la fréquence des infections successives par les virus A et B, montrant que 70 % des homosexuels masculins ayant une hépatite virale B ont des anticorps anti-H.V.A. et que 74 % des homosexuels ayant une hépatite virale A ont les antigènes du virus de l'hépatite B.

Le virus de l'hépatite B :

Une étude très complète réalisée aux Etats-Unis a montré que le pourcentage d'homosexuels porteurs de l'antigène Hbs est de 4,3 %, alors qu'il est de 0,3 % chez les hétérosexuels témoins, soit 15 fois plus élevé. L'anticorps anti-Hbs a été retrouvé 6 fois plus souvent chez les homosexuels, dont 43,8 % en sont porteurs, que chez les hétérosexuels témoins, dont 7 % en sont porteurs. Et on considère qu'environ 10 % des porteurs chroniques hommes d'antigène Hbs conservent le virus toute leur vie, alors que ce pourcentage est de 5 % lorsqu'il s'agit de femmes.

Dans la population homosexuelle, on constate qu'il existe plusieurs facteurs de risque de contracter le virus de l'hépatite B :

— tout d'abord le sexe : l'antigène Hbs est beaucoup plus

fréquemment retrouvé chez les homosexuels masculins que chez les lesbiennes. Et si l'on additionne la fréquence de l'antigène et de l'anticorps, plus d'un homosexuel homme sur deux (51,1 %) est ou a été en contact avec le virus de l'hépatite B ;

— l'ancienneté de l'homosexualité, surtout lorsqu'elle dépasse 10 années : l'antigène Hbs et l'anticorps anti-Hbs sont significativement plus fréquents chez les homosexuels masculins de plus de 40 ans ;

— la multiplicité des partenaires : l'anticorps anti-Hbs a été trouvé avec une plus grande fréquence chez les homosexuels qui ont eu plus de dix partenaires dans les six mois précédant l'étude ;

— la pratique du coït anal lors des rapports sexuels augmente la fréquence de l'antigène Hbs et de l'anticorps anti-Hbs. La présence de l'antigène Hbs dans la salive et dans le sperme expliquerait son inoculation par effraction de la muqueuse rectale lors des rapports anaux qui sont souvent traumatisants pour la muqueuse et hémorragiques.

— une histoire récente ou ancienne de maladies vénériennes serait aussi un facteur de risque.

La transmission sexuelle de l'hépatite B se ferait essentiellement par l'introduction du virus dans l'organisme à travers les muqueuses.

La contamination par des aliments infectés, ou par contact oro-anal n'est pas aussi significative que dans l'hépatite A.

Cependant, les contacts oro-anaux représentent un facteur de risque surajouté dans l'acquisiton de l'hépatite B. Enfin, pour certains auteurs, la salive serait le vecteur le plus fréquent du virus de l'hépatite B non transmise par voie sanguine, et la contamination par la salive au cours d'un baiser permettrait d'expliquer la transmission entre partenaires sans qu'il y ait forcément de rapport sexuel.

Le rôle respectif des différents modes de rapports sexuels et en particulier celui de la salive n'est pas entièrement élucidé. De toute façon, il semblerait que les homosexuels ayant un rôle « passif » anal, soient plus exposés au virus B.

Enfin, l'association de l'hépatite B avec une siphilis primo-secondaire semble fréquente.

Le virus de l'hépatite non-A non-B :

Elle représente la troisième cause d'hépatite virale chez les homosexuels après l'hépatite B et l'hépatite A.

Mais pour l'instant, seule la transmission par transfusion sanguine est établie, la transmission sexuelle, bien que très vraisemblable, n'est pas encore prouvée.

Le cytomégalovirus (C.M.V.) :

Le C.M.V. représente la quatrième cause d'hépatite virale chez les homosexuels, responsable selon certaines études de 15 % des hépatites non-B atteignant les homosexuels. L'infection à C.M.V. a une incidence maximale chez les sujets jeunes.

La transmission sexuelle du C.M.V. n'est pas encore démontrée, mais elle est fort probable. En effet, on trouve le C.M.V. dans la salive, dans le sperme, dans les secrétions vaginales, dans les urines et dans les selles.

Chez les homosexuels, on trouve un fort pourcentage de sujets ayant un titre élevé dans le sang d'anticorps anti-C.M.V., et de sujets ayant du C.M.V. dans les urines.

Certains auteurs ont trouvé 93 % d'homosexuels hommes entre 18 et 29 ans ayant une sérologie positive pour le C.M.V., comparé aux 47 % d'hommes hétérosexuels du même âge. La présence du C.M.V. dans les urines a été trouvée chez 14 % d'homosexuels hommes de 18 à 29 ans, et chez aucun hétérosexuel de cette étude.

Par analogie avec le virus herpès simplex, une transmission oro-anale peut être envisagée pour le C.M.V., ce qui permettrait d'expliquer une transmission sexuelle de ce type comme cela a été démontré pour le virus de l'hépatite A.

Outre le fait qu'il est responsable d'hépatites, le C.M.V. a été trouvé dans les rectites vénériennes, le plus souvent en association avec d'autres micro-organismes, ne permettant pas de conclure à son rôle causal déterminant, compte tenu de la fréquence des porteurs sains de C.M.V.

Conduite à tenir en cas d'hépatite virale :

Quel que soit le virus responsable, il n'existe pas de traitement de l'hépatite virale, mais on recommande le repos, des règles hygiéno-diététiques, associées à une surveillance clinique et biologique de l'évolution.

A noter qu'il existe de nombreuses formes frustes ou asymptomatiques d'hépatite virale, en particulier chez les homosexuels, comme le montre le nombre de porteurs sains (n'ayant jamais présenté de signes d'hépatite), d'antigène Hbs, d'anticorps anti-H.V.A. et anti-C.M.V.

En général, dans les formes aiguës d'hépatites B, l'antigène Hbs atteint des taux très élevés, puis disparaît en quelques mois. Et en fait, le problème majeur est celui des porteurs chroniques d'antigène Hbs, ayant un taux élevé de cet antigène dans leur sang, mais qui ne présentent aucune manifestation clinique d'hépatite et qui peuvent être contagieux.

Le profil de l'homme contagieux pour l'hépatite B est celui d'un homme homosexuel actif, sans antécédent d'hépatite, présentant un taux élevé d'antigène Hbs stable pendant plusieurs années.

Le vaccin contre l'hépatite B pourrait être conseillé aux homosexuels hommes ne possédant pas l'antigène Hbs ni l'anticorps anti-Hbs, et ayant des partenaires multiples, ainsi qu'aux partenaires de porteurs chroniques d'antigène Hbs.

Ce vaccin utilisé en trois injections sous-cutanées à un mois d'intervalle, avec un rappel au bout d'un an, permet une protection efficace pendant environ 5 années.

Entérites bactériennes et homosexualité

1) **Shigelles et salmonelles :**

Shigelles et salmonelles sont deux germes responsables de syndromes dysentriques particulièrement fréquents chez les homosexuels qui font souvent des formes asymptomatiques.

Les salmonelloses et les shigelloses font partie des M.S.T., la transmission se faisant très probablement par contact oro-anal. C'est essentiellement chez des jeunes homosexuels masculins que des cas de shigelloses ont été décrits comme pour l'hépatite A dans la ville de San Francisco, aux Etat-Unis : la survenue concomitante de shigellose et d'hépatite A est connue depuis longtemps et traduit probablement une épidémiologie commune à laquelle il faudrait ajouter la transmission par voie sexuelle.

Le diagnostic de ces infections repose sur la clinique et sur l'isolement des germes dans les selles du patient.

Le traitement est simple, consistant en la prise d'un antibiotique permettant une guérison rapide. En cas de transmission sexuelle, le ou les partenaires devront être traités simultanément.

2) **Campylobacter :**

C'est une bactérie habituellement responsable d'entérites aiguës diarrhéiques, pouvant être sexuellement transmissible, essentiellement chez les homosexuels, et qui peut aussi causer des rectites sexuellement transmissibles. Ces infections à campylobacter peuvent être transmises lors de rapports anaux, ou de contacts oro-anaux.

Les porteurs sains de germes et les formes inapparentes de l'infection seraient très fréquentes.

La guérison spontanée sans traitement est habituelle en quelques jours, mais la contagiosité de l'infection justifie un traitement antibiotique.

Entérites parasitaires et homosexualité (amibiase et giardiase)

1)**L'Amibiase :**

Dans les dernières années, il a été constaté une augmentation importante de ces entérites parasitaires chez les homosexuels de plusieurs villes des Etat-Unis, en particulier San Francisco et New York, avec différentes études montrant des taux d'amibiases digestives allant de 6,5 % à 19 % chez les homosexuels.

Ces entérites parasitaires sont essentiellement transmises par voie ano-orale ; cependant des contacts génitaux-oraux, s'ils sont pratiqués après un coït anal, peuvent être responsables d'une contamination, le pénis souillé par les parasites rectaux pouvant les transporter dans la cavité buccale.

Des contaminations par d'autres modes de rapports sexuels sont également possibles puisqu'il a été rapporté des cas, certainement rares il est vrai, de chancre anal ou de chancre du pénis.

Dans sa forme habituelle, l'amibiase se manifeste par un syndrome dysentrique, mais il n'est pas rare de voir des patients présenter une amibiase chronique, avec des symptômes discrets ou ne présentant aucun symptôme.

Le diagnostic repose sur un examen parasitologique des selles, qui mettra en évidence les kystes d'entamoeba histolytica, représentant la forme infectante de l'amibe et éliminés dans les selles.

Une fois le diagnostic d'amibiase posé, il faudra, en cas de récidive, et surtout chez les homosexuels, envisager une transmission par voie sexuelle et traiter concomitamment le ou les partenaires. Le traitement de l'amibiase a fait beaucoup de progrès, et les amébicides utilisés permettent en général d'obtenir la guérison.

2) **La lambliase ou giardiase :**

La lambliase est elle aussi transmissible, essentiellement par voie ano-orale. En fonction de différentes statistiques, on peut considérer que 5 à 12 % des homosexuels hommes sont porteurs de giardia intestinalis, et dans une étude, 7 % des homosexuels masculins étaient porteurs à la fois de giardia intestinalis et d'amibes.

Giardia intestinalis, fréquemment retrouvé chez les homosexuels, peut dans certains cas ne donner aucun symptôme.

Le traitement de ce parasite est efficace, avec parfois, là aussi, nécessité de traiter le ou les partenaires simultanément.

S.I.D.A. et homosexualité

Le S.I.D.A. (A.I.D.S. dans les pays anglo-saxons), ou syndrome d'immuno-déficit acquis, est un syndrome nouvellement apparu, dont les premiers cas ont été décrits aux Etat-Unis au cours de l'année 1979.

Au début 100 % des cas de S.I.D.A. décrits ont été rapportés chez des homosexuels hommes. Par la suite sont apparus d'autres groupes à risque pour le S.I.D.A. que la population homosexuelle masculine et le pourcentage des homosexuels hommes parmi les patients atteints de S.I.D.A. a progressivement diminué.

Cependant, bien que le S.I.D.A. ne soit pas une « maladie homosexuelle », actuellement environ 70 % des sujets atteints sont des homosexuels masculins et un fait demeure, la population homosexuelle masculine est beaucoup plus touchée par ce syndrome que ne l'est la population hétérosexuelle masculine ou féminine.

Je vous renvoie au chapitre consacré au S.I.D.A. pour plus de détails concernant ce syndrome.

M.S.T.
ET HOMOSEXUALITÉ FÉMININE

Alors que de nombreuses études ont été faites sur les M.S.T. atteignant la population homosexuelle masculine, il n'existe que peu d'informations sur les M.S.T. chez les lesbiennes.

Des études faites il y a quelque vingt années indiquent que 3 à 5 % de la population féminine était exclusivement homosexuelle, et qu'environ 20 % des femmes avaient quelques contacts homosexuels avant l'âge de 40 ans.

Cependant, le risque de M.S.T. chez les lesbiennes a été très peu étudié, vraisemblablement d'ailleurs parce que ce risque est très faible.

Une des plus importantes études sur les maladies vénériennes survenant chez les lesbiennes a été faite aux Etats-Unis et porte sur 148 femmes homosexuelle actives.

Sur les 148 femmes, 13 % avaient des contacts sexuels avec des femmes bisexuelles, les autres n'avaient eu des contacts sexuels qu'avec des femmes exclusivement homosexuelles.

La moyenne du nombre de partenaires sexuelles dans l'année précédente, dans ce groupe de femmes, était de 2,3 avec des extrêmes allant de 1 à 30 partenaires annuelles, et 53 % avaient seulement une seule partenaire. Parmi les femmes étudiées, 89 % avaient eu auparavant des rapports sexuels avec des hommes, le dernier contact avec un homme remontant en moyenne à 4 ans.

Chez chacune de ces femmes ont été recherchées : syphilis, gonococcie cervicale, infection à chlamydiae trachomatis et infections à herpès virus simplex.

Au cours de cette étude, il n'a été retrouvé aucune de ces

différentes M.S.T., chez les 148 femmes homosexuelles actives du groupe étudié.

Cependant, 11,5 % de ces femmes avaient présenté une histoire de gonococcie ancienne, 7,4 % une histoire d'herpès génital antérieure et 1,3 % une histoire de syphilis ancienne. Mais toutes ces infections étaient survenues à l'époque où ces femmes avaient des relations hétérosexuelles.

Donc en fait, au cours de cette étude, aucune M.S.T. n'a été diagnostiquée dans ce groupe de 148 lesbiennes sexuellement actives.

Cette absence de M.S.T. chez les lesbiennes pourrait être due en partie à l'absence de multiples partenaires, quoique le nombre moyen de partenaires en cours de l'année fut de 2,3 avec des extrêmes atteignant 30 partenaires annuelles. Mais il est fort probable que les contacts sexuels entre femmes soient beaucoup moins « transmetteurs » de M.S.T. que les rapports hétérosexuels ou homosexuels masculins.

Cette absence de M.S.T. chez les lesbiennes contraste avec la prévalence de M.S.T. habituellement trouvée dans la population féminine hétérosexuelle.

Cependant, des anomalies cytologiques du col utérin, à type de dysplasie, ont été retrouvées par des frottis cervico-vaginaux de dépistage chez 2,7 % de ces lesbiennes sexuellement actives, pourcentage qui se situe dans les limites supérieures de la moyenne de la population féminine générale.

Ces faits suggèrent que les lesbiennes, malgré l'absence de rapports sexuels avec des hommes, peuvent présenter des dysplasies du col utérin.

Elles devraient donc faire pratiquer des frottis cervico-vaginaux de dépistage systématiques régulièrement.

Quatrième partie

M.S.T. ET PROSTITUTION

Bien qu'avec la libéralisation des mœurs et l'apparition de contraceptifs efficaces, les rapports sexuels étant devenus beaucoup plus faciles, les M.S.T. soient beaucoup plus souvent contractées au cours de rapports avec une partenaire de passage qu'avec une prostituée, les prostituées demeurent un groupe à risque pour les M.S.T., de par la multiplicité de leur partenaires.

I. — LA LÉGISLATION DE LA PROSTITUTION

A) *Les systèmes sous lesquels s'effectuent la prostitution varient en fonction des pays :*

Il existe quatre grands systèmes de réglementation :

1) **Le système prohibitionniste :**

Dans ce système qui est appliqué dans certains Etats des Etats-Unis, en Suède, en Norvège, au Danemark et dans d'autres pays, prostitution et proxénétisme sont interdits et réprimés.

2) **Le système réglementariste :**

Dans ce système, la prostitution est acceptée, mais soumise à un contrôle policier et sanitaire.

Les prostituées sont regroupées dans des établissements de prostitution ou dans des zones réservées et elles ont une carte sanitaire.

Ce système est appliqué dans différents pays comme la Tunisie, le Maroc, la Lybie, la Colombie et dans trois Etats des Etats-Unis.

3) **Le système sanitariste :**

Dans ce système, les textes de loi ne comportent aucune interdiction de la prostitution, laquelle est simplement soumise à un contrôle sanitaire.

4) **Le système abolitionniste :**

La prostitution n'est ni interdite ni contrôlée.

Cependant certains actes commis à l'occasion de la prostitution, comme le racolage sur la voie publique, sont sanctionnés comme causant un trouble à l'ordre public et à la moralité.

Le proxénétisme est puni avec vigueur.

Trente-neuf pays, dont la France, appliquent ce système.

B) *Evolution de la législation de la prostitution en France :*

Tout d'abord, de Napoléon Ier à 1946, existait en France un système réglementariste.

Les prostituées étaient alors inscrites sur les registres de la police, soumises à des visites médicales obligatoires.

Elles étaient munies d'une carte, qui était exigible par la police et par les clients, qui avaient donc une sorte de certificat, les garantissant contre les maladies vénériennes.

En 1946, par une loi du 13 avril, ce système est supprimé, et remplacé par un système sanitariste. Les maisons de tolérance sont fermées et la lutte contre le proxénétisme renforcée. Les prostituées sont désormais inscrites sur un fichier sanitaire et social pour lutter contre les maladies vénériennes. Elles ont un carnet sanitaire qui remplace leur ancienne carte.

Le fichier est sanitaire, mais c'est la police qui contrôle la mise à jour des carnets sanitaires, laissant en liberté les prostituées en règle.

L'abolitionnisme a été défini par la convention internationale, pour réprimer et abolir la traite des êtres humains et l'exploitation de la prostitution d'autrui.

Il a été adopté le 2 décembre 1949 par l'Assemblée Générale des Nations-Unies.

Tous les grands pays du monde ratifient ce texte, mais la France ne le ratifie qu'en 1960.

Donc, depuis 1960, le fichier sanitaire a été supprimé en France. Cependant, les prostituées sont en général connues par la police, ceci dans un but sanitaire et dans un but de « surveillance » du milieu où elles vivent.

On peut donc considérer la France comme dans un système de pseudo-sanitarisme.

Le système français de lutte contre les M.S.T. s'applique non seulement aux prostituées, mais aussi à tous ceux qui sont atteints par ces maladies, et qui peuvent les propager.

Ainsi les médecins doivent déclarer de manière anonyme les cas de M.S.T., et rechercher ou faire rechercher le ou les partenaires.

La fermeture des maisons closes et la suppression de fichiers, combinées à la répression du racolage, ont eu pour résultat de diminuer le nombre des prostituées.

De plus, on ne peut pas accuser l'abolitionnisme de favoriser la progression des M.S.T.

En effet, le nombre des M.S.T. n'a pas cessé de décroître de 1946 à 1957, alors que la fermeture des maisons de tolérance date de 1946, et ce nombre s'est remis à augmenter 3 ans avant la suppression en 1960 du fichier sanitaire et des visites médicales systématiques.

Ces visites systématiques, n'avaient d'ailleurs permis, au cours des dernières années, que le dépistage d'un nombre minime de cas de M.S.T.

Et l'on sait qu'actuellement chez l'homme, environ 70 % des M.S.T. sont dues à une partenaire de passage, 25 % des M.S.T. à une partenaire régulière, et que les maris sont contaminés par leur femme légitime dans 8 % des cas, et par des prostituées dans 5 % des cas environ.

II. — M.S.T. ET PROSTITUTION

En 1958, certains auteurs avaient remarqué une chute de la prévalence de la gonococcie chez les prostituées à New York de 23,6 % en 1946 à 5,2 % en 1956.

Ils concluaient que la prostitution n'était plus le vecteur majeur des maladies vénériennes et que les rapports libres avaient pris la place de la prostitution dans la dissémination des maladies vénériennes. Cependant, plusieurs études plus récentes sur la transmission du gonocoque, faites dans différentes villes et pays, entre 1968 et 1978, suggèrent que les prostituées représentent encore un vecteur important de la gonococcie, dans différentes parties du monde (voir tableau nº 6).

Ainsi, des efforts importants pour dépister et traiter, par un antibiotique approprié, les prostituées porteuses de gonocoques dans deux villes des Etats-Unis y ont permis, semble-t-il, de réduire l'extension de la gonococcie.

En Grande-Bretagne, les pourcentages de M.S.T. dues aux prostituées ont été estimés de manière variable.

Ainsi, une étude faite en 1962 faisait état de 15 à 19 % d'infections dues à des prostituées contre 21 % en 1954.

D'autres auteurs ont noté une diminution du pourcentage des infections liées aux prostituées à l'Est de Londres de 31 % en 1960, à 14 % en 1969. Un autre auteur a rapporté dans une autre ville d'Angleterre qu'en 1960 sur 245 cas de gonococcies masculines, 27 % (soit 66 cas) étaient dus à des prostituées, alors qu'en 1970, sur 501 cas de gonococcies masculines, 17 % (soit 85 cas) étaient causés par des prostituées.

VILLES OU PAYS	Période ou année d'étude	nombre de prostituées examinées	nombre d'infect.	nombre de prostituées infectées	% de prostituées infectées
SHEFFIELD (Grande-Bretagne)	1968-1972	60	142	60	100
STUTTGART (Allemagne de l'Ouest)	1973	258		161	62
VIENNE (Autriche)	1971 1974 1977	548 556 570	199 175 98		36 31 17
VARSOVIE (Pologne)	1977	92	29-48		32-52
BUTARE (Rwanda)	1973	86	44	44	51
AGRA (Indes)	1976	50	21	21	42
SINGAPOUR	1976	200	17	17	8.5
TAIPE (Taiwan)	1976	515	43	43	8.3
COLORADO SPRINGS (Etats-Unis)	1976-1977	89	125	56	63
FRESNO COUNTY (Etats-Unis)	1976-1977	512	169	145	28.3
ATLANTA (Etats-Unis)	1975 1976 1978	 237	89 51 56	 47	16 16 19.8

TABLEAU 6. — *La gonococcie chez les prostituées femmes dans différents pays*

On peut noter que dans cette étude, si le pourcentage des cas de gonococcie masculine liés aux prostituées a diminué en 10 ans, le nombre absolu de ces cas a quant à lui augmenté, passant de 66 à 85 cas, soit une augmentation de 31 %.

Dans une étude faite à Sheffield en Grande-Bretagne, environ 1 cas sur 6 de gonococcie masculine contractée localement était dû à des prostituées.

Au cours de cette étude faite à Sheffield, les auteurs ont pu remarquer que les complications de la gonococcie étaient fréquentes chez les prostituées. Pas moins de 41,7 % des 60 prostituées femmes étudiées sur 5 ans ont eu une salpingite à un moment donné de l'étude.

Dans cette étude, les 60 femmes ont eu des trichonomas vaginalis, dont le taux de prévalence était identique à celui du gonocoque

Par contre, les M.S.T. autres que la trichonomase n'apparaissent pas plus fréquentes chez les prostituées que chez les autres femmes consultant pour une gonococcie.

A Atlanta, aux Etats-Unis, une étude a été faite chez des prostitués hommes et femmes. Ainsi ont été étudiés 237 femmes et 34 hommes. Les femmes ont été soumises à une sérologie de la syphilis et à un examen cytobactériologique des prélèvements cervico-vaginaux pour la recherche sytématique de gonocoque, et si elles présentaient des symptômes, une recherche supplémentaire de trichonomas vaginalis et de candida était pratiquée. Les hommes ont été soumis à une sérologie de la syphilis et à un prélèvement urétral, avec recherche du gonocoque.

A l'examen initial, 47 femmes soit 19,8 % avaient un gonocoque.

Parmi les 34 hommes examinés, 5, soit 14,7 % avaient une urétrite gonococcique. De plus, 8 femmes (soit 3,4 %) et 5 hommes (soit 14,7 %) avaient une syphilis non traitée auparavant.

Enfin, 25 autres femmes (soit 10,6 %) présentaient une trichonomase, 5 (soit 2,1 %) une candidose ; 5 hommes (soit 14,7 %) avaient une urétrite non gonococcique. Au total 29, 3 % des femmes et 44,1 % des hommes avaient une ou plusieurs M.S.T.

A Atlanta, le gonocoque a été plus souvent retrouvé lors des dépistages chez les prostituées (17,4 %) que chez les autres groupes de femmes (6,7 % de gonocoque lors du dépistage prénatal, 4,7 % de gonocoque dans les centres de planning familial, et 2,4 % chez les étudiantes).

Ces auteurs concluent que dans certaines régions des Etats-Unis et dans certains pays, la prostitution reste encore une cause importante de gonococcie et d'autres M.S.T.

Aucune étude semblable ne semble avoir été faite en France.

En conclusion, si la prostitution ne représente plus, et de loin, le vecteur majeur dans la transmission des M.S.T., les prostituées demeurent, de par la multiplicité de leurs partenaires, un groupe à risque pour les M.S.T., et la prostitution est encore responsable, selon les études faites récemment, de la transmission d'un pourcentage non négligeable de cas de M.S.T.

Cinquième partie

PROPHYLAXIE DES M.S.T.

Il faut dire d'emblée que, malheureusement, il n'existe pas de moyens radicaux permettant de prévenir de manière totalement efficace les M.S.T.

En effet, mise à part l'hépatite à virus B, il n'existe pas de vaccin permettant d'assurer une immunité contre ce genre de maladies.

De plus, le fait d'avoir contracté une M.S.T., que ce soit une syphilis, une gonococcie ou une autre maladie vénérienne, ne confère pas d'immunité, et ne protège par contre une nouvelle contamination, contrairement à d'autres types de maladies infectieuses qui, une fois contractées, assurent d'une immunité efficace pendant toute la vie de l'individu.

Ainsi, un sujet pourra présenter au cours de sa vie, plusieurs syphilis, plusieurs gonococcies, etc. Et on peut même dire qu'un sujet contaminé une première fois est un sujet à haut risque de recontamination, plus vraisemblablement par ses habitudes sexuelles qui l'exposent plus à ce genre d'infection, qu'en raison d'une problématique réceptivité particulière.

La meilleure des préventions réside en fait dans l'information du public sur la symptomatologie des M.S.T. et les complications auxquelles elles exposent en l'absence de traitement, afin que chaque personne, devant l'apparition du moindre signe suspect de M.S.T., chez elle, ou chez un(e) de ses partenaires, aille consulter son médecin.

Certes, il existe des dispositions légales, variables suivant les pays, permettant une prévention sur le plan collectif, à savoir déclaration obligatoire, mais anonyme par le médecin, aux autorités sanitaires, de certaines maladies vénériennes, obligation de traitement, etc. Mais là n'est pas notre propos.

Ce qui nous intéressera ici, au premier chef, ce sont les mesures préventives individuelles, qui certes sont loin d'être efficaces à 100 %, mais permettent quand même de diminuer les risques de chacun de contracter une M.S.T. et surtout d'être exposé à leurs complications.

Il faut tout d'abord savoir que chaque individu est plus ou moins réceptif à une infection donnée ou aux infections en général. Ainsi, une personne ayant des rapports sexuels fréquents avec des partenaires multiples, pourra ne jamais présenter de M.S.T., alors qu'un sujet ayant une vie sexuelle « rangée » pourra à l'occasion d'un seul « écart », en contracter une.

De même, si plusieurs sujets ont des rapports sexuels avec une même personne présentant une M.S.T., certains d'entre eux vont contracter l'infection, d'autres s'en sortiront indemnes.

Cependant, mise à part cette réceptivité individuelle plus ou moins grande face à une infection, il est certain que le risque de contracter une M.S.T. augmente avec le nombre de partenaires et la « qualité » de ses partenaires.

Le terme de « qualité » d'un(e) partenaire traduit qu'un sujet ayant lui-même de multiples partenaires est plus « dangereux(se) » pour son(sa) partenaire qu'un sujet n'en ayant qu'un seul.

Il existe donc des catégories de personnes dites à risques pour les M.S.T. ; ce sont essentiellement les sujets ayant une vie sexuelle active et « mouvementée », c'est-à-dire ayant des partenaires multiples. Ainsi, les homosexuels hommes et les protituées font partie de ces groupes à risques, de par la multiplicité de leurs partenaires, et surtout chez les homosexuels, le mode de sexualité.

Un fait est certain : le risque de contracter une M.S.T. augmente avec le nombre de partenaires, quel que soit le type de partenaires, leur origine sociale, leur degré d'hygiène, etc.

Certaines méthodes peuvent contribuer sur le plan individuel à diminuer les risques de contracter une M.S.T.

1) **Des mesures hygiéno-diététiques :**

- Il est certain qu'une bonne santé physique et morale diminue les risques de M.S.T., comme ceux de contracter d'autres maladies.

Il est évident qu'un organisme déficient, dont les défenses sont amoindries, pourra plus difficilement se débarasser d'un microbe, quel qu'il soit. De même, le stress, les émotions, les contrariétés, rendent l'organisme plus réceptif à l'infection, et le cas le plus représentatif est celui de l'herpès, dont les récurrences surviennent à ces occasions.

• Une alimentation bien équilibrée, qui concourt d'ailleurs à une bonne santé, peut aussi diminuer les risques d'infections en général et de M.S.T. en particulier

Ainsi, comme nous l'avons déjà dit, le diabète favorise les infections et en particulier les mycoses.

• Une hygiène intime régulière et correcte est un facteur important.

— Pour les femmes, il faut penser lors de la toilette intime aux risques d'autocontamination, par exemple à la contamination de l'anus par les leucorrhées infectées, ou, au contraire, du vagin par des matières fécales.

— Pour les hommes, non circoncis, bien se laver après avoir décalotté le gland. La circoncision rend la toilette intime de l'homme beaucoup plus facile, et représente une mesure hygiénique.

• Chez la femme comme chez l'homme, certaines manœuvres peuvent favoriser des infections

— l'humidité locale peut être favorable au développement de certains microbes (agents mycosiques en particulier). Il faudra donc toujours bien se sécher après la toilette.

— chez la femme, il faut savoir que l'utilisation prolongée de savons acides pour la toilette intime peut favoriser les candidoses en augmentant l'acidité vaginale. De même, les injections répétées de liquide dans le vagin (eau, solution antiseptique) sont à déconseiller, car elles peuvent être responsables d'irritation du vagin et de la vulve et d'infections chez la femme ou chez son partenaire.

Le port de nylon à même la peau (collants, gaines), en empêchant l'élimination de l'humidité corporelle, favorise le développement des candidoses ainsi que leur extension au périnée et au haut des cuisses.

• Certaines manœuvres ponctuelles dites hygiéniques peuvent avoir un rôle plus ou moins préventif :

— Ainsi, le lavage à l'eau et au savon de la verge chez l'homme, de même que chez la femme un lavage à l'eau et au savon de la vulve, à l'eau seule du vagin, même s'ils ne sont pas indispensables, après les rapports sexuels, représentent tout de même une mesure hygiénique. Il ne faudra pas oublier de toujours bien se sécher après la toilette.

— Chez les hommes, le fait d'uriner juste après un rapport plus ou moins suspect, peut contribuer à éliminer une partie des microbes ayant pu pénétrer dans l'urètre lors d'un rapport contaminant.

Bien sûr, il ne s'agit là que de conseils pratiques, qui sont malheureusement loin de mettre à l'abri des M.S.T. mais qui peuvent tout de même jouer un certain rôle préventif.

2) **Moyens mécaniques de prévention :**

Depuis l'avènement de méthodes contraceptives plus sûres et plus modernes, telles que la pilule ou le stérilet, les moyens mécaniques (préservatif masculin et diaphragme féminin) de protection ont plus ou moins, suivant les pays, été abandonnés. Or, si le préservatif et le diaphragme étaient mieux connus, et plus largement utilisés par le public, ils contribueraient dans une certaine mesure, à diminuer la fréquence des M.S.T.

Malheureusement, ils sont tombés dans l'oubli depuis l'apparition de méthodes contraceptives certes plus efficaces, mais qui par contre n'assurent aucune protection contre les M.S.T., pouvant même, dans certains cas, favoriser certaines infections (les candidoses vaginales sont plus fréquentes chez les femmes sous pilule, les salpingites surviennent plus fréquemment chez les femmes ayant un stérilet).

a)*Le préservatif masculin ou condom :*

Il est encore appelé suivant les pays « capote anglaise » ou « french·cap ». C'est un fourreau de latex très fin, transparent et résistant, de 15 à 20 cm de longueur sur 3 à 4 cm de diamètre, qui permet de recouvrir entièrement la verge et qui retient le sperme lors de l'éjaculation. Il est commercialisé sous forme de doigtiers enroulés sur eux-mêmes. et certains sont enduits d'une substance lubrifiante ou d'un spermicide antiseptique. Le préservatif n'a pas très bonne réputation dans le public, qui l'accuse de diminuer le plaisir sexuel.

En outre, pour qu'il ait une certaine efficacité dans la prévention des M.S.T., il faut que l'homme mette en place le préservatif dès le début du rapport, avant toute pénétration, même buccale si possible.

Dans les pays anglo-saxons, le préservatif connaît cependant depuis quelques années un regain d'intérêt et sa vente a décuplé en quelques années. Cependant en France, il est beaucoup moins utilisé comme moyen de contraception, et il est en outre peu connu des adolescents, et de moins en moins utilisé semble-t-il.

Pourtant, son efficacité dans la prévention des M.S.T., si elle n'est que très relative, n'en est pas moins réelle, puisque en Suède, une campagne publicitaire vantant ses mérites a permis de faire diminuer la fréquence des maladies vénériennes et des grossesses chez les adolescentes.

Un des avantages du « condom » est qu'il protège à la fois l'homme et la femme en ce qui concerne les M.S.T.

b) *Le diaphragme féminin :*

Il a la forme d'un dôme de latex épaix et souple, serti par un ressort en caoutchouc, que la femme introduit au fond du vagin. Le ressort caoutchouté, légèrement distendu, assure son maintien contre les parois vaginales. Ainsi placé, il protège le col utérin, et sa souplesse permet de ne pas occasionner de gène lors des rapports sexuels.

Il peut être mis en place entre deux heures et quelques minutes avant le rapport. Il assure, à l'encontre des M.S.T., une protection moindre que le préservatif masculin, puisqu'il permet à la verge d'être en contact avec les parois vaginales et tous les germes qui peuvent s'y trouver.

Ces deux moyens mécaniques, en particulier le préservatif masculin, même s'ils sont loin d'assurer une protection totale contre les M.S.T., n'en ont pas moins une valeur de prévention relative.

3) **Moyens chimiques de prévention :**

Les spermicides sont des substances destinées à détruire les spermatozoïdes, et se présentent sous la forme de crèmes ou d'ovules que la femme introduit dans son vagin dans les minutes ou l'heure qui précèdent un rapport sexuel, et qui sont en outre, souvent doués d'un puissant effet antiseptique. Ils peuvent donc avoir un certain rôle prophylactique vis à vis des M.S.T., mais bien entendu seulement au niveau génital.

Mais l'utilisation des spermicides ou de solutions, de pommades ou de crèmes antiseptiques ou antibiotiques donnent des résultats assez décevants, et peuvent en outre être source d'irritations ou d'allergies.

4) **Les test préventifs :**

Ils consistent à absorber une certaine quantité d'antibiotique juste avant ou juste après un rapport sexuel suspect.

Ces tests préventifs peuvent avoir une certaine efficacité dans certains cas, mais ne sont sûrement pas une panacée.

En effet, sauf cas particulier, lors d'un rapport considéré comme suspect, on ne peut préjuger du ou des germes en cause et il n'existe pas d'antibiotiques actifs à la fois sur tous les microbes sexuellement transmissibles.

De plus, des antibiotiques pris à l'aveugle pourront dans certains cas masquer une M.S.T. qui se déclarera plus tardivement, ou rendre difficile, sinon impossible l'identification ultérieure du ou des germes responsables, et cela même si le traitement n'a pas suffi à prévenir l'infection.

Ces tests préventifs sont donc à bannir absolument, sauf dans certains cas particuliers, comme par exemple celui de femmes enceintes ayant eu un rapport avec un sujet suspecté d'une M.S.T., laquelle pourrait, si elle était contractée par la mère, mettre en jeu la santé du fœtus.

En général, en cas de rapport suspect, mieux vaut, au lieu de prendre un traitement à l'aveugle, lequel pourra se révéler tout à fait insuffisant, voire même inutile si le rapport n'a pas été contaminant, attendre quelques jours, en surveillant l'apparition d'éventuels symptômes, et auquel cas aller consulter, et faire pratiquer des prélèvements bactériologiques et un serodiagnostic de la syphilis, lequel devra être répété à 3 reprises à un mois d'intervalle chacun de manière à éliminer formellement une contamination qui aurait pu rester asymptomatique.

5) **Les traitements épidémiologiques :**

Ils consistent à traiter systématiquement les sujets ayant eu des rapports avec une personne présentant une M.S.T., sans chercher la preuve bactériologique de la contamination ou avant d'avoir eu confirmation de cette preuve.

Cela peut être une façon d'agir en particulier avec les sujets qui ne veulent pas se soumettre à des examens de laboratoire, mais ces traitements épidémiologiques ne représentent pas la meilleure attitude à adopter si le sujet accepte de se soumettre aux examens de laboratoire, puisque l'on estime qu'environ 1/3 des sujets contacts, c'est-à-dire ayant eu un rapport sexuel avec une personne atteinte de M.S.T., ne sont pas atteints par l'infection.

6) **Les vaccinations :**

Jusqu'à présent, le vaccin contre l'hépatite B est le seul vaccin efficace mis au point contre les M.S.T.

Ce vaccin est commercialisé depuis quelques années, et il est utilisé à raison de trois injections sous-cutanées à un mois d'intervalle chacune, avec un rappel au bout d'un an. Il assure une protection efficace d'environ 5 ans, et nécessite un rappel tous les 5 ans. Il semble parfaitement inoffensif.

Le vaccin contre l'hépatite B est recommandé aux personnes qui ont un travail les exposant à la maladie (personnel infirmier, personnel de laboratoire, etc.) ainsi qu'aux homosexuels masculins qui représentent un groupe à risque pour l'hépatite B, en particulier s'ils ont des partenaires multiples. Ce vaccin sera indiqué chez les sujets ne possédant pas l'antigène Hbs, ou l'anticorps anti-Hbs.

On pourra le proposer aussi aux partenaires de porteurs chroniques d'antigène Hbs.

7) **Dépistage des sujets contacts et de l'agent contaminateur :**

• Le dépistage systématique de la syphilis est pratiqué à plusieurs occasions :

— lors des examens prénuptiaux, prénataux et post-nataux ;
— chez les malades hospitalisés ;
— chez les donneurs de sang ;
— en vue de l'obtention de la naturalisation française ;
— lors d'une demande d'agrément pour être nourrice ;
— on pourrait le préconiser aussi en fin de grossesse.

• En Angleterre, on préconise en plus le dépistage systématique de la gonococcie, de la trichomonase et de la candidose chez les femmes consultant pour une interruption volontaire de grossesse, surtout s'il s'agit de femmes célibataires.

• Des prélèvements bactériologiques gynécologiques systématiques pourraient être envisagés chez la femme enceinte en fin de grossesse, avec recherche de tous germes.

• Un sérogiagnostic anti-herpétique type 2, systématique, pourrait être préconisé chez toutes les femmes lors du premier examen prénatal, au même titre que les sérodiagnostics de la syphilis, de la toxoplasmose et de la rubéole, afin, si le sérodiagnostic est négatif, d'essayer de protéger la mère contre une éventuelle primo-infection herpétique pendant la grossesse.

8) **La consultation préventive :**

Elle s'adresse essentiellement aux sujets particulièrement exposés aux M.S.T., à savoir les personnes ayant de multiples partenaires. Ces personnes à risques (homosexuels hommes, sujet pratiquant le « vagabondage sexuel », prostituées, etc.) devraient consulter régulièrement un médecin, tous les 3 ou 6 mois, en fonction de leur activité sexuelle. Pour les sujets ayant une activité sexuelle plus stable, une consultation tous les 6 à 12 mois est conseillée.

Les femmes devront aller consulter en dehors de la période des règles et sans avoir fait de toilette intime la veille.

Les hommes devront prendre la précaution de ne pas uriner le matin au réveil ou tout au moins 5 ou 6 heures avant la consultation, pour ne pas laisser passer inarperçu un écoulement urétral minime éventuel.

Il ne faudra pas hésiter à signaler au médecin toutes taches sur le slip, toutes démangeaisons, toutes brûlures ou autres signes éventuels. L'examen clinique sera complété, si le médecin le juge nécessaire, par des examens de laboratoire : prélèvement cervico-vaginal chez la femme, prélèvement urétral chez l'homme, examen bactériologique des urines, serodiagnostic de la syphilis, etc.

Un sérodiagnostic de la syphilis systématique tous les ans, voire même tous les six mois en cas de partenaires multiples, serait souhaitable.

Et dans les pays (par exemple Etats-Unis, Grande-Bretagne, Suède, Pologne) qui ont appliqué une politique d'information massive du public, on a assité à une diminution du nombre des M.S.T.

CONCLUSION

Incontestablement, on a assité ces vingt dernières années à une recrudescence des M.S.T. et à l'apparition de nouvelles maladies transmises par voie sexuelle.

Quelle attitude adopter face à ces constatations ? Je résumerai cette attitude en une phrase : « Faites l'amour, pas la guerre bactériologique ! »

Il ne s'agit pas de gâcher le plaisir des gens en leur disant que « faire l'amour » les expose à de grands dangers. Ceci est d'ailleurs faux. Chacun devrait pouvoir « faire l'amour » autant qu'il le désire, avec le nombre de partenaires qu'il le souhaite, en ayant le mode de sexualité qui lui convient.

La liberté devrait être totale dans ce domaine, à condition de ne pas nuire à sa propre santé et à fortiori à la santé d'autrui.

Pour cela, il faut savoir que plus le nombre de partenaires est élevé, plus les risques de contracter une ou plusieurs M.S.T. sont grands et plus le risque de contaminer ses partenaires est élevé.

En effet, le problème majeur des M.S.T. réside dans leur mode de transmission, qui rend leur dissémination relativement facile et dans le nombre élevé de porteurs sains, qui bien qu'asymptomatiques, n'en sont pas moins contagieux.

Ceci étant dit, pour ne pas transformer l'amour physique en une hantise des M.S.T., ce qui contribuerait à gâcher le plaisir de chacun et à faire de l'acte sexuel une « peur » de l'autre, une « guerre de microbes » entre deux ou plusieurs êtres, une prise de conscience collective s'impose, permettant d'aboutir à une attitude saine et relativement simple face à ce problème des M.S.T.

Ainsi chacun, devant la moindre suspicion de M.S.T., chez lui ou chez son (sa) partenaire, devrait, sans hésiter, aller consulter un médecin, se soumettre à des prélèvements de laboratoire éventuels, accepter de suivre le traitement éventuellement prescrit, même en l'absence de symptômes, s'abstenir de rapports sexuels pendant un temps minimum, enfin et surtout prévenir tous ses partenaires, même s'il s'agit d'un(e) partenaire « d'un soir ».

De plus, pour les personnes ayant des partenaires multiples, une consultation systématique préventive, tous les six mois en moyenne, serait souhaitable, même en l'absence de tout symptôme.

Les femmes enceintes devront penser aux risques que pourrait encourir leur fœtus ou leur nouveau-né et donc se montrer tout particulièrement vigilantes.

Le but de ce livre sera atteint s'il contribue à cette prise de conscience collective, en se rappelant que les M.S.T., dans la grande majorité des cas, sont des maladies bénignes si elles sont diagnostiquées précocement et traitées de manière appropriée.

LEXIQUE

ADÉNOPATHIE : augmentation de volume d'un ou plusieurs ganglions.
ALOPÉCIE : chute de cheveux ou de poils localisée ou diffuse.
ANÉVRISME : tumeur vasculaire circonscrite se développant sur le trajet d'une artère.
ANNEXES : chez la femme concerne les annexes de l'utérus : ovaires, trompes.
ANOREXIE : perte de l'appétit.
ANTICORPS : protéine fabriquée par les lymphocytes B lors de l'introduction d'un antigène, protégeant l'organisme contre cet antigène.
ANTIFONGIQUE : substance détruisant les champignons et levures.
ANTIGÈNE : substance reconnue comme étrangère par l'organisme et engendrant une réponse immunitaire.
ANTISEPTIQUE : qui détruit les microbes et empêche leur développement.
ARTHRITE : inflammation d'une ou plusieurs articulations.
ATROPHIE : diminution de volume ou de la fonction d'un organe, ou d'un tissu.
BACILLE : bactérie en forme de bâtonnet.
BACTÉRIE : microorganisme se nourrissant selon le mode végétal.
BALANITE : inflammation du gland.
BLENNORRAGIE : maladie vénérienne se manifestant essentiellement par une urétritre chez l'homme, une cervico-vaginite chez la femme.
CERVICITE : inflammation du col de l'utérus.
CERVICO-VAGINITE : inflammation du col de l'utérus et du vagin.
CHALAZION : petit kyste de la paupière.
CHANCRE : lésion cutanée ou muqueuse de primo-invasion d'une affection microbienne vénérienne.
CIRCONCISION : intervention consistant à sectionner le prépuce.
CIRRHOSE : affection hépatique diffuse et chronique, quelle qu'en soit la cause, entraînant une altération des cellules du foie.
CLINIQUE : qui peut être effectué ou constaté par le médecin au lit du malade, sans le recours du laboratoire ou de la radio.
CŒLIOSCOPIE : méthode d'exploration consistant à introduire dans le ventre, par une petite incision au niveau du repli de l'ombilic, un appareil optique permettant de voir les organes, en particulier les organes génitaux chez la femme.
COMMENSAL : se dit d'un microbe qui vit chez un hôte sans préjudice pour celui-ci.
CONGÉNITAL : correspond à ce qui existe chez un individu à la naissance. Tout caractère héréditaire est congénital, mais l'inverse n'est pas vrai.
CONJONCTIVE : membrane tapissant la face profonde des paupières et la face antérieure des globes oculaires.

CONJONCTIVITE : inflammation de la conjonctive.
CORNÉE : membrane transparente de la face antérieur de l'œil, constituant un véritable hublot de l'œil.
CORONAIRE : artère assurant l'irrigation du muscle cardiaque.
CUNNILINCTION : pratique consistant à lécher la zone érogène de la vulve, en particulier le clitoris.
CYSTITE : inflammation de la vessie.
DESQUAMATION : chute de la partie superficielle de l'épiderme par lambeaux.
DIAGNOSTIC : acte par lequel le médecin, faisant la synthèse des symptômes, les rattache à une maladie.
DYSPAREUNIE : douleurs lors des rapports sexuels chez la femme.
DYSURIE : difficulté de la miction, avec miction lente et pénible.
ÉCOUVILLON : sorte de coton-tige stérile, utilisé pour les prélèvements bactériologiques.
ÉLÉPHANTIASIS : augmentation considérable de volume d'un membre due à une obstruction lymphatique.
ENCÉPHALITE : affection du cerveau de caractère inflammatoire.
ENDÉMIE : persistance habituelle dans une région ou au sein d'une collectivité d'une affection déterminée qui s'y manifeste de manière constante ou périodique.
ENDOCARDE : tunique interne du cœur, revêtant en dedans le myorcarde.
ENDOCARDITE : inflammation de l'endocarde.
ENDOCERVICITE : inflammation de la partie interne du col de l'utérus
ENDOGÈNE : dont l'origine est dans l'organisme.
EPIDÉMIE : propagation simultanée à un grand nombre d'individus d'une maladie.
EPIDÉMIOLOGIE : branche de la médecine qui étudie les différents facteurs intervenant dans l'apparition et l'évolution des maladies, que ces facteurs dépendent de l'individu ou du milieu qui l'entoure.
ÉPIDERME : couche superficielle de la peau.
ÉPIDIDYMITE : inflammation chronique ou aiguë d'un ou des deux épididymes.
ÉPISPADIAS : ouverture de l'urètre à la face dorsale de la verge.
ÉROSION : lésion cutanée ou muqueuse très superficielle.
EXCORIATION : abrasion des couches superficielles de la peau ou d'une muqueuse.
EXOCERVICITE : inflammation limitée à la partie externe du col de l'utérus.
EXOGÈNE : dont l'origine est extérieure à l'organisme.
EXULCÉRATION : id. érosion.
FÈCES : matières fècales.
FELLATION : au sens strict du terme prendre dans la bouche la verge du partenaire ; par extention, tout attouchement des parties génitales avec la langue.
FISSURE ANALE : plaie de l'anus ayant du mal à cicatriser.
FISTULE : trajet anormal faisant communiquer entre eux ou avec l'extérieur deux cavités ou organes.
GÉNOME : ensemble du matériel génétique d'une cellule.
HÉMATURIE : présence de sang dans les urines.
HÉRÉDITAIRE : se dit d'un caractère qui se transmet des ascendants aux descendants.
HÉRÉDITÉ : ensemble des caractères reçus par la descendance des ascendants dont elle est issue.
HYDARTHROSE : épanchement de liquide dans une articulation.
HYDROCÈLE : épanchement de liquide entre les deux feuillets de l'enveloppe du testicule.
HYPOSPASDIAS : ouverture de l'urètre à la face antérieure de la verge.
ICTÈRE : coloration jaune de la peau et des muqueuses : jaunisse.
IMMUNISATION : acquision de l'immunité.
IMMUNITÉ : ensemble des facteurs humoraux et cellulaires qui protègent l'organisme contre une agression infectieuse ou toxique.

INCUBATION : période de latence comprise entre une infection et l'apparition des premières manifestations cliniques.
INFLAMMATION : ensemble des processus vasculaires, tissulaires et humoraux secondaires à tout type d'agression.
INSUFFISANCE AORTIQUE : reflux anormal de sang de l'aorte dans le ventricule gauche, pendant la phase de repos du cœur ou diastole, dû à un défaut des valvules fermant l'aorte à son abouchement dans le ventricule gauche.
KÉRATITE : inflammation de la cornée.
LEUCÉMIE : prolifération maligne dans la moelle osseuse et parfois le sang, des globules blancs ou de leurs précurseurs.
LEUCORRHÉE : écoulement par la vulve de sérosités blanchâtres ou verdâtres, parfois teintées de sang.
LYMPHE : liquide blanchâtre riche en lymphocytes qui circule dans le système lymphatique.
LYMPHOME : tumeur désignant les proliférations malignes des cellules lymphocytaires.
LYSE : dissociation, destruction.
MACROPHAGE : cellule douée de pouvoir de phagocytose (voir ce mot).
MACULE : tache rouge ou rose sur la peau, non saillante.
MARQUEUR : atome reconnaissable à une propriété physique particulière qui permet de l'identifier au sein d'une substance où il se trouve en très faible quantité.
MÉNINGES : ensemble des membranes entourant le cerveau et la moelle épinière.
MÉNINGITE : inflammation, le plus souvent d'origine infectieuse, des méninges.
MICROCÉPHALIE : petitesse extrême du crâne, consécutive à un défaut de développement du cerveau.
MICRO-ORGANISME : organisme microscopique.
MOELLE OSSEUSE : tissus localisé dans la médullaire de l'os.
MORBIDITÉ : nombre de personnes atteintes par une maladie pendant une période déterminée au sein d'une population.
MUGUET : candidose buccale
MUQUEUSES : membrane tapissant la paroi interne des cavités naturelles et de la plupart des organes creux.
MYCOSE : parasitose due à un champignon microscopique.
MYOCARDE : muscle cardiaque.
MYOCARDITE : inflammation du myocarde.
NÉCROSE : mortification cellulaire ou tissulaire.
NÉCROTIQUE : qui est nécrosé.
NÉO-NATAL qui se rapporte au nouveau-né.
NODULE : petite tuméfaction cutanée ou sous-cutanée.
ŒDÈME : gonflement anormal d'un tissu par infiltration d'un liquide séreux.
ONCOGÈNE : qui provoque ou favorise l'apparition des tumeurs.
ORCHITE : inflammation d'un ou des deux testicules.
PAPULE : petite élevure de la peau, ne contenant pas de liquide.
PARAPHIMOSIS : étranglement du gland par un anneau préputial rétréci.
PARASITE : être vivant qui se nourrit aux dépens d'un autre organisme.
PARENCHYME : ensemble des tissus fonctionnels d'un organe.
PATHOGÈNE : aptitude d'un germe à provoquer des troubles dans un organisme ; germe qui peut provoquer une maladie.
PATHOGÈNIE : étude du mécanisme causal des maladies.
PELVIEN : concerne le bassin.
PELVIS : bassin.
PÉRICARDE : sorte de sac enveloppant le cœur.
PÉRICARDITE : inflammation du péricarde.
PÉRIHÉPATITE : inflammation de l'enveloppe séreuse du foie.

PÉRINÉE : ensemble des parties molles fermant en bas la cavité du bassin, comprises entre la vulve ou le scrotum et l'anus.

PÉRITOINE : membrane tapissant les parois internes de l'abdomen et la plupart des organes qui y sont contenus.

PÉRITONITE : inflammation du péritoine.

P.H. : symbole désignant l'acidité réelle en fonction de la concentration en ions hydrogènes ; abréviation de potentiel d'hydrogène.

PHAGOCYTOSE : capture et ingestion par une cellule de particules inertes ou vivantes du milieu ambiant.

PHIMOSIS : étroitesse anormale de l'orifice du prépuce s'opposant au décalottage du gland.

PHYSIOPATHOLOGIE : études des modifications des grandes fonctions de l'organisme, au cours des maladies.

PLAQUETTES : cellules du sang jouant un rôle dans la coagulation.

PLASMA : milieu liquidien dans lequel baignent les cellules sanguines.

POLYNUCLÉAIRE : globule blanc doué de propriété de phagocytose.

POST-PARTUM : période qui fait immédiatement suite à l'accouchement.

PRIMO-INFECTION : premier contact avec un microbe.

PRONOSTIC : prévision de l'évolution d'une maladie.

PROSTATITE : inflammation de la prostate.

PROTOZOAIRE : être vivant unicellulaire (ex. trichomonas, amibe).

PRURIT : sensation spontanée de démangeaison.

PUERPÉRAL : période qui suit l'accouchement et qui se termine à la période des règles.

PURULENT : qui contient du pus.

PUSTULE : élevure de la peau contenant un liquide purulent.

PYOGÈNE : se dit de microbes susceptibles d'entraîner une suppuration.

RECHUTE : reprise évolutive d'une maladie qui était apparemment en voie de guérison.

RÉCIDIVE : réapparition d'une maladie qui était antérieurement guérie.

RÉCURRENCE : reprise évolutive d'une maladie apparemment guérie sans nouveau contact pathogène ; l'emploi de ce terme implique un délai plus long que celui d'une rechute.

RÉINFECTION : nouvelle infection par un agent infectieux identique à celui qui a provoqué la primo-infection.

RHAGADE : fissure, crevasse cutanée ou muqueuse.

SALPINGITE : inflammation d'une ou des deux trompes de Fallope.

SAPROPHYTE : se dit d'un germe dépourvu de pouvoir pathogène.

SARCOME : tumeur maligne développée aux dépens du tissu conjonctif.

SEPTICÉMIE : état lié à la dissémination par voie sanguine d'un germe pathogène à partir d'un foyer primitif et donnant des manifestations générales graves.

SÉQUELLE : trace anatomique ou trouble fonctionnel irréversible, laissé dans l'organisme par une maladie guérie.

SÉROLOGIE : étude du serum par analyse de laboratoire.

SÉRUM : plasma, après coagulation de celui-ci.

SPERMATOGENÈSE : ensemble des processus qui aboutissent à la formation des spermatozoïdes.

SQUAME : lambeau d'épiderme résultant de la desquamation.

STÉNOSE : rétrécissement.

SYNDROME : ensemble de symptômes.

SYSTÈME LYMPHATIQUE : ensemble des ganglions et des vaisseaux lymphatiques de l'organisme.

TÉNESME : tension douloureuse avec envie permanente d'aller à la selle (tenesme rectal) ou d'uriner (tenesme vesical) éprouvé au niveau de l'anus ou de la vessie.

THÉRAPEUTIQUE : traitement médical.

THYMUS : organe transitoire, ayant un rôle dans l'immunité, situé chez l'enfant à la partie basse du cou et régressant normalement chez l'adulte.

TRACTUS : ensemble de conduits et de viscères creux appartenant à un même système anatomo-physiologique.

UBIQUITAIRE : se dit d'un organisme animal ou végétal qu'on rencontre partout.

ULCÉRATION : perte de substance cutanée ou muqueuse formant une sorte de cratère.

URÉTRITE : inflammation de l'urètre donnant souvent un écoulement par le méat.

VAGINITE : inflammation du vagin.

VÉSICULE : soulèvement hémisphérique de la peau ou des muqueuses contenant un liquide clair, non purulent.

VÉSICULITE : inflammation des vésicules séminales.

VULVITE : inflammation de la vulve.

VULVO-VAGINITE : inflammation de la vulve et du vagin.

Bibliographie

ARDOUIN P., *Les infections à chlamydiae,* Revue F° Gynécol. Obstét., Avril 1981, pp. 59-70.

ARDOUIN P. et PRADIER Th., *Diagnostic des chlamydioses sur 1 000 cas d'essais d'isolement.* Médecine et maladies infectieuses, 1982, 12, n° 6, pp. 367-369.

ASTIN L., *A propos de lutte contre les maladies vénériennes,* Thèse Méd. Paris VI, Broussais-Hôtel-Dieu, 1978, n° 75.

BASSET A. et coll., *Urétrites et vulvo-vaginites gonococciques. A propos de 427 cas.* Journal de Médecine de Strasbourg, 5e année, n° 4, avril 1974, p. 341-43.

BATTISTA CANDIANI G. et coll., *Trichomonase.,* Labo. Carlo Erba, 1973, Italie.

BELAICH S., *Le chancre mou.,* Revue du Praticien, 1976, 26, 47 (21 oct. 1976) — 3225-91.

BELDA G., *La prostitution et les maladies vénériennes. Leur particularité en Indre-et-Loire.* Thèse Méd. Tours, 1973, n° 23.

BOHBOT J.M. et SIBOULET A., *La Trichomonase uro-génitale.* Le praticien, n° 402, 1er octobre 1981, pp. 38-43.

BOHOT J.M. et SIBOULET A., *L'Herpès génital.* La Vie Médicale, 11, 1981, avril 12, pp. 733-34.

BOLAN R.K., *Sexually transmitted diseases in homosexual : focusing the attack.* Sex. Transm. Dis., oct-déc. 1981, pp. 293-97.

BONISSOL Ch., *Les urétrites à mycoplasmes.* Rév. Méd., n° 23, 06.79.

BONVALET D., *Les végétations virales génito-anales dites « crêtes de coq ».* Revue du Praticien, 1976, 26, 47 (21 oct. 1976), pp. 3315-20.

CATALAN F. et coll., *Les chlamidiae : importance en pathologie humaine.* Prat. et Biol., 1971, pp. 23-35.

CHARMOT G., *La Donovanose : Granolomatose inguino-génitale.* Méd. et Hyg., 35, 1977, pp. 430-31.

CONRAD G.L. and all., *Sexually transmitted diseases among prostitutes and other sexual offenders.* Sex. Transm. Dis. oct.-déc. 1981, pp. 241-43.

DEGOS R. et coll. *Dermatologie.* Collection Médico-Chirurgicale à Révision Périodique. Ed. Flammarion, Médecine-Sciences, Paris.

DOLIVO M., *Urétrites à trichomonas.* Cutis 4, 5, 1980, pp. 382-90.

DUPERRAT B., *Donovanose.* La Revue du praticien, 1976, 26, 47 (21 oct. 1976), pp. 3307-09.

EDLINGER E. et ARDOUIN P., *Les nouveaux diagnostics des chlamydioses.* Pathologie-Biologie, décembre 1981, 29, n° 10, pp. 621-26.

FAUCY A.S., *The syndrome of Kaposi's sarcoma and opportunistic infection : an épidemiologically restricted disorder of immunoregulation.* Ann. Intern. Med., June 1982, vol. 96, n° 6 (part 1), pp. 777-779.

FELMAN Y. and all., *Sexually Transmitted Diseases in the male homosexual community.* Cutis, vol. 30, December 1982, pp. 706-724.

FERRON A., et coll., *Bactériologie à l'usage des étudiants en médecine.* Ed. C. & R., 1973, Lille.

FLUKER J.L., *Homosexuality and sexually transmitted diseases.* Brit. J. Hosp. Med. Sept. 1981, pp. 265-267.

FLUKER J.L., *A 10-years study of homosexually transmitted infection.* Brit. J. vener. Dis., 1976, 52, pp. 155-160.

FOLLANSBEE S.E. and all., *An outbreak of Pneumocystis carinii Pneumonia in Homosexual Men.* Ann. Int. Med., 1982, 96 (part 1), pp. 705-713.

FRIBERG J., *Mycoplasmas and infertility, sexually transmitted disease.* Symposium proceedings, May 4, 1979, Los Angeles, California.

FRIEDMAN-KIEN A.E. and all., *Disseminated Kaposi's sarcoma in homosexual men.* Ann. Int. Med. June 1982, vol. 96, n° 6 (part 1) pp. 693-700.

GERSTOFT J. and all., *Severe acquired immuno deficiency in European homosexual men.* British medical journal, vol. 285, 3 juillet 1982, pp. 17-19.

GOLDSTEIN F.W. et all., *Les urétrites à germes banals.* Gaz. Méd. de France, 86, n° 39, 7 déc. 1979.

GROOPMAN J.E., *Kaposi's sarcoma and other neoplasms,* pp. 208-10. In Gottlieb MS moderator. The acquired immuno deficiency syndrome. Ann. Intern. Med., 1983, 99, pp. 208-20.

GROOPMAN J.E. and DETSKY A.S., *Epidemic of the acquired immunodeficiency syndrome : a need for economic and social planning.* Ann. Intern. Med. August 1983, 99, n° 2, pp. 259-261.

HANDSFIELS H., *Acquired immunodeficiency in homosexual men.* AJR, 139, oct. 1982, pp. 832-33.

HENRY-SUCHET J., *Chlamydia trachomatis ; son incidence dans l'infection génitale féminine.* Tempo médical, n° 94, nov. 1981, pp. 155-62.

— *Herpès virus : les traitements à petits pas.* Gyn. Obs., 15 février 1983, p. 21.

— *Herpès, où en est-on ?* Le praticien P.P.P., n° 456, p.8.

HOCHE J.P., *La Trichomonase.* La Revue de Médecine, n° 1-2, 1er-8 janvier 1979, pp. 39-42.

HOLMES K.K. and STAMM W.E., *Infections génitales à chlamydiae : une pathologie menaçante.* Tempo médical, n° 88, sept. 1981, pp. 19-30.

HOLMES K.K., *L'épidémie de chlamydia.* JAMA, vol. 3, n° 34, 18 juin 1981, pp. 1579-90.

— *Homosexualité : l'approche psychosomatique de l'homosexuel.* Le généraliste, n° 482 du samedi 14 août 1982.

— *Homosexuels : les affections à rechercher.* Le généraliste, n° 482, du samedi 14 août 1982.

— *Immunologie : Tome I et II.* Ed. C. & R., 1982, Lille.

LACHIVER L.D., *La santé sexuelle. Connaître, prévenir, guérir les maladies sexuellement transmissibles.* Ed. Ramsay, Paris, 1982.

— *Les causes du syndrome de déficit immunitaire acquis restent hypothétiques.* JAMA, vol. 6, n° 63, 2 décembre 1982.

— *Les maladies sexuellement transmissibles.* Synthèse médicale, n° 88, 20 décembre 1979.

— *Les maladies sexuellement transmissibles : l'éternel retour.* Le Moniteur des Pharmaciens et des Laboratoires, 1554/5.3.83, pp. 815-21.

LHUILLIER N., *La Candidose uro-génitale.* Le Praticien, n° 402, 1er octobre 1981, pp. 33-37.

— *Candidoses uro-génitales.* La Vie Médicale 11, 1981 avril/2, pp. 753-754.

MAMETTE A et coll., *Virologie médicale.* Ed. C. & R., 1982, La Madeleine.

MAZERON M.C. et COLIMON R., *Généralités sur les chlamydiae.* E.M.C., 8074, A 05, 4.1982.

MILDVAN D. and all., *Opportunistic infections and immune deficiency in homosexual men.* Ann. Int. Med. 1982, 96 (part 1), pp. 700-704.

MIROUZE D. et MICHEL H., *Foie et voies biliaires.* Gastroentérol. Clin. Biol., 1982, 6, pp. 315-17.

MOYAL-BARRACCO M., *Vénus ou les mauvaises rencontres de l'été.* Quintescence 78, pp. 17-22.

— *M.S.T. : les nouveaux tableaux cliniques.* TONUS, n° 752, pp. 7-13.

NGUYEN T., *Prévention des maladies vénériennes.* Thèse Méd. Paris VII, Bichat-Beaujon, 1982, n° 37.

— *Nouveaux visages des maladies sexuellement transmissibles.* Impact Médecin, n° 64, 30 juin 1981, pp. 38-42.

OLESKE J. et coll., *Syndrome d'immunodépression chez l'enfant.* JAMA, n° 73, 8, sept. 83.

ORIEL J.D., *Genital warts.* Sex. Transm. Dis., Oct.-Dec. 1981, vol. 8, n° 4 supp., pp. 326-329.

ORIEL J.D. and all., *Les infections fongiques génitales (traduction).* Brit. Méd. J. 1972, 4, pp. 761-764.

PAAVONEN J., *Chlamydial Infections, Microbiological, Clinical and Diagnostic Aspects.* Medical Biology, 57, 1979, pp. 135-51.

PARIS-HAMELIN et VAISMAN A., *La syphilis, 13, fév. 1982.* Microbiologie Behring.

PEROL Y. et LATREILLE J., *Diagnostic biologique des infections humaines à mycoplasmes.* Médecine et Maladies infectieuses, 1975, 5, 5, pp. 265-76.

POYNART T., *Foie et liberté sexuelle.* Gastroentérol. Clin. Biol., 1982, 6, pp. 333-343.

PUROLA E. and all., *Gonorrhoea, Trichomonasis and Yeast Infection in late pregnancy in an unselected series of gravidae.* Ann. Chir. et Gyn. Fenn., vol. 56, Fasc. 1, 1967, pp. 95-98.

RICHMOND S.J. and SPARLING P.F., *Genital chlamydial infections.* Am. Jour. of Epid., 103, 5, 1976.

RIPA K.T., *Microbiology diagnosis of chlamydia trachomatis infection.* Infection, 1982, vol. 10, suppl. 1, pp. 519-24.

ROBERTSON P. and SCHACHTER J., *Failure to identify venereal disease in a lesbian population.* Sex. Transm. Dis., 1981, 8, pp. 75-6.

ROSS S.M., *Sexually Transmitted Diseases in Pregnancy.* Clinics in Obstetrics and Gynaecology, vol. 9, n° 3, December 1982, pp. 565-89.

RUBINSTEIN et coll., *Déficit immunitaire acquis avec inversion des rapports T4/T8 chez les enfants nés de mères ayant des partenaires sexuels multiples et toxicomanes.* JAMA, n° 73, 8, sept. 83.

SCHOFIELD C.B.S., *Les maladies sexuellement transmissibles. Tests, traitements et épidémiologie.* Ed. MEDSI, 1980.

SCIEUX C. et COLIMON R., *Les urétrites à chlamydia trachomatis.* E.M.C., 8074 A[50], 10, 1981.

— *Sexual transmission of enteric pathogen.* The Lancet, Dec. 12, 1981, 1328«29.

SIBOULET A., *Aspect actuel des maladies sexuellement transmissibles.* La médecine praticienne. 2e n° de juin 1981, n° 829, pp. 5-8.

SIBOULET A., *Aspects actuels des maladies sexuellement transmissibles.* J. Gyn. Obs. Biol. Repr., 1978, 7, pp. 558-68.

SIBOULET A., *La Syphilis.* La Vie Médicale 11, 1981, avril/2, pp. 729-33.

SIBOULET A. et BOHBOT J.M., *Les infections uro-génitales à mycoplasmes.* Le Praticien, n° 402, 1er octobre 1981, pp. 31-32.

— *Les infections uro-génitales à chlamydia trachomatis.* Le Praticien, n° 402, 1er octobre 1981, pp. 25-28.

SIBOULET A. et CATALAN F., *La Blennorragie Gonococcique.* Le Praticien, n° 402, 1er octobre 1982, pp. 10-20.

— *S.I.D.A. Le rétrovirus est bien le suspect numéro un. Un entretien exclusif avec le*

Professeur R. Gallo. Le quotidien du Médecin, 1-2 juillet 1983, nº 2973, pp. 4-5.
— *S.I.D.A.*, par le Dr Shelly M., Le Quotidien du Médecin, 2-3 sept 1983, nº 3006, p. 8.
— *S.I.D.A.* par le Dr Kervran Y.M. Le Quotidien du Médecin, 12 sept. 1983, nº 3012, p. 5.
— *S.I.D.A.*, par le Dr Casteret. Le Quotidien du Médecin, 2 août 83, nº 2994, p.1.
— *S.I.D.A.*, Le Quotidien du Médecin, 28 sept. 1983, nº 3023, p.1.
— *S.I.D.A.*, Entretien avec le Dr Rosenbaum W. Le Quotidien du médecin, 25 juillet 1983, nº 2998, pp. 1 et 3.

SONNABEND J. et Coll., *S.I.D.A., infections opportunistes et affections malignes chez les homosexuels. Hypothèses sur les facteurs étiopathogéniques*. JAMA, nº 73, 8, sept. 83.

SOULLARD J. et CONTOU J.F., *Les maladies sexuellement transmissibles d'origine ano-rectale*. Gastro-entérologie — R.P. 1982, 32, 35 (21 juin 1982), pp. 2365-2375.

TAYLOR-ROBINSON D. and THOMAS B.J., *The role of Chlamydia Trachomatis in genital-tract and associated diseases*. J. Clin. Pathol., 1980, 33, pp. 205-23.

TERHO P, *Chlamydia trachomatis and clinical genital infection, a general review*. Infection, 1982, vol. 10, suppl. 1, pp. 55-59.

TURNER E.B. and MORTON R.S., *Prostitution in Sheffield*. Brit. J. vener. dis., 1976, 52, pp. 197-203.

VERRET J.L. et FRABOULET D., *Conduite à tenir devant une réaction de Bordet-Wassermann positive chez une femme enceinte*. Archives Médicales de l'Ouest, Tome 13, nº 2, fév. 1981, pp. 61-64.

WESTROM L., *Gynecological chlamydial infections*. Infection 1982, vol. 10, suppl. 1, pp. 540-5.

WILLIAM D.C., *Hepatitis and other sexually transmitted diseases in gay men and in lesbians*. Sex. Transm. Dis., Oct-Dec. 1981, pp. 330-332.

Table des matières

CHEZ FAVRE ÉDITEUR, QUELQUES TITRES EXTRAITS DU CATALOGUE :

COLLECTION « EN QUESTION »
— L'ESPRIT DES MŒURS, Dr Q. Debray (190 pages)
— L'EFFET DES CHANGEMENTS TECHNOLOGIQUES, de René Berger (236 pages)
— DEMAIN LA DÉCROISSANCE, de Nicholas Georgescu-Roegen (160 pages)
— LA SEXUALITÉ INFANTILE, du Prof. P. Debray-Ritzen (134 pages)
— ON PEUT QUITTER LA DROGUE, de Pierre Rey (132 pages)
— L'ENJEU NUCLÉAIRE, de Jean Rossel (126 pages)
— L'AUBE SOLAIRE, de Jean-Claude Courvoisier (144 pages)
— LA RELÈVE ÉNERGÉTIQUE, de J.-C. Rochat et Jean Rossel (204 pages)
— L'ARGENT SECRET ET LES BANQUES SUISSES, de Jean-Marie Laya (128 pages)
— VOTRE CHIEN EST INTELLIGENT, de Frédérique Langenheim (128 pages)
— CHÈRE MÉDECINE, du Dr P. Rentchnick et G. Kocher (200 pages)
— LE CONSOMMATEUR AVERTI, de Jacques Neirynck (176 pages)

COLLECTION « TOUS LES CHEMINS DE LA MÉDECINE »
— CE QU'ON VOUS CACHE SUR LE CANCER, du Dr Philippe Lagarde (364 pages)
— CHÉRI... TU RONFLES, du Dr J.-M. Pieyre (150 pages)
— VOS VÊTEMENTS ET VOTRE SANTÉ, du Dr G. Schlogel (216 pages)
— LE TEMPS D'AIMER OU POURQUOI 52 % DES HOMMES SONT-ILS DES ÉJACULATEURS PRÉCOCES, de P. Solignac (144 pages)
— GUÉRIR OU SOULAGER L'ASTHMATIQUE, du Dr M. Reinhardt et S. Wasmer (à paraître)
— TOUT SAVOIR SUR LES MALADIES SEXUELLEMENT TRANSMISSIBLES, du Dr H. Saada (304 pages)
— ACUPUNCTURE ET ALIMENTATION, du Dr Guido Fisch (120 pages)
— APPRENEZ L'ACCOUCHEMENT ACCROUPI, du Dr Myoses Paciornik (176 pages)
— LA CHIROPRACTIE, CLEF DE VOTRE SANTÉ, du Dr P. Huggler (84 pages)
— COMMENT SE SENTIR BIEN DANS SA PEAU, du Dr J.-J. Jaton (96 pages)
— MAÎTRISEZ VOTRE SANTÉ, du Dr Charles Terreaux (216 pages)
— LA DOULEUR EST INUTILE, du Dr Pierre Soum (232 pages)
— L'INFLUENCE DES ASTRES SUR VOTRE SANTÉ, du Dr C. Michelot (216 pages)
— MON APPROCHE DU CANCER, du Dr S. Neukomm (240 pages)

COLLECTION « VOIES ET CHEMINS »
— EXORCISME, UN PRÊTRE PARLE, de l'Abbé Schindelholz (164 pages)
— SORAYA, de H. de Stadelhofen (304 pages)
— LA BANDE A JÉSUS, de Marcel Haedrich (216 pages)
— LA MARCHE AUX ENFANTS, d'Edmond Kaiser (616 pages)
— LA MÉMOIRE DU CHÊNE, du Dr Oscar Forel (204 pages)
— CES BÊTES QU'ON TORTURE INUTILEMENT, de Hans Ruesch (376 pages)
— LES SECRETS D'UN GUÉRISSEUR, de A. Besson (240 pages)
— MAURICE ZERMATTEN, de Micha Grin (220 pages)
LES ROUTIERS DU CIEL, de J.-C. Rudaz (144 pages)
— PETITE SŒUR JUIVE, DE L'IMMACULÉE, de Mère Myriam (à paraître)
— 250 MILLIONS DE SCOUTS, de Laszlo Nagy (288 pages)
— A LA CONQUÊTE DE LA CHANCE, de Cyril Cheffex (192 pages)

COLLECTION « DOCUMENTUM » et « PPR »
— JACQUES BERGIER, LE DERNIER DES MAGICIENS, de Jean Dumur (96 pages)
— LE CRIME NAZI DE PAYERNE, de Jacques Pilet (200 pages)
— MAMAN-RÉVOLUTION, d'Alex Décotte (152 pages)
— DE L'ESPRIT DE CONQUÊTE, de Benjamin Constant (96 pages)
— MÉDIA ET SOCIÉTÉ, de Stelio Molo (144 pages)
— DICTIONNAIRE CRITIQUE DE PSYCHIATRIE, de B. Bierens de Haan (304 pages)
— INGÉNIEUR MÉTIER DE FEMME, de M.-A. Roy (100 pages)

COLLECTION « S » COMME SPORT
— CAISSES A SAVON, de M. Grin (à paraître)
— CHECK-LISTS DU PLAISANCIER, de G. Maisonneuve (208 pages)
— SPORT EN SÉCURITÉ, de H. Potter (128 pages)
— JOGGING = SANTÉ, de H. Schild (160 pages)
— ROLLER SKATE, de Alain-Yves Beaujour (148 pages)
— TRIAL ET MOTOCROSS, de Bernard Jonzier (132 pages)
— ARC ET ARBALÈTE, de Pierre Dubay (208 pages)
— SKIACRO, LE SKI LIBRE, de M. Luini et A. Brunner (112 pages, épuisé, sera réédité)
— DELTA, de Jean-Bernard Desfayes (160 pages, épuisé)

COLLECTION « LES PLANCHES »
— CONVERSATION AVEC MARCEL MARÉCHAL, de Patrick Ferla (280 pages)
— LES CHANSONS DE GILLES, PAROLES ET MUSIQUE, de Jean Villard-Gilles (376 pages)
— MICHEL BÜHLER, CONTES ET CHANSONS (96 pages)
— DIMITRI CLOWN, de Patrick Ferla (112 pages) (épuisé)
— I LOVA YOU, de Lova Golovtchiner (220 pages)
— JOURNAL D'UN CIRQUE, de Jean-Robert Probst (112 pages)
— BERNARD MONTANGERO, CONTES ET CHANSONS (120 pages)
— AMICALEMENT VÔTRE, de Gilles (192 pages, épuisé)
— ELVIS MON AMI, de J. Delessert (472 pages)
— MA TÊTE, de Janry Varnel (80 pages)

COLLECTION « ROMANS, CONTES ET RÉCITS »
— UN AUTRE REGARD, de Micheline Leroyer (160 pages)
— PRISCILLA DE CORINTHE, de Flora Cès (272 pages)
— L'EMPIRE HELVÉTIQUE, de Henri de Stadelhofen (336 pages)
— QUELQUE PART UNE FEMME, de B. Richard, (216 pages)
— LA LIGNE BLEUE DES MÔMES, de Gérard Klein (168 pages)
— IL N'Y A PAS DE FEMMES SOUMISES, de Micheline Leroyer (168 pages)
— LA RUE BÉTELGEUSE, de Flora Cès (136 pages)
— LE PROFESSEUR, de Jeanlouis Cornuz (236 pages)
— LES PÂLES COULEURS, de Michael Gingrich (184 pages)
— LES JUGES FOUS, de Gilbert Baechtold (84 pages)
— L'OMBRE DES SOUVENIRS, de Jacques Bofford (180 pages)
— LA FOLIE DES GRANDEURS, de Jean-Pierre Ollivier (192 pages)
— LA TAMPONNE, de Jean Charles (90 pages)

COLLECTION « DES CAUSES ET DES HOMMES »
— BONSOIR, FAITES DE DOUX RÊVES, de Michèle Maillet (244 pages)
— LES BAHÁ'ÍS, OU VICTOIRE SUR LA VIOLENCE, de Christine Hakim (216 pages)
— MA VIE DE KURDE, de N. Zaza (288 pages)
— HOMMES ET FEMMES, LE PARTAGE, de Gabrielle Nanchen (196 pages)
— ROLAND BÉGUELIN, de Claude Froidevaux (144 pages)
— LA PAIX PAR LES FEMMES, de Richard Deutsch (264 pages)
— JIMMY CARTER, de Louis Wiznitzer (192 pages)
— LE COLONISATEUR COLONISÉ, de L. San Marco (232 pages)
— DE GAULLE : VOUS AVEZ DIT BELGIQUE, de C. de Groulart (144 pages)

COLLECTION « L'ENSEIGNEMENT AUJOURD'HUI »
— IL N'Y A PAS DE MAUVAIS ÉLÈVES, de Jürg Jegge (176 pages)
— LE THÉÂTRE POUR ENFANTS, de Claude Vallon (192 pages)
— LA TÊTE PLEINE D'ÉLÈVES, d'un groupe d'enseignants (128 pages)
— LES ATELIERS DE CINÉMA D'ANIMATION, FILM ET VIDÉO, de Robi Engler (384 pages)
— LEXIQUE SUISSE ROMAND-FRANÇAIS, de C. Hadacek (144 pages)
— LE TOUCHER, de A. Serrero et C. Calmy-Guyot (124 pages)
— BALADE DANS LE MONDE DES SOURDS, de M. Demai et J. Lelu-Laniepce (à paraître)

COLLECTION « CENTRE-EUROPE TIERS-MONDE »
— L'EMPIRE NESTLÉ, de Pierre Harrisson (500 pages)
— LA BOLIVIE SOUS LE COUPERET, de Théo Buss (376 pages)
— QUEL AVENIR POUR LE SAHEL ? de P.-C. Damiba et P. Schrumpf (224 pages)
— L'EXPORTATION DU SWISS MADE, de H. Stetter (128 pages)
— LE VIEIL HOMME ET LA FORÊT, de Lorette Coen (128 pages)
— LES MÉDICAMENTS ET LE TIERS-MONDE, de Andras November (216 pages)
— L'ÉGLISE ET LES PAUVRES, de Julio de Santa Ana (276 pages)

COLLECTIONS « PHALANSTÈRE » ET « LA FLEUR AU FUSIL »
— LE SAC À FOUILLES, de Ricet Barrier (96 pages)
— PORTRAITS DE SAUTE-MOUTON, de Janry Varnel (100 pages)
— MOI J'AIME LES P., de Jack Rollan (32 pages)

COLLECTION « EN SUISSE »
— LA ROMANDIE DOMINÉE, de Grimm-Gobat et A. Charpilloz (128 pages)
— HISTOIRE ET ACTUALITÉ DES CHERCHEURS D'OR EN SUISSE, de Pascal-Arthur Gonet (104 pages)
— ARMES INDIVIDUELLES SUISSES, de Clément Bosson (210 pages)
— FAITES DILIGENCE, de J. Charles, C. Froidevaux, F. Musy (104 pages)
— ROGER NORDMANN, OU LES CHAÎNES DU BONHEUR, de Patrick Nordmann (152 pages)
— LE COLONEL FASCISTE SUISSE, ARTHUR FONJALLAZ, de C. Cantini (224 pages)

COLLECTION « L'ÂGE D'OR DES LOISIRS »
— MONSIEUR JARDINIER, de J.-C. Gigon (304 pages)
— LA CHASSE AUX TRÉSORS, de Emmanuel Haymann (160 pages)
— LES RECETTES DE VOS VEDETTES, de Jacques Bofford (160 pages)
— DÉCOUVREZ ET MAÎTRISEZ LE SCRABBLE, de Didier Clerc (320 pages)
— A LA RECHERCHE DE L'OR EN FRANCE, de Xavier Schmitt (136 pages)

COLLECTION « LES CAILLOUX BLANCS »
— GUILLAUME TELL, de Pascale Allamand et Henri Dès (36 pages)

COLLECTION « ALBUM »
— LE SKIEUR DE L'IMPOSSIBLE, de Sylvain Saudan (130 pages)
— A CORPS PERDU, de Jean-Pierre Pastori (114 pages)
— PORTRAITS D'ARTISTES, de Ch. Coigny (80 pages)
— CHRISTIAN COIGNY (100 pages)
— OHMMES, de Christian Coigny (80 pages)
— PATRICK DUPOND, OU LA FUREUR DE DANSER, de Jean-Pierre Pastori (104 pages)
— TANGO, de Pablo Reinoso (88 pages)
— HISTOIRE DES HOMMES VOLANTS, de Jacques Thyraud (200 pages)

COLLECTION « REGARDS SOCIOLOGIQUES »
— MARIAGES AU QUOTIDIEN, de Kellerhals, Perrin, Steinauer-Cresson, Vonèche, Wirth (300 pages)
— LA LOGIQUE DU CONFLIT, de C. Mironesco (192 pages)
— TEMPS LIBRE, de Lalive d'Epinay, Bassand, Christe, Gros (264 pages)
— L'ÉCHEC SCOLAIRE, de Deschamps, Lorenzi, Meyer (272 pages)

COLLECTION « PETITE ET GRANDE HISTOIRE »
— LE SYSTÈME SAOUD, dc Claude Feuillet (214 pages)
— HISTOIRES MYSTÉRIEUSES DES TRÉSORS DE FRANCE, de E. Haymann (200 pages)
— MARIE DURAND OU LES CAPTIVES D'AIGUES-MORTES, de Anne Danclos (160 pages)
— LE CAMP DU BOUT DU MONDE, de E. Haymann (288 pages)

Distribution aux libraires en France : Inter Forum - 75013 Paris

Demandez notre catalogue.

Pierre-Marcel Favre, éditeur
Siège social : 29, rue de Bourg, CH-1002 Lausanne, Suisse.
Téléphone (de Paris 19 41 21 22.17.17).
Bureau de Paris : 2, rue du Sabot, F-75006 Paris. Tél. 548.68.85

Cet ouvrage a été réalisé
sur les presses des Imprimeries Delmas
à Artigues-près-Bordeaux
33370 Tresses,
pour le compte des Editions Favre,
le 17 février 1984.

Imprimé en France.
Dépôt légal : février 1984.
N° d'impression : 33280.